LE RÉVEIL DE
SCORPIA

Dans la série des aventures d'Alex Rider,
espion malgré lui :

Tome 1. *Stormbreaker*
Tome 2. *Pointe blanche*
Tome 3. *Skeleton Key*
Tome 4. *Jeu de tueur*
Tome 5. *Scorpia*
Tome 6. *Arkange*
Tome 7. *Snakehead*
Tome 8. *Les larmes du crocodile*

L'édition originale de cet ouvrage a paru en langue anglaise
(Royaume-Uni) chez WalkerBooks Ltd sous le titre :

SCORPIA RISING

Traduit de l'anglais (Royaume-Uni)
par Annick Le Goyat

Cover design by Walker Books Ltd.
Trademarks Alex Rider™ ; Boy with Torch Logo™.
© 2011 Stormbreaker Productions Ltd.

© Hachette Livre, 2011, pour la traduction française.
Hachette Livre, 43 quai de Grenelle, 75015 Paris.

ANTHONY HOROWITZ

Alex Rider **9**

LE RÉVEIL DE SCORPIA

Traduit de l'anglais par Annick Le Goyat

hachette

1. LES DIEUX VOLÉS

L'homme en manteau de cachemire noir descendit l'échelle de son avion privé, un Learjet 40 à six places, et s'arrêta un instant sur le tarmac. Son souffle blanchissait dans l'air vif du matin. Il jeta un coup d'œil sur la piste où passait un camion-citerne. Hormis deux hommes en blouson fluo qui bavardaient au loin devant un hangar, il était seul. WELCOME TO LONDON CITY AIRPORT[1] s'affichait sur le fronton du petit terminal. Dessous, une porte ouverte invitait les voyageurs à se diriger vers le contrôle de l'immigration.

---

1. Aéroport situé à l'est de Londres, qui dispose d'une seule piste réservée aux courts et moyens-courriers, et dessert principalement la City, le quartier d'affaires de Londres. (*Toutes les notes sont de la traductrice.*)

Âgé d'une cinquantaine d'années, chauve, l'homme avait un visage inexpressif. Il tendit son passeport à l'agent d'immigration, soutint son regard inquisiteur sans ciller, reprit son passeport et poursuivit son chemin. Il n'avait pas de bagages. Une limousine noire l'attendait dehors, un chauffeur en livrée grise au volant. Le voyageur prit place sur le siège arrière sans un mot et la voiture démarra. Ils suivirent la courbe de la Tamise vers Canning Town, en direction du centre de Londres. Les deux hommes n'échangèrent pas une parole de tout le trajet.

Le passager s'appelait Zeljan Kurst. Il était recherché par les polices de dix-sept pays. Directeur général de l'organisation criminelle internationale connue sous le nom de Scorpia, jamais encore sa présence n'avait été signalée à Londres. Cependant, le MI6 avait été prévenu de son arrivée. Les agents du service de renseignement l'attendaient à l'atterrissage. L'employé de l'immigration était l'un d'eux. À présent, ils le filaient.

« Il roule vers l'ouest sur l'A13 vers Whitechapel. Voiture Trois, prenez le relais au prochain carrefour...

— Voiture Trois se met en position...

— OK. On décroche... »

Les voix désincarnées ricochaient sur les ondes d'un canal tellement secret que quiconque cherchant à le capter sans les filtres nécessaires n'aurait entendu qu'un sifflement de parasites. Arrêter Kurst à l'aéroport aurait été bien plus facile. Il suffisait de cinq secondes pour s'emparer de lui, le fourrer dans une caisse et l'escamoter. Mais, en haut lieu, on avait décidé de le prendre en filature pour découvrir où il allait. Car la présence du grand patron de Scorpia en Angleterre était un événement. Et le fait qu'il se déplace seul, pour rencontrer quelqu'un, était encore plus extraordinaire.

Zeljan Kurst n'avait pas conscience d'être suivi. Il ignorait qu'un de ses hommes avait divulgué son plan de vol en contrepartie d'un changement d'identité et d'une nouvelle vie à Panama. Pourtant il ne se sentait pas à l'aise. Jamais il n'aurait dû se trouver ici. Quand l'invitation était arrivée sur son bureau, relayée par une série d'intermédiaires depuis l'autre bout du monde, sa première réaction avait été de refuser. Il n'était pas garçon de courses. On ne le sifflait pas comme un vulgaire domestique. Puis il s'était ravisé.

Lorsque l'homme qui possède la quatrième plus grande fortune du monde vous demande de venir le voir et vous paie un million d'euros pour votre déplacement, autant aller écouter ce qu'il a à dire.

« Nous sommes sur High Holborn. Voiture Quatre en approche pour interception.

— Une minute ! Attendez une minute. Il tourne... »

La limousine venait de s'engager dans une rue étroite bordée de boutiques démodées et de cafés. Le changement de direction prit les agents du MI6 au dépourvu et sema un instant la panique parmi eux. Deux de leurs véhicules virèrent brutalement au milieu de la circulation, déclenchant un concert de klaxons, juste à temps pour voir la limousine s'arrêter et Zeljan Kurst en descendre.

« Voiture Quatre, où êtes-vous ? questionna la voix pressante. Où est la cible ? »

La réponse lui parvint après un silence : « Il entre dans le British Museum. »

En effet, Kurst avait franchi les grilles du musée et traversait l'esplanade devant le célèbre édifice à la haute façade ornée de colonnes. Sa canne en ébène scandait ses pas sur le ciment. Les agents du MI6 jaillirent de leurs véhicules, mais trop tard. Ils virent Kurst disparaître dans le bâtiment et comprirent qu'ils risquaient de le perdre pour de bon s'ils n'agissaient pas rapidement. Le musée possédait plusieurs sorties. Il était peu probable que le chef de Scorpia eût fait ce long voyage jusqu'en Angleterre juste pour visiter une exposition. Et il y avait de fortes chances qu'il eût délibérément choisi cet endroit dans l'unique but de les semer.

« Il est dans le musée. Voitures Un, Deux et Trois, encerclez le bâtiment. Surveillez toutes les issues. Confirmez immédiatement. »

Quelqu'un avait pris la direction des opérations. Mais sa voix était haut perchée, mal posée. Il était onze heures du matin par cette claire journée de février. Une foule de touristes et d'étudiants grouillait déjà dans le musée. C'était l'endroit le plus mal choisi pour interpeller Zeljan Kurst.

Kurst traversa le hall d'accueil, une vaste salle étincelante, surmontée d'un spectaculaire toit en verre incurvé. Il n'avait toujours aucune conscience d'être suivi. Il contourna les boutiques de souvenirs et les guichets d'information pour se diriger vers les premières galeries d'exposition. En passant, il remarqua un couple de Japonais minuscules et quasi identiques qui se photographiaient devant un escalier. Plus loin, un étudiant barbu examinait des cartes postales en les tirant une à une du présentoir pour les étudier comme s'il cherchait à y déchiffrer un code secret. Tap, tap, tap. La pointe de la canne rythmait la progression de Kurst. Il savait exactement où il allait, et arriverait au lieu de rendez-vous à la minute précise qui avait été fixée.

Zeljan Kurst était un homme corpulent aux épaules larges et lourdes, lesquelles formaient une ligne droite de part et d'autre de son cou extraordinairement massif. Il était chauve par choix : il se rasait le crâne et l'on devinait l'ombre sombre de sa pilosité sous la peau. Aucune lueur d'intelligence n'éclairait ses yeux d'un brun fangeux. Il avait des lèvres petites et charnues, un nez épaté de catcheur – ou de videur de boîte de nuit louche. Beaucoup de gens le sous-estimaient et, à l'occasion, Kurst jugeait nécessaire de les détromper. En général, en les tuant. Cela lui semblait simplement le seul moyen.

Il dépassa la statue d'une déesse nue accroupie. Juste devant, assise sur un tabouret, une vieille femme coiffée d'une casquette à la Sherlock Holmes et armée de pinceaux peignait une mauvaise copie de la statue sur une grande toile blanche. Face à Kurst, se dressaient deux animaux en pierre – des lions à la forme bizarre – et, sur le côté, un temple entier, vieux de plus de deux mille ans, rapporté de Turquie et remonté pierre par pierre. C'est à peine s'il leur accorda un regard. Il n'aimait pas les musées, bien que sa maison fût remplie d'objets volés dans plusieurs d'entre eux. Toute la question était là. Pourquoi laisser moisir un objet d'un prix inestimable dans une salle sombre, devant un public d'abrutis qui n'avaient aucune idée de sa valeur ? Kurst avait une règle de vie très simple : pour profiter d'une chose, il fallait la posséder. Et si l'on ne pouvait pas l'acheter, alors il fallait la voler.

Devant lui, deux portes vitrées menaient à une dernière salle. Il y entra à la suite d'un homme noir, grand et athlétique, qui tenait à la main un carnet de notes. La galerie, immense, s'étirait dans les deux sens, comme une piste d'aéroport. Malgré la centaine de visiteurs qui y circulaient déjà, elle paraissait à moitié vide. Tout y était gris : les murs, le sol. L'air lui-même semblait gris. Mais deux rangées de projecteurs fixés sur le haut plafond diffusaient sur les trésors exposés un éclat doux et doré.

Une frise de dalles de marbre ornait les murs dans toute leur longueur. Sur ces dalles sculptées figuraient des hommes et des femmes de la Grèce antique, tantôt assis, tantôt debout, bavardant ou montant à cheval. Certains tenaient des instruments de musique, d'autres portaient des ballots de linge, ou des plats et des verres destinés à un festin. Un grand nombre des dalles sculptées étaient incomplètes. Les siècles avaient abîmé les visages, cassé bras et jambes, mais il émanait quelque chose de remarquable des détails qui subsistaient. On sentait d'emblée que ces personnages avaient existé, vécu des vies simples et ordinaires, tandis que l'artiste les figeait dans ce rêve éveillé. C'était tout un monde capturé dans la pierre.

Zeljan Kurst leur jeta tout juste un coup d'œil. Aux deux extrémités de la galerie, se trouvaient des plates-formes surélevées auxquelles on accédait par une volée de marches, avec un ascenseur pour handicapés – lequel avait dû servir à l'homme qu'il était venu rencontrer. Celui-ci se trouvait là, au fond à droite, seul, assis sur son fauteuil roulant, une couverture sur les genoux. Kurst s'approcha de lui.

— M. Kurst ?

La voix de l'infirme était sèche, étranglée. Comme sortie d'un cou de lézard.

Kurst hocha la tête. C'était un homme prudent, qui se faisait une règle de ne parler qu'en cas de nécessité.

— Je suis Ariston Xenopolos.

— Je sais qui vous êtes.

— Merci d'être venu.

Yannis Ariston Xenopolos, dont la fortune était évaluée à trente-cinq milliards de dollars, s'était enrichi grâce à son immense empire de transport maritime, qu'il gérait depuis ses bureaux d'Athènes. À cela s'ajoutait une compagnie aérienne : Ariston Air, et une chaîne d'hôtels. À présent, Ariston était mourant. Kurst l'aurait compris même s'il n'avait pas lu les journaux. Cela se voyait dans les joues creusées, le teint blafard, la posture ratatinée de momie égyptienne, le corps qui semblait rentrer à l'intérieur de lui-même. Mais surtout dans les yeux. Kurst, qui avait autrefois dirigé la police yougoslave, avait toujours été très intéressé par la façon dont les prisonniers le regardaient avant leur exécution. Il lisait la même expression dans les yeux d'Ariston. Le Grec avait accepté la mort. Tout espoir l'avait quitté.

— J'ai pris un risque considérable en venant ici, dit Kurst avec son fort accent d'Europe de l'Est. Qu'est-ce que vous voulez ?

— Je pensais que la réponse était évidente.

— Les marbres d'Elgin.

— Exactement. J'ai tenu à ce que vous veniez jusqu'ici pour que vous compreniez.

Ariston tendit une main qui ressemblait davantage à une serre et saisit une manette sur le volant de son fauteuil. L'engin, actionné par des piles, pivota avec un léger ronronnement face à la galerie.

— C'est l'un des plus admirables chefs-d'œuvre que l'homme ait produits. Regardez attentivement ces sculptures, M. Kurst. Elles sont si belles qu'il est presque impossible de trouver les mots pour les décrire. Elles décoraient jadis un temple au cœur d'Athènes : le Parthénon, dédié à Athéna, la déesse de la sagesse. La frise que vous voyez ici dépeint les festivités d'été qui avaient lieu chaque année en l'honneur de la déesse…

À nouveau la serre actionna la manette et Ariston pivota pour faire face à un groupe de sculptures situé derrière lui. D'abord il y avait un cheval, qui se dressait comme s'il surgissait des flots : seule sa tête était visible. Venait ensuite un homme nu, allongé sur le dos. Puis trois femmes, à qui manquait la tête. À leur position, on comprenait que ces sculptures figuraient jadis dans les triangles situés aux extrémités du Parthénon.

— Le cheval appartenait à Hélios, le dieu du soleil, expliqua Ariston. À côté vous voyez Dionysos, le dieu du vin. À sa droite, la déesse Déméter …

— Je connais les marbres d'Elgin, coupa Kurst.

Peu lui importait la somme promise par Ariston. Il n'était pas venu assister à une conférence d'histoire de l'art.

— Alors vous savez qu'ils ont été pillés. Volés ! Il y a deux cents ans, un aristocrate britannique, Lord Elgin, a volé les plaques de marbre du Parthénon pour les rapporter à Londres. Depuis lors, mon pays ne cesse de réclamer leur restitution. Nous avons même construit un nouveau musée à Athènes pour les accueillir. Ces chefs-d'œuvre sont la gloire de la Grèce, M. Kurst. Ils font partie de notre patrimoine. Ils doivent nous revenir.

Le vieil homme tâtonna sous sa couverture et fit apparaître un masque à oxygène qu'il plaqua sur son visage. Un sifflement d'air comprimé se fit entendre et il inspira avidement avant de reprendre :

— Mais le gouvernement anglais a toujours refusé. L'Angleterre tient à conserver ces œuvres volées. Elle refuse d'entendre la voix du peuple grec. Aussi ai-je décidé, même si c'est ma dernière action sur terre, de forcer le gouvernement britannique à nous écouter. Voilà pourquoi j'ai contacté votre organisation. Je veux que vous récupériez les sculptures pour les rendre à la Grèce.

Dehors, dans la rue, quatre autres voitures s'étaient garées devant le British Museum. Une quinzaine d'agents du MI6 en sortirent. Ajoutés à ceux qui avaient suivi Kurst depuis l'aéroport, cela portait leur nombre à vingt-trois. Ils avaient la certitude que leur cible se trouvait toujours à l'intérieur du musée. Mais avec quatre-vingt-quatorze salles d'exposition sur quatre kilomètres carrés, il serait quasiment impossible de le retrouver. Et ils connaissaient les ordres : cet homme est extrêmement dangereux, défense absolue de l'approcher dans un lieu public. S'il se sentait pris au piège, impossible de prévoir sa réaction. Il pouvait en résulter un bain de sang.

Zeljan Kurst n'avait pourtant aucune conscience de la traque dont il faisait l'objet. Il se concentrait sur la proposition du milliardaire grec.

— Voler les marbres d'Elgin ne vous avancera à rien, fit-il observer. Le gouvernement britannique demandera leur restitution. Mieux vaudrait le menacer. Ou le faire chanter.

— Faites ce qu'il faut. Cela m'est égal. Vous pouvez tuer la moitié de la population de ce pays haïssable si cela me permet d'atteindre mon but...

La phrase d'Ariston s'acheva dans une quinte de toux. Des perles de salive apparurent sur ses lèvres.

Kurst attendit qu'il recouvre son calme, puis il hocha lentement la tête.

— C'est réalisable, dit-il. Mais cela prendra du temps. Et beaucoup d'argent.

— Ce sera mon legs au peuple grec. Si vous acceptez la mission, je vous paierai cinq millions d'euros immédiatement, et quinze autres millions quand vous aurez réussi.

— Insuffisant, dit Kurst.

Ariston lui jeta un regard narquois.

— À une certaine époque, j'aurais été obligé d'accepter vos exigences. Mais Scorpia n'est plus l'organisation qu'elle était. Vous avez subi deux échecs en une seule année. D'abord l'opération « Épée Invisible », et plus récemment cette vilaine affaire en Australie. Le fait même que vous soyez ici aujourd'hui montre votre faiblesse, ajouta-t-il en découvrant ses dents grises.

— Scorpia s'est ressaisie, rétorqua Kurst. Nous avons engagé de nouvelles recrues. Je dirais même que nous sommes plus forts qu'avant. Nous pouvons choisir nos clients, M. Xenopolos, et nous ne négocions pas.

— Dites votre prix.

— Quarante millions.

Les yeux d'Ariston cillèrent à peine.

— D'accord.

— La moitié d'avance.

— Entendu.

Kurst tourna les talons et s'éloigna sans ajouter un mot. Il était déjà totalement concentré sur la tâche qui l'attendait. Lui qui avait rêvé de donner une leçon au gouvernement britannique, l'occasion lui était servie sur un plateau. Les deux précédents échecs de Scorpia, évoqués par Ariston, étaient le fait des services secrets de Sa Majesté.

Heureusement, le vieil homme n'était pas au courant des détails de l'histoire. Aurait-il fait appel à Scorpia s'il avait connu l'incroyable vérité ? S'il avait su que les deux fiascos étaient la faute d'un garçon de quatorze ans ?

La malchance – un mauvais timing – voulut que Kurst quitte le musée au pire moment. Il allait atteindre le grand hall lorsqu'un des agents du MI6 apparut en sens inverse. Ils se trouvèrent soudain face à face. L'agent, dénommé Travis, était jeune et inexpérimenté. Il fut incapable de dissimuler sa surprise et Kurst comprit qu'il était démasqué.

Travis n'avait pas le choix. Il avait reçu des ordres mais il savait que, s'il les suivait, il signait son arrêt de mort. Il plongea la main sous sa veste et en sortit un Browning 9 mm, l'arme préférée des SAS[1]. En même temps, il cria, d'une voix plus forte qu'il n'était nécessaire : « Pas un geste ! Si vous bougez, je tire ! » Il appliquait la procédure. Il fallait à la fois imposer son autorité sur la cible, et prévenir ses collègues qu'il avait été repéré.

Ses paroles tonnèrent sous la haute voûte du grand hall silencieux. Quelques touristes aperçurent son arme. La panique les saisit et se répandit comme une traînée de poudre.

Kurst leva les mains. Dans la droite, il tenait sa canne en ébène. En même temps, il se déplaça légèrement de côté. Travis le suivit des yeux et ne vit pas l'éclair argenté qui jaillit au-dessus de l'épaule de Kurst et vint se ficher dans sa propre gorge. La vieille femme qui s'appliquait à peindre une copie de la déesse avait suivi Kurst vers la sortie. Sous son maquillage, elle était beaucoup moins âgée qu'elle ne le paraissait et ses pinceaux, dotés de poils à une extrémité, possédaient un manche en acier aiguisé comme un rasoir. Travis tomba à genoux. Juste avant de mourir, son doigt se crispa sur la détente de son Browning et le coup partit. Les murs de pierre amplifièrent l'écho de la détonation. Aussitôt la panique se déchaîna.

Les touristes s'égaillèrent en poussant des cris. Certains plongèrent derrière les boutiques et les guichets d'information. Une classe d'élèves qui visitait les momies égyptiennes s'accroupit derrière

1. SAS : Special Air Service, unité des forces spéciales des armées britanniques.

l'escalier. Près d'eux, une Américaine se mit à hurler. Les gardiens du musée, pour la plupart des retraités peu préparés à ce genre d'incident, se figèrent, totalement désemparés. Pendant ce temps, Kurst enjamba le corps sans vie de Travis et se dirigea sans se presser vers la sortie.

Bien entendu, il n'était pas venu au musée sans escorte. Jamais Scorpia n'aurait risqué la vie de son chef, même pour un million d'euros. Des hommes de l'organisation grouillaient autour de lui. Et au moment où les agents du MI6 accoururent de toutes parts, sans savoir précisément ce qui se passait mais certains que les règles avaient changé, ils furent accueillis par une pluie de balles. L'étudiant barbu qui examinait avec tant d'attention les cartes postales avait sorti de son sac à dos un pistolet-mitrailleur miniature doté d'une crosse pliante avec lequel il arrosait le hall. Un agent du MI6, à mi-chemin de l'escalier ouest, leva les bras en l'air, comme dans un geste de surprise, puis bascula en avant et roula sur les marches. L'Américaine hurlait toujours. Les enfants de la classe poussaient des cris de terreur. Toutes les sirènes d'alarme du musée s'étaient déclenchées. Des gens détalaient dans toutes les directions.

Le Japonais qui avait photographié sa femme lança son appareil numérique sur le sol, où celui-ci explosa avec un bruit sourd, libérant un épais nuage de fumée vert sombre. En quelques secondes, Kurst disparut. Le grand hall s'était transformé en champ de bataille. Deux agents du MI6 interrompirent leur course, scrutant l'épaisse fumée. Il y eut un claquement sec, puis un autre, et ils s'effondrèrent. La Japonaise venait de leur tirer dans les jambes avec un pistolet Nambu à crosse de nacre qu'elle avait sorti de son sac à main.

De son côté, un mouchoir plaqué sur le bas du visage, Kurst avait atteint la porte principale. Au moment de son arrivée au musée, le service de sécurité était réduit. À présent, il n'y avait plus personne. Du coin de l'œil, il vit un agent du MI6 prêt à se jeter sur lui. Mais son assaillant fut stoppé net par son garde du corps personnel : le Noir au carnet de notes qui l'avait précédé dans la galerie des marbres. Le cou d'un homme produit un son caractéristique quand il est brisé. Kurst l'entendit. L'agent s'affala à terre. Kurst sortit à l'air libre.

Des gens couraient entre les piliers, trébuchaient sur les marches, traversaient affolés l'esplanade. La police n'allait pas tarder. Des sirènes hurlaient, venant de tous les coins de la ville. La limousine de Kurst l'attendait devant les grilles. Mais deux hommes avançaient vers lui d'un pas décidé, tous deux vêtus d'un costume anthracite et portant des lunettes noires. Il se demanda brièvement pourquoi les employés des services d'espionnage se rendaient aussi voyants. Alertés par le vacarme, ils avaient couru vers le musée. Peut-être ne s'attendaient-ils pas à le voir sortir aussi vite.

Kurst leva sa canne en ébène. C'était en réalité un tube évidé, doté d'une unique balle à propulsion au gaz et d'une détente électrique dissimulée juste sous le pommeau. La balle avait été spécialement modifiée : elle ne se contentait pas de tuer un homme, elle le coupait en deux.

Kurst fit feu. L'homme de gauche fut soulevé de terre et retomba plus loin en tournoyant comme un ballon sanguinolent. Le second se figea un quart de seconde. C'était trop. Avec une vélocité surprenante pour un homme de son âge, Kurst fit tournoyer sa canne à la manière d'une épée. Le tube de métal percuta l'agent en pleine gorge et il s'écroula comme une masse. Kurst courut vers la limousine. La porte arrière était déjà ouverte. Il s'y engouffra et claqua la porte derrière lui. Des détonations fusèrent. Mais les vitres étaient à l'épreuve des balles et la carrosserie blindée. Dans un crissement de pneus, la limousine bondit. Un homme se dressa en travers de son chemin, brandissant une arme à deux mains, à la façon des commandos. Le chauffeur accéléra. Il y eut un choc sourd et le corps de l'agent du MI6 fut projeté dans le caniveau.

Deux heures plus tard, un homme en perruque blonde et lunettes noires, tenant un énorme bouquet de fleurs, montait à bord de l'Eurostar à destination de Paris. Zeljan Kurst détestait ces déguisements mais sa longue carrière lui avait enseigné une chose : quand on s'efforce de ne pas être vu, mieux vaut se rendre aussi voyant que possible. La perruque et les fleurs étaient ridicules, mais il y avait peu de risques que la police et le MI6, qui le recherchaient dans toute la ville, l'associent à cet accoutrement.

Une fois assis dans son siège réservé en première classe, Kurst sirota le verre de Champagne gracieusement offert par la compagnie des chemins de fer tout en réfléchissant au problème qu'Ariston Xenopolos l'avait chargé de résoudre. Il avait déjà oublié la fusillade du British Museum. La question était maintenant pour lui de savoir quelle était la personne la plus apte à prendre en charge l'intéressante opération des marbres d'Elgin. Scorpia comptait douze membres, lui inclus. Il passa mentalement en revue les mieux qualifiés pour cette mission.

Levi Kroll, l'ancien agent israélien qui, dans un moment d'inattention, s'était tiré dans un œil ? Mikato, le policier japonais devenu un gangster Yakusa ? Dr Tree ? À moins que ce ne soit une excellente occasion pour leur nouvelle recrue. Un homme dont l'esprit tordu se délecterait d'un problème d'une telle complexité, et dont la nature impitoyable permettrait de mener le projet à bien.

Après un coup de sifflet, le train s'ébranla. Kurst sortit son téléphone portable, crypté comme il se doit, et composa un numéro. Le train glissa le long du quai et prit de la vitesse. Au moment de quitter Saint-Pancras, Kurst s'autorisa le luxe rare d'un sourire. Oui, Razim serait parfait. Il apporterait à cette opération ses talents uniques. C'était l'homme de la situation.

2. L'ÉCHELLE DE LA DOULEUR

— Merci, merci, merci, cher M. Kurst. Je vais tout de suite m'atteler au problème.

L'homme se tenait sur le parapet d'un fortin français, construit à la fin du XVIIIe siècle lors de l'invasion de l'Égypte par Napoléon. Quelques nouveaux bâtiments y avaient été ajoutés récemment, et de prochaines constructions se profilaient. Il y avait des échafaudages, du matériel de levage, des monticules de terre et de sel.

Une impression très étrange se dégageait de l'édifice isolé et carré au milieu du désert. On aurait pu croire à un décor de film hollywoodien, ou bien à un mirage. D'abord, il y avait la muraille extérieure, pas très haute mais épaisse de plusieurs mètres, avec des créneaux et d'imposantes tours de guet dressées à chacun des quatre coins. Les tours étaient percées de fentes qui permettaient de surveiller l'extérieur sans être vu. L'unique accès au fort était un porche voûté, avec une double porte en chêne constituée de troncs entiers liés ensemble par des ferrures ; son ouverture aurait nécessité plusieurs hommes si elle n'avait été commandée électriquement.

À l'intérieur, le fort ressemblait à un camp militaire, avec une dizaine de bâtiments disposés autour d'un puits central. Car l'eau, bien entendu, était un élément capital dans le désert. Une armée pouvait survivre ici pendant des mois : manger, dormir, s'entraîner à l'écart du monde. Deux des bâtisses servaient de logement : une pour les officiers, une pour les soldats, les autres abritaient une prison, des réserves, un fournil pour faire le pain et une chapelle. Toutes avaient été équipées en air climatisé, eau courante froide et chaude, et de tout le confort moderne. Les anciennes écuries accueillaient maintenant une salle de loisirs, avec des tables de billard et un écran de cinéma. La vieille armurerie contenait encore des armes, mais bien différentes de celles utilisées à l'époque napoléonienne.

On y trouvait désormais des lance-flammes, des grenades à main, et même des lance-roquettes, car l'homme qui avait acheté et restauré le fort pour son usage privé avait besoin de se sentir en sécurité. Derrière les briques d'argile salée cuites au soleil, la cour poussiéreuse et les anciens remparts, se cachait un matériel parfois très sophistiqué. L'ensemble fonctionnait grâce à un générateur électrique installé dans l'ancienne forge. Un mât d'antenne radio et trois antennes paraboliques s'élevaient au-dessus d'une des tours de guet. Des caméras de télévision surveillaient les moindres mouvements. La nuit, un radar infrarouge scrutait les environs. Tous étaient reliés à une salle de contrôle aménagée dans l'ancien four à pain, dont subsistait la cheminée d'où s'échappait jadis la fumée. La salle de contrôle était en activité vingt-quatre heures sur vingt-quatre, et personne ne pouvait y entrer ou en sortir sans autorisation : la porte ne s'ouvrait que de l'intérieur. De plus, le surveillant de faction était en contact radio permanent avec les gardes. Ceux-ci étaient des gens du pays, vêtus de la tenue traditionnelle des Bédouins : turban sur la tête, longue tunique tombant aux chevilles, sandales, et poignard à la ceinture. Ils portaient également un pistolet-mitrailleur à l'épaule.

Le propriétaire du fort était Abdul Aziz al-Razim, mais ce n'était plus ainsi qu'il se faisait appeler. Quand on est un terroriste et un criminel de guerre recherché par les polices du monde entier, mieux vaut ne pas avoir de nom. Pour ses amis de Scorpia, il était simplement Razim. À la vérité, il n'avait pas d'autres amis. Ni d'épouse. Il lui arrivait de passer un mois entier sans parler avec quiconque. Son père était professeur d'université. Sa mère avait étudié la littérature arabe à l'université de Cambridge, en Angleterre, et elle était elle-même devenue une écrivaine et une poétesse reconnue. Abdul Aziz (qui signifie en arabe : « serviteur du Tout-Puissant ») avait une sœur aînée prénommée Rima. La famille avait vécu dans l'une des plus vieilles maisons de Tikrit, une bâtisse étroite et blanche, construite autour d'un patio regorgeant de fleurs et de plantes, avec une fontaine au centre.

Dès son plus jeune âge, Razim avait été un enfant difficile. Son père disait souvent qu'il était né pendant une tempête de sable et qu'un peu de sable devait couler dans ses veines. Bébé, il ne souriait ni ne babillait jamais. Couché dans son berceau, l'air renfrogné, il semblait réfléchir à la raison qui l'avait mis là et au moyen de s'en échapper. Dès qu'il sut marcher, il tenta de s'enfuir. Les nurses ne restaient jamais très longtemps dans la maison. Les crises de colère de Razim en chassèrent trois. La quatrième s'en alla avec une paire de ciseaux plantée dans la cuisse droite. Son tort : avoir grondé Razim parce qu'il embêtait sa sœur.

Au moins, il était bon élève. Les professeurs le considéraient même comme un génie. Il était premier dans toutes les matières. À l'âge de douze ans, il parlait trois langues couramment. On se doute qu'il s'entendait assez mal avec ses camarades de classe. À cette époque déjà, Razim n'avait pas d'amis. C'était un garçon calme et solitaire, qui se savait différent mais sans savoir pourquoi. Il finit cependant par comprendre ce qui le distinguait : il ne ressentait aucune émotion. Rien ne l'effrayait et rien ne le contrariait. Rien non plus ne le rendait joyeux. Aucune nourriture ne lui plaisait vraiment. C'était comme si toutes les choses de la vie étaient coincées sous une plaque de microscope et qu'il était le scientifique chargé de l'examiner. Pour lui, tous les jours se ressemblaient. Il ne ressentait rien.

Il décida donc de se mettre à l'essai. Quand il était petit, ses parents lui avaient offert un chiot qui était devenu son unique compagnon. Un jour, Razim emmena le chien dans le verger derrière la maison de ses parents et il l'étrangla, juste pour vérifier quel effet cela lui ferait. Cela ne le troubla pas le moins du monde. Ses parents s'étonnèrent de la disparition du chien et ils remarquèrent les griffures sur les bras et les mains de Razim. Celui-ci leur expliqua qu'il s'était égratigné contre une clôture de barbelés et ils acceptèrent sa version. Son père et sa mère avaient beau être des gens très intelligents, aucun parent n'aime penser le pire de son enfant. Et puis... Razim était toujours très brillant à l'école. Il prenait ses repas avec eux et les accompagnait à la mosquée pour les prières familiales. Il ne cachait pas qu'il n'éprouvait aucune affection pour sa sœur mais se montrait poli envers elle. Que lui demander de plus ?

En 1979, l'histoire de l'Iraq bascula avec la venue au pouvoir de Saddam Hussein. L'un des premiers actes du président fut de faire arrêter soixante-huit membres de son parti en les accusant de trahison. Vingt-deux d'entre eux furent exécutés. Les quarante-six autres condamnés à former les pelotons d'exécution. Quand Razim entendit parler de ce supplément de cruauté, il comprit que son pays était aux mains d'un homme comme il les aimait. Et il se mit à réfléchir au moyen de le rencontrer. Pourrait-il se frayer un chemin dans les couloirs du pouvoir ?

En fait, l'occasion s'en présenta très vite. Beaucoup d'Iraquiens avaient compris que Saddam était brutal, fou et dangereux. À la fin de l'été de la même année, les parents de Razim tinrent chez eux une réunion secrète avec d'autres intellectuels, écrivains et amis haut placés, pour discuter de la façon de se débarrasser du tyran. Comment auraient-ils pu deviner que leur fils enregistrait leur conversation sur l'appareil qu'ils lui avaient offert pour son quatorzième anniversaire ? Le lendemain, au lieu d'aller à l'école, Razim se rendit au poste de police du quartier avec son enregistrement.

La vengeance déferla comme une tempête dans le désert. Les parents de Razim furent arrêtés et exécutés sans procès. Il ne sut jamais ce qu'il advint de sa sœur de dix-sept ans, mais s'en moquait complètement. La dernière fois qu'il la vit, elle était traînée de force hors de la maison par quatre policiers hilares, qui la jetèrent à l'arrière d'une camionnette. Toutes les personnes qui avaient assisté à la réunion furent également arrêtées. Aucune d'elles ne reparut jamais.

En récompense de sa loyauté, le chef de la police invita Razim – désormais orphelin – à lui rendre visite dans son bureau situé au-dessus de la prison, près du palais Al-Farouk. Assis derrière sa table de travail, son estomac proéminent reposant dessus, le chef de la police examina l'adolescent. Ce qu'il vit lui déplut. Razim était petit pour son âge, très frêle, presque féminin. Il avait une frange bien coupée et portait son uniforme de collégien. Mais le plus dérangeant était son total manque d'expression. Il avait un visage de cire et des yeux qui auraient pu être en verre. Il n'émanait de lui ni chaleur ni curiosité. Rien.

Toutefois le chef de la police s'efforça d'être poli.

— Tu as rendu un grand service à ton pays, dit-il. Tes parents et leurs amis étaient des traîtres. Tu as eu raison d'agir ainsi.

Le garçon resta silencieux.

— Qu'est-ce que tu aimerais faire ? reprit le policier.

— Entrer dans la police, répondit Razim. Je suis sûr que vous avez beaucoup de gens à exécuter. Je voudrais vous aider.

Le chef de la police avait des enfants et ce garçon chétif lui donnait la nausée.

— Tu es trop jeune pour entrer dans la police.

— Je ne veux pas retourner en classe. Je m'ennuie.

— Je pense qu'il vaudrait mieux pour toi quitter Tikrit…

Un bref instant, le chef de la police fut tenté de sortir son arme pour abattre l'adolescent. Sans motif particulier. Il aurait eu la même réaction en face d'un scorpion ou d'un serpent venimeux. Il dut faire un effort pour se retenir.

— Nous allons te trouver une famille d'accueil. Quelque part loin d'ici.

— Je n'ai pas droit à une récompense ?

— Cela viendra. En temps voulu.

C'est ainsi que Razim fut envoyé vivre auprès d'une riche famille apparentée au président, établie à Téhéran. Razim leur déplut au premier coup d'œil, mais ils étaient trop prudents pour poser des questions. Dès ce jour, Razim commença à s'épanouir. Il continua d'exceller à l'école et, à dix-sept ans, il devint le plus jeune élève admis à l'Institut supérieur d'ingénieurs de l'université Amir Adaad de Téhéran. Il avait changé d'avis sur son avenir. Il utiliserait ses talents scientifiques pour inventer des armes. On savait que Saddam Hussein développait un armement chimique et biologique. Razim lui-même avait peu d'intérêt pour les petites armes. Lors de son premier trimestre universitaire, il reçut des éloges pour son essai de vingt-deux pages sur le Zastava M70, un fusil d'assaut yougoslave qui, lui avait-on dit, avait été utilisé pour tuer ses parents. Il rêvait de concevoir un jour une arme qui porterait son nom.

Cela ne devait pas se produire. À dix-huit ans, Razim reçut une lettre imprimée sur une feuille de papier à en-tête officiel. Apparemment, un éminent personnage n'avait pas oublié l'adolescent qui avait autrefois trahi toute sa famille. Razim devait quitter l'université immédiatement. Il était invité (et ce n'était pas le genre d'invitation qui se refuse) à se présenter dans les bureaux du *Mukhabarat* dès le lendemain.

Le *Mukhabarat*. Le redoutable service de renseignement iraquien. Razim lut la lettre avec un léger frémissement, quelque chose qui aurait pu être du plaisir. Il avait entendu des histoires horribles sur le *Mukhabarat,* et il savait que c'était un travail qui lui convenait parfaitement. Il fit aussitôt son sac et partit le lendemain matin à six heures. Personne à l'université ne regretta son départ.

Au cours des vingt années suivantes, Razim découvrit le plaisir d'être craint. En fait, c'était plus que cela. Toute personne qui le rencontrait pour la première fois comprenait aussitôt qu'il possédait un pouvoir absolu de vie et de mort, et pouvait la faire disparaître d'un simple claquement de doigts. Si Razim pointait l'index sur un tableau ou un objet de valeur au cours d'une perquisition dans une maison, l'objet l'attendait sur le seuil quand il s'en allait. Idem pour la femme ou la fille du maître de maison. Razim se vantait d'avoir tant d'ennemis qu'il aurait pu prendre un bain dans leur sang chaque jour. D'ailleurs, la rumeur courait que c'était le cas.

Son pouvoir grandit. Bientôt il eut une résidence aussi vaste qu'un palais, remplie de domestiques qui se taisaient et baissaient les yeux dès qu'il entrait dans la pièce. Il avait presque la même taille et le même aspect que lorsqu'il était au collège. Mais, bizarrement, ses cheveux avaient brusquement blanchi dès l'âge de vingt ans, ce qui lui donnait l'air à la fois très vieux et très jeune. Il portait des lunettes cerclées de métal, et l'un de ses officiers avait un jour ironisé en le comparant à un Harry Potter oriental. La plaisanterie avait amusé Razim. Il avait presque souri pendant qu'il poignardait l'officier de neuf coups de coupe-papier.

Puis vinrent la guerre d'Iraq de 2003 et l'invasion du pays par les forces américaines et anglaises. Contrairement à la plupart des proches de Saddam Hussein, Razim devina tout de suite de quel côté le vent allait tourner. Il organisa sa propre fuite. La nuit précédant le bombardement de Bagdad, il quitta le pays à bord d'un Beechjet 400 appartenant au frère cadet du président, et franchit la frontière d'Arabie Saoudite avec tous les trésors qu'il avait pu emporter. Œuvres d'art, diamants, pièces d'or, titres, toutes valeurs facilement négociables.

Il s'installa à Riyad et attendit la fin de la guerre, qui survint très rapidement, comme il l'avait prévu. Bien entendu, il savait qu'il ne pourrait pas retourner à Bagdad, du moins tant que la ville serait occupée par les Américains et les Britanniques, mais grâce à son réseau de contacts au *Mukhabarat*, il se mit en rapport avec l'agent de recrutement d'Al-Qaïda et se retrouva bientôt à la tête d'une cellule terroriste. Bien sûr, il n'était pas payé, mais il n'avait pas besoin d'argent. Il était riche. Par ailleurs, il n'avait aucun intérêt pour la politique ou la religion. À ses yeux, le terrorisme était comme un immense puzzle. Prenez une ambassade et une bombe et demandez-vous comment faire entrer l'une dans l'autre et obtenir le tableau le plus inoubliable possible. Ce genre de défi stimulait son esprit. Il participa à l'élaboration d'une dizaine d'attaques terroristes en Europe et en Amérique, dont il étudia avec soin les effets sur l'immense écran plasma installé dans sa luxueuse demeure.

Cette période florissante de sa vie prit fin lorsque son supérieur hiérarchique lui suggéra de devenir lui-même un tueur kamikaze afin de prouver sa dévotion à la cause de l'islam. On lui remit une ceinture d'explosifs, et on lui montra comment l'attacher autour de sa taille et la mettre à feu en appuyant sur un bouton de son téléphone portable. Le plan consistait à le faire entrer clandestinement au Pakistan et à le lâcher au milieu d'un marché animé. De là, il irait directement au paradis.

Après quelques minutes de réflexion, Razim choisit d'utiliser l'explosif pour liquider son supérieur. Il était temps de fuir. À présent, il avait les Britanniques et les Américains aux trousses. Saddam avait été pendu, ses fils abattus. Razim devinait qu'un sort semblable l'attendait s'il était pris. À moins qu'Al-Qaïda ne le capture d'abord. C'était assez fâcheux d'avoir autant d'ennemis. Il allait devoir trouver une autre ville pour recommencer une nouvelle vie.

Il choisit Le Caire. Au milieu d'une population de huit millions d'habitants entassés sur cent trente kilomètres carrés, il serait invisible. Il songea à la chirurgie plastique. Il existait de nombreuses cliniques dans les rues discrètes de Zamalek, un quartier chic sur les bords du Nil, et personne ne posait de questions si vous aviez assez d'argent. Mais Razim se ravisa. Au fond, assez peu de gens connaissaient son visage. Il avait toujours pris soin de se dissimuler sous la traditionnelle *ghutra* ou le chèche arabe. Et même lorsqu'il s'habillait à l'occidentale, il portait des lunettes noires et une casquette de base-ball. Une opération de chirurgie plastique était donc inutile. Il vivait tranquillement, en prenant garde de ne pas attirer l'attention. Et il attendait une nouvelle occasion de montrer ses talents.

Il possédait encore un appartement en terrasse dans le centre du Caire, ainsi qu'une villa d'été à Charm el-Cheikh, sur la mer Rouge. Mais sa résidence préférée était celle où il se trouvait actuellement, ce fort oublié depuis longtemps et perdu au milieu du désert. C'était là qu'il venait pour fuir la foule. Là qu'il se sentait à l'abri. C'était aussi un lieu idéal pour ses expériences scientifiques.

Une passerelle de corde suspendue enjambait la cour du fort. Razim s'y engagea en se tenant des deux mains pour garder l'équilibre. Il avait fait installer cette passerelle pour éviter de faire tout le tour des remparts à pied. Il regarda un homme vider une brouette de sel sur le tas. Razim avait exigé que les nouvelles constructions soient réalisées en argile salée, selon la méthode traditionnelle locale. C'était long, mais beaucoup plus beau.

Tout était silencieux. Le désert s'était endormi pour la nuit. Razim atteignit le parapet d'en face, puis descendit par un escalier de pierre. Une sentinelle se mit au garde-à-vous à son approche.

Razim ignorait toujours comment Scorpia avait réussi à le débusquer. Au début, cela l'avait inquiété. S'ils avaient pu le localiser, n'importe quel service de renseignement en était aussi capable. Puis il s'était dit que Scorpia était une organisation qui ne ressemblait à aucune autre, et qu'elle utilisait des méthodes plus radicales que les services de sécurité pour obtenir des informations. Finalement, il n'était pas mécontent que Scorpia l'ait retrouvé. On lui offrait exactement le travail qui l'intéressait depuis toujours, et pour un salaire mirobolant. Scorpia et lui étaient faits pour s'entendre.

Cette nouvelle mission, par exemple. La première dont il aurait la responsabilité. Quel défi fascinant ! Rendre à la Grèce les marbres d'Elgin. Comme Zeljan Kurst, Razim avait déjà écarté l'idée de les voler, même si l'opération était sans doute réalisable. Depuis quand n'avait-on pas modernisé les mesures de sécurité du British Museum ? Un grand nombre des toits étaient des verrières et les vigiles, mal payés et paresseux, pouvaient sans peine être corrompus ou remplacés. Mais un vol n'aurait servi à rien. Si les marbres sculptés devaient reparaître en public, il fallait les rapporter en Grèce en toute légalité, avec la pleine coopération du gouvernement britannique.

La question se résumait donc à imaginer un moyen de pression. Comment convaincre les Anglais de faire une chose à laquelle ils s'étaient toujours opposés ?

Razim sortit un paquet de cigarettes et en alluma une. Il fumait des Black Devil, fabriquées en Chine et vendues par la très ancienne firme de tabac hollandaise Heupink & Bloemen. Il faisait spécialement modifier ses paquets pour qu'aucune notice ne l'avertisse qu'il risquait de succomber à un cancer. Razim se moquait de savoir quand et comment il mourrait, mais il détestait recevoir des menaces. Il aspira une bouffée du tabac douceâtre au léger goût de vanille.

Quand il s'avança dans la cour, ses pieds soulevèrent des petits nuages de poussière. Le faisceau d'un projecteur balaya le sol devant lui. Sa cigarette à la main, il entra dans une bâtisse circulaire, surmontée d'un dôme arrondi et d'une tour, qui jadis servait de chapelle. Sur les murs, Razim y avait découvert des dessins fanés représentant des saints, et même un vitrail – le seul verre de tout l'édifice. Les soldats français venaient peut-être ici prier Dieu de les renvoyer bientôt chez eux. Razim avait fracassé le vitrail et fait repeindre par-dessus les fresques. Ça ne l'intéressait pas. Il n'avait jamais cru en Dieu.

L'intérieur était brillamment éclairé, et la température agréable grâce à l'air conditionné. Les murs blancs et particulièrement épais préservaient de la chaleur. Il y avait des machines partout : ordinateurs, écrans de télévision, divers instruments dotés de cadrans et d'indicateurs. Au milieu de tout cet appareillage, épinglé dans un halo de lumière éclatante, un homme était assis dans un fauteuil de dentiste, attaché aux poignets et aux chevilles par des sangles. Il ne portait qu'un short. Des dizaines de fils électriques étaient fixés avec du ruban adhésif sur sa tête, son torse, son pouls, son abdomen. Par une heureuse coïncidence, l'homme était français. Il avait une trentaine d'années et s'efforçait de ne pas paraître effrayé. Sans succès.

Razim connaissait son nom. Il s'appelait Luc Fontaine et travaillait pour la DGSE, le service de renseignement extérieur de la France. En d'autres termes, Luc Fontaine était un agent secret. Un espion. Razim se savait recherché et il se méfiait toujours des fouineurs. Celui-ci s'était approché beaucoup plus près que les autres. Les hommes de Razim l'avaient repéré alors qu'il posait des questions dans le souk. Ils l'avaient assommé et transporté ici. Fontaine préten-dait encore être un touriste, mais sans conviction. Il savait qu'il était entre les mains d'un homme qui ne commettait pas d'erreurs.

Près du fauteuil de dentiste se trouvait une petite table roulante, recouverte d'un linge blanc. Razim la fit pivoter et ôta le linge, dévoilant une série de couteaux étincelants sous la lumière blanche, alignés en rangées régulières, chacun d'une forme et d'une taille diffé-rentes. D'autres instruments complétaient la panoplie : coupelles argentées, tampons, seringues hypoder-miques, fioles remplies de liquides incolores mais qui n'avaient pas l'apparence de l'eau. En découvrant tout cet attirail, Fontaine tenta de rester impassible mais sa peau nue fut parcourue d'un frisson.

Razim approcha un tabouret et s'assit. Il tira sur sa cigarette, dont le bout rougeoya.

— Qu'est-ce que vous voulez ? demanda Fontaine d'une voix rauque.

Razim resta silencieux.

— Je ne vous dirai rien, reprit Fontaine.

Il avait renoncé à se faire passer pour un touriste.

— Et je ne vais rien vous demander, répliqua Razim dans un français parfait. Vous ne détenez aucune information susceptible de m'intéresser.

— Alors pourquoi suis-je ici ?

Le jeune homme fléchit les bras, bandant ses muscles, mais les sangles tinrent bon.

— Je vais vous le dire, promit Razim en faisant tomber sa cendre de cigarette dans une des coupelles. J'ai eu plusieurs existences, au cours de ma vie, mais au départ, j'ai reçu une formation d'ingénieur. La science, sous tous ses aspects, m'a toujours passionné. Vous devriez être heureux d'être ici, Luc. Vous permettez que je vous appelle Luc ? Je mène une expérience qui sera, je pense, d'une grande utilité pour le monde. Et le hasard vous a choisi pour m'y aider.

— Mes amis savent où je suis.

— Personne ne le sait. Pas même vous. Je vous en prie, évitez de m'interrompre.

Razim écrasa sa cigarette et se passa la langue sur les lèvres.

— Il y a quelques années, j'ai pris conscience que tout, en ce monde, est mesuré, et que toutes les unités de mesure portent le nom de grands savants. La plus évidente est le « watt », qui mesure l'électricité, du nom de James Watt, l'inventeur de la machine à vapeur moderne. Joule et Newton, l'un et l'autre des physiciens, ont immortalisé l'unité de mesure de l'énergie.

Le joule et le newton. Chaque jour, nous mesurons la température atmosphérique en degrés Fahrenheit ou en degrés Celsius. Le premier était un physicien allemand, le second un astronome suédois.

» Nous mesurons la distance, le poids, la vitesse, la lumière. Si vous voulez acheter quelque chose, des chaussures ou du papier, vous indiquez la taille que vous souhaitez. Il existe même des unités de mesure dont beaucoup de gens n'ont jamais entendu parler. Pouvez-vous me dire ce qu'est un lansky, un plato, un degré Barbey ? On mesure absolument tout, pourtant personne n'a jamais mesuré une chose que nous éprouvons presque chaque jour de notre vie. La douleur. Étrange, non ?

» Vous imaginez comme ce serait utile si le dentiste était capable de vous rassurer ? « Ne vous inquiétez pas, mon cher, vous ne ressentirez que deux unités. » Ou bien si vous pouviez expliquer que vous souffrez du genou, trois unités à cet endroit, mais cinq unités un peu plus haut. Bien sûr, il est très difficile de graduer la douleur. Tout dépend de la façon dont vos nerfs réagissent et du stimulant qui cause cette douleur : un couteau, l'électricité, le feu, l'acide. Cependant, je crois encore à la possibilité de mettre au point une graduation universelle. Et j'espère que l'unité de douleur portera mon nom. Le razim. Les gens sauront ainsi exactement à combien de razims correspond telle ou telle mort.

Fontaine dévisageait Razim avec ahurissement.

— Vous êtes fou, murmura-t-il.

— Tous les grands inventeurs ont plus ou moins été traités de fous. Galilée, Einstein, etc. Je m'attendais à votre réaction.

— Je vous en supplie…

— Je m'attendais aussi à vos supplications. Mais cela ne vous avancera à rien.

Razim se pencha au-dessus du petit chariot et réfléchit longuement. Il serait intéressant d'évaluer la résistance du Français et de voir combien de temps il parviendrait à survivre. Bien sûr, par souci d'exactitude, il faudrait pratiquer la même expérience sur des femmes. Et sur des enfants. Chaque individu réagissait différemment à la douleur et il fallait examiner tout l'éventail. Razim se décida et choisit un instrument.

Quelques instants plus tard, les cadrans et les indicateurs des différents appareils s'animèrent. Et les premiers cris jaillirent dans la nuit.

3. LE DÉBITEUR

Le bateau-mouche était amarré au quai, à l'ouest de la ville, mais les gens qui montèrent à bord, en cette lumineuse après-midi de juin, n'étaient pas vraiment des touristes.

Ce bureau flottant à Paris était une idée de Max Grendel, le plus âgé des membres de Scorpia. Cette décision avait d'ailleurs été sa dernière, car il était mort quelques mois après sur une gondole à Venise. Le bateau-mouche ressemblait à toutes les autres péniches touristiques qui naviguent sur la Seine. Long, étroit, avec un fond plat et une verrière immense permettant aux passagers de tout voir, comme s'ils avaient des yeux de mouche. Mais l'aménagement intérieur le différenciait des autres. Au lieu des rangées de deux ou trois cents sièges, il y avait une table de conférence entourée de douze fauteuils. Une paroi insonorisée séparait cette salle de la cabine de pilotage où officiaient le capitaine et son second. Le reste de l'équipage – quatre hommes entre vingt et trente ans – était sur le pont. Ils n'étaient pas autorisés à regarder dans la cabine. Ils restaient figés comme les statues de pierre qui ornaient les ponts de la Seine, le regard fixé sur les deux berges du fleuve, à l'affût du moindre mouvement pouvant être interprété comme hostile.

L'idée de Max Grendel était moins farfelue qu'elle ne le paraissait. Contrairement à un immeuble, le bateau pouvait difficilement être truffé de micros, surtout s'il était gardé vingt-quatre heures sur vingt-quatre et passé au peigne fin avant chaque réunion. Autre avantage, un navire se déplaçait, si bien que quiconque cherchant à l'espionner devait également se déplacer, et à la même vitesse. Or celui-ci était équipé d'un moteur Diesel Ruston 12RK, volé à un vaisseau de patrouille River Class de la Royal Navy, capable d'aller très vite. Enfin, en cas d'une tentative d'approche de la police, il possédait un système de défense rapprochée, basé sur la célèbre technologie du « gardien de but » mise au point par les Hollandais, avec un auto-canon et un radar perfectionné dissimulés derrière de faux panneaux sur le pont. L'autocanon pouvait tirer soixante-dix rafales par seconde, jusqu'à une distance de mille cinq cents mètres. En cas de nécessité, Scorpia était ainsi capable de déclencher une petite guerre en plein Paris.

Le bateau s'appelait *Le Débiteur*. Autrement dit, celui qui s'en va sans payer ses dettes. Un aigrefin. Un filou.

Pour convaincre ses partenaires, Max Grendel avait expliqué qu'il serait très apaisant de discuter affaires tout en voguant au fil de l'eau devant certains des plus beaux édifices d'Europe. Surtout des affaires aussi dangereuses que celles qu'ils avaient l'habitude de traiter.

Sabotage. Corruption. Espionnage. Assassinats. Les activités maîtresses de Scorpia, d'où l'organisation tirait son nom. C'était ici, à Paris, qu'elle avait vu le jour, constituée d'espions du monde entier au chômage depuis la fin de la Guerre froide, qui avaient décidé de travailler pour leur propre compte. Sage décision. En général, les agents secrets ne sont pas très bien payés. Ainsi, le patron du MI5 en Angleterre perçoit 200 000 livres par an, un salaire dérisoire comparé à celui d'un banquier. Chacun des membres de Scorpia avait multiplié par dix son revenu annuel. Et aucun ne payait d'impôts.

Ils étaient désormais douze. Tous des hommes. La seule femme à avoir siégé au comité exécutif s'était fait tuer à Londres. Sur l'ensemble des membres fondateurs, six étaient morts, dont un de mort naturelle. Le directeur actuel était Zeljan Kurst, assis à une extrémité de la table, en costume anthracite, chemise blanche et cravate noire. Ainsi que Kurst l'avait expliqué au milliardaire grec à Londres, Scorpia avait récemment recruté quatre nouveaux membres, issus d'autres horizons que celui du monde fermé de l'espionnage. Seamus, un Irlandais rouquin qui venait de l'IRA, l'armée indépendantiste irlandaise, deux frères jumeaux qui avaient sévi dans la Mafia italienne, et enfin Razim.

Scorpia était en plein essor. Tel était le message qu'ils voulaient faire passer au monde. Ils revenaient au premier plan, qu'ils n'auraient jamais dû quitter.

Les douze membres arrivèrent un par un, à cinq minutes d'intervalle. Certains en voiture avec chauffeur, d'autres à pied, et un à bicyclette. Seuls Giovanni et Eduardo Grimaldi, les jumeaux, arrivèrent ensemble. Il faut dire que, en vingt-cinq ans, ils n'avaient jamais passé plus d'une minute séparés. À trois heures pile, les matelots larguèrent les amarres. Le capitaine poussa la manette des gaz et *Le Débiteur* s'élança sur le fleuve en direction de l'est, vers la tour Eiffel et Notre-Dame.

Zeljan Kurst attendit que le bateau eût atteint sa vitesse de croisière pour engager la discussion. Il ne salua pas les membres du comité exécutif par leur nom. C'était une perte de temps. Pas plus qu'il ne leur offrit à boire. Ces gens éprouvaient une telle méfiance les uns envers les autres qu'ils auraient refusé, même un verre d'eau. Si Kurst gardait en mémoire sa fuite précipitée de Londres, il ne le montrait pas. Son regard lourd suintait presque l'ennui.

— Bonjour, messieurs, commença-t-il.

Comme toujours, même mal parlé, l'anglais était la seule langue dans laquelle tous pouvaient communiquer.

— Nous sommes réunis aujourd'hui pour déterminer notre stratégie concernant l'opération baptisée « Cavalier », qui nous rapportera quarante millions d'euros. Vous le savez, j'ai décidé de confier la direction exécutive de cette opération à M. Razim…

Kurst lui jeta un regard en biais. Comme il s'y attendait, un éclair de colère traversa l'œil unique de l'agent israélien, Levi Kroll. C'était la troisième fois qu'il se faisait souffler le commandement d'une affaire. Hormis Kurst, personne ne remarqua sa réaction. Tous avaient le regard fixé sur l'homme aux cheveux argentés et aux lunettes rondes qui avait pris place, non par hasard, face à Kurst, en bout de table.

— J'ajouterai seulement que le premier versement de l'argent a été crédité sur notre compte des îles Caïmans par le client, Ariston Xenopolos, poursuivit Kurst. Nous recevrons le solde le jour où les marbres d'Elgin atterriront sur le sol grec.

— Comment va Ariston ? demanda le Dr Tree.

C'était un homme de petite taille, comme beaucoup de Chinois, et il semblait rétrécir d'année en année. Il venait d'achever une encyclopédie de deux mille pages sur la torture. Ses recherches lui avaient procuré un immense plaisir, mais la rédaction l'avait épuisé.

— Il est dans un état critique, répondit Kurst. À en croire ses médecins, il devrait déjà être mort.

— Et s'il meurt avant la fin de l'opération ?

— Nous serons payés de toute façon, dit Kurst d'une voix tranchante, pour écourter la discussion. De toute façon, pour nous, il ne s'agit pas seulement d'une question d'argent. C'est une affaire de la plus haute importance. Nous avons subi deux échecs en une année. Ça ne nous était jamais arrivé. Et on m'a rapporté des informations déplaisantes, messieurs. Il semblerait que certains gouvernements et services de renseignement renoncent à nous confier leurs missions. La recherche d'armement nucléaire pour l'Iran. Une attaque terroriste à Tel-Aviv. L'effondrement du système bancaire à Singapour. Trois opérations récentes qui ont été confiées à des organisations concurrentes. Nous devons absolument prouver à nos clients que nous sommes de retour et en pleine possession de nos forces. Les marbres d'Elgin nous en offrent l'occasion. Cette affaire aura un retentissement international.

Kurst hocha la tête en direction de Razim.

— Je vous en prie. Expliquez votre plan au comité.

— Avec grand plaisir, M. Kurst.

Plaisir n'était pas un mot fréquent dans la bouche de Razim. Ni une émotion familière chez lui. Néanmoins il attendait ce moment depuis longtemps, et il ressentait une certaine excitation à tenir les rênes, à diriger tout le personnel exécutif de Scorpia.

— Les marbres d'Elgin, commença-t-il d'une voix presque inaudible à cause du ronronnement du moteur. Le gouvernement britannique a toujours refusé de les rendre. Pourquoi ? Parce que l'Angleterre est égoïste et arrogante. Or depuis des mois je me pose la question suivante : Qu'est-ce qui leur fera ravaler leur égoïsme et leur arrogance ? Qu'est-ce qui les fera changer d'avis ? La réponse tient en un seul mot. La peur.

» Nous devons faire en sorte que les Britanniques n'aient pas le choix. Les obliger à rendre les sculptures. Pour cela, il faut que leur survie même en dépende. Mais, en même temps, il faut procéder avec subtilité. Par exemple, nous pourrions voler un engin atomique et menacer de le faire exploser au plein cœur de Londres s'ils n'acceptent pas nos exigences. Mais ce ne serait pas très facile, ni sûr de réussir. Ils pourraient ne pas nous croire. Ou nous prendre au mot. Or notre but n'est pas de transformer les Britanniques en victimes, même si cette perspective est séduisante. Ils serviront mieux nos intérêts s'ils sont haïs. Ce sont des voleurs et des agresseurs. Ils méritent la condamnation de tous les pays civilisés.

Razim reprit son souffle. Dix paires d'yeux plus un œil étaient braqués sur lui. Dehors, le bateau fendait souplement l'eau miroitante devant la tour Eiffel et le Champ-de-Mars. Plus loin, il passa sous le pont d'Iéna et une barre d'ombre obscurcit brièvement le toit de verre.

— À mon avis, la violence, ou la menace de violence, ne sont pas la réponse, reprit Razim. Mais supposons que nous imaginions un piège. Supposons que nous arrangions un scandale si choquant que la réputation de l'Angleterre en serait détruite pendant des décennies. Aucun pays ne voudrait plus commercer avec elle. Les Américains lui tourneraient le dos. Le reste de l'Europe, qui la déteste déjà, lui claquerait la porte au nez. Personne ne lui ferait plus confiance. Tout à coup, la Grande-Bretagne se réduirait à une petite île solitaire. Imaginez cela, mes amis, et demandez-vous ce que le gouvernement britannique serait prêt à faire pour l'éviter. Pensez-vous qu'il accepterait de vider une salle entière d'un musée ridicule ? Renverrait-il avec joie une collection de vieilles sculptures à ses légitimes propriétaires ? À mon avis, oui. Je pense sincèrement qu'il n'hésiterait pas.

Razim avait une folle envie de fumer. Il sentait le paquet de cigarettes dans sa poche de veste, mais il n'osait pas le sortir. Non parce qu'il était interdit de fumer, mais parce que cela pourrait passer comme une faiblesse de sa part.

— J'ai déjà un plan en tête pour atteindre cet objectif. Il porte la marque incontestable de Scorpia, et il devrait fournir à vous tous, autour de cette table, une immense satisfaction personnelle. En effet, messieurs, mon idée est d'impliquer un jeune garçon…

Kurst marqua une pause pour appuyer son effet.

— Ce garçon s'appelle Alex Rider.

Un silence total s'abattit. Même le moteur semblait s'être tu. Ce nom eut un effet paralysant sur au moins la moitié des participants.

— Alex Rider ?

Assis près de Kroll, M. Mikato, le Japonais, porta une main vers sa bouche et se mordit l'ongle du pouce. Ce faisant, il découvrit le diamant serti dans une de ses incisives. Mikato faisait partie des Yakusa, la célèbre organisation criminelle. Il avait tatoué le nom de chacune de ses victimes sur son corps. Malheureusement, il en était venu à manquer de place.

— Nous avons déjà affronté ce garçon à deux reprises, poursuivit Mikato. Nous avons même tenté de le tuer d'une balle en plein cœur. Le tireur d'élite que nous avions engagé n'avait jamais manqué sa cible…

— Laissez-moi terminer, l'interrompit Kurst. J'ai beaucoup réfléchi au problème, croyez-moi.

Soudain, Razim n'y tint plus. Il sortit son paquet de Black Devil et alluma une cigarette avec son briquet en or massif. La fumée lui lécha le visage, réfléchie par les deux cercles de ses lunettes.

— J'ai parfaitement conscience qu'Alex Rider a vaincu notre organisation à deux reprises, d'une façon tout à fait incroyable. Une fois au cours d'une opération assez simple, qui consistait à provoquer un raz de marée sur la côte australienne. Et avant cela, lors de l'opération baptisée « Épée Invisible », sous la responsabilité de Mme Rothman. Il s'agissait d'une arme secrète utilisant des cartouches de taille nanométrique chargées de cyanure. Le projet était d'empoisonner les jeunes collégiens anglais.

— Inutile de revenir sur le sujet ! s'exclama un homme à la barbe grise bien taillée et aux doigts longs et minces de pianiste.

Un Français. Il pianotait sur la table en signe d'irritation.

— Au contraire, il faut en parler, M. Duval, rétorqua Razim. Comment comprendre nos faiblesses si nous ne les analysons pas ? Ce garçon n'a rien d'extraordinaire hormis le fait qu'il est un adolescent. C'est la raison pour laquelle il a rendu de si grands services au MI6. Certes, il a reçu un entraînement spécial, grâce à son oncle qui était lui-même un espion. Mais croyez-vous vraiment que quelques bases de karaté et la connaissance de plusieurs langues ont suffi à battre Scorpia ?

» C'est absurde ! poursuivit Razim. Alex Rider a gagné parce que vous l'avez sous-estimé. Winston Yu aurait dû l'abattre dès qu'il en a eu l'occasion. Mme Rothman aussi. Ils ont sans doute hésité à cause de sa jeunesse, or c'était cela sa force. Il était l'espion le plus improbable qui existe. Personne ne l'a pris au sérieux, aussi bien à Skeleton Key qu'en Cornouailles.

C'était une grave erreur de la part de Winston Yu et de Julia Rothman.

— Et notre erreur à nous aussi, intervint Kroll.

Il avait écouté Razim avec un malaise croissant. Kroll était le seul à cette table à laisser ses émotions l'envahir. Zeljan Kurst s'attendait à sa réaction.

— Laissez-moi terminer ! coupa Razim. J'ai mené une enquête approfondie sur le jeune Rider. Je me suis procuré la copie d'un article écrit par un journaliste, l'année dernière, qui confirme ce que j'avais moi-même découvert. Le garçon a été employé par le service des Opérations Spéciales du MI6 dans pas moins de six missions. Peut-être même plus. Messieurs, je vous invite à en tirer les conclusions qui s'imposent.

» Chacun de vous sait que les agents secrets ne sont pas vraiment des héros. Leur travail est souvent une sale et déplaisante besogne. Ils tuent des gens qui doivent être tués, et ils le font sans arrière-pensée. Ils n'éprouvent ni pitié ni culpabilité. Ils partagent des secrets dont personne d'autre ne veut entendre parler. Les espions ont-ils des amis ? Bien sûr que non. Aucune personne saine d'esprit ne souhaiterait être dans leur intimité. On ne peut pas leur faire confiance.

» Alors que se passerait-il, à votre avis, si l'opinion publique apprenait que le MI6 emploie un garçon de quatorze ans ? Trop jeune pour voter. Trop jeune pour fumer ou se marier. Mais assez vieux pour être envoyé dans des pays étrangers et mêlé à des affaires de politique internationale, de terrorisme et de meurtre ! Quelle image cela donnerait-il du gouvernement d'un pays et de ses services secrets ?

» Allons plus loin. Supposons que le garçon soit envoyé dans une mission qui tourne très mal. Cette fois, rien de courageux ni d'éblouissant. Il n'essaie pas de sauver le monde d'un fou comme Damian Cray. Il ne protège pas les collégiens d'un virus mortel caché dans un ordinateur. Non. Cette fois, il est impliqué dans une affaire que tout le monde condamne.

À mesure que Razim parlait, ses auditeurs devenaient plus attentifs. Ils hochaient lentement la tête comme s'ils suivaient pas à pas son raisonnement.

— Imaginons aussi que, pendant cette mission, le garçon se fasse tuer.

Quelques sourires et murmures d'approbation accueillirent cette hypothèse.

— À ce moment-là, nous nous trouvons en plein drame. Un adolescent de quatorze ans est abattu par la police dans les rues d'une grande ville. On trouve des documents dans ses poches. Peut-être même un pistolet, dont la piste remonte jusqu'à Londres. Toutes les preuves montrent, sans l'ombre d'un doute, qu'il travaillait pour le MI6. Réfléchissez une minute aux répercussions d'une telle découverte.

— L'affaire serait aussitôt enterrée, objecta M. Mikato. Pas un seul journaliste n'oserait publier une information pareille.

— C'est fort possible. Mais nous aurions toutes les preuves. Scorpia aurait récupéré tous les courriels, les messages téléphoniques, les photos, les enregistrements. Nous aurions entre les mains une bombe capable d'exploser à tout instant, et de détruire la réputation du gouvernement britannique. Celui-ci serait forcé de démanteler ses services secrets, le

Premier ministre de donner sa démission. Et aucun pays ne voudrait plus traiter avec la Grande-Bretagne pendant des années.

Personne ne disait mot. *Le Débiteur* avait dépassé la tour Eiffel et le quai d'Orsay. Si les passagers avaient regardé par les baies vitrées, ils auraient vu les jardins des Tuileries s'étirer sur la rive droite, puis le musée du Louvre. Ils auraient vu des couples se promener dans les allées, entre les massifs et les fontaines si parfaitement arrangés qu'on les aurait crus dessinés par un mathématicien plutôt que par un jardinier. Mais la vue n'intéressait personne. Tous avaient le regard fixé sur Razim et méditaient sur sa proposition.

L'un d'eux prit la parole. C'était un homme blond, vêtu de façon décontractée avec un jean et une chemise à col ouvert. Son nom était Brendan Chase. Il avait autrefois été le trésorier-payeur de l'ASIS – Australian Secret Intelligence Service –, jusqu'au jour où, après une cuite, il était monté dans un avion avec quatre cent mille dollars de son employeur dans son sac à dos.

— Si j'ai bien compris, dit Brendan Chase, vous comptez persuader d'une manière ou d'une autre le MI6 d'envoyer Alex Rider en mission. Ensuite, vous ferez en sorte que cette mission tourne mal et que le garçon soit tué. Si c'est ça, je suis volontaire. Je serais ravi de le descendre moi-même. Une fois Rider hors circuit, vous les ferez chanter. Nous aurons toutes les preuves, les photos, les enregistrements. Et nous menacerons de les rendre publiques si le gouvernement refuse d'envoyer les marbres d'Elgin en Grèce. C'est bien cela ?

— Vous avez résumé mes propos avec une parfaite clarté, M. Chase.

— D'accord. Mais ce que je ne comprends pas, c'est comment vous allez y arriver. Les photos, par exemple. Vous allez les fabriquer ? Il faudra que ce soit des faux d'une qualité exceptionnelle pour supporter l'examen…

— Je n'ai pas l'intention de truquer les preuves.

— Mais alors comment allez-vous décider le MI6 à entrer dans votre jeu ?

Razim fit tomber la cendre de sa cigarette sur la surface lisse de la table. Son index était jauni par la nicotine.

— Il est hors de question de falsifier quoi que ce soit. Nous devrons nous montrer bien plus intelligents. Mais je crois possible de rassembler les pièces du puzzle pour contrôler l'ensemble du jeu. Dès lors, messieurs, nous aurons la main. Les services secrets anglais ignorent nos intentions. Et ils sont moins rusés qu'ils ne le croient. Alan Blunt dirige le MI6 depuis trop longtemps. Idem pour son bras droit, Mme Jones. Nous possédons des dossiers très complets sur eux. Je les ai étudiés avec attention. Blunt et Jones ont certaines habitudes. Autrement dit, ils sont devenus prévisibles. Je pense qu'on peut les manipuler assez facilement. Nous allons leur concocter un piège. Il suffira d'une pichenette pour qu'ils tombent dedans.

— Alex Rider a maintenant quinze ans, fit observer M. Mikato. Il avait sorti un mouchoir et s'éventait le visage en jetant un regard dégoûté à la cigarette de Razim. À notre connaissance, le MI6 ne l'emploie plus. Croyez-vous vraiment pouvoir les persuader de lui confier une nouvelle mission ?

— Certainement, répondit Razim en jetant sa cigarette sur le parquet pour l'écraser sous son talon. Il nous suffit de créer les circonstances qui les pousseront à cette décision.

— J'avais cru comprendre que Rider refusait de travailler encore pour eux, dit le Dr Tree.

— Alex Rider n'a jamais vraiment eu le choix. Le plus étrange, c'est qu'il n'a jamais véritablement voulu devenir un espion. Cela signifie que nous n'aurons pas à l'approcher. Si nous fournissons au MI6 le bon appât, il fera notre travail. C'est le MI6 notre cible.

— Quel genre d'appât avez-vous en tête ? demanda le Français.

Razim jeta un rapide coup d'œil à Zeljan Kurst, comme s'il lui demandait sa permission. Kurst acquiesça d'un léger hochement de son crâne chauve.

— Il faut procéder pas à pas, expliqua Razim. Notre premier objectif est de faire sortir Alex Rider d'Angleterre et de l'amener dans une ville de notre choix. Sans le savoir, il entrera alors dans une sorte de palais des glaces, comme à la fête foraine. Ses moindres mouvements seront surveillés. Certaines portes lui seront ouvertes, d'autres fermées. Il sera observé sous tous les angles. Mais, comme je le disais, il faudra commencer avec le MI6. Ce sont eux, Blunt et Jones, qui attireront Alex Rider dans nos filets.

» Commençons donc par l'appât. Disons qu'un cadavre est retrouvé flottant dans la Tamise, à Londres. Le mort est un criminel recherché par la police. Un criminel très important, traqué depuis très longtemps par le MI6. Dans la poche du cadavre, on trouve un message. Bien sûr, celui-ci est codé. Le MI6 le fait examiner par ses meilleurs analystes, qui parviennent à le déchiffrer. Ils découvrent alors que va se produire, dans un pays lointain, un événement qui exige leur intervention urgente. Un événement propre à changer la face du monde. Ils doivent impérativement envoyer un agent sur place…

— Ils pourraient envoyer n'importe quel agent, objecta M. Mikato. Pourquoi choisiraient-ils Alex Rider ?

— Parce que l'événement concerne un domaine d'activité où un adolescent peut passer inaperçu. C'est la clé de tout le plan. J'ai remarqué ce point commun dans les dossiers. La première fois que le MI6 a utilisé le jeune Rider, c'était parce qu'il pouvait se faire passer pour le gagnant du concours d'un magazine d'informatique. Ça lui a permis d'infiltrer l'usine de Herod Sayle en Cornouailles. Ensuite, c'était à Pointe Blanche, un établissement scolaire où il a pu entrer comme pensionnaire sous l'identité d'un fils de milliardaire. Pour sa troisième affaire, il s'est introduit avec un couple d'agents secrets américains sur l'île de Skeleton Key en prétendant être leur fils. Vous avez compris ? Le même scénario se répète à chaque fois. S'ils ont besoin d'un enfant, ils sont obligés de faire appel à Alex Rider. Il n'y en a pas d'autre.

Nouveau silence. Les jumeaux italiens échangèrent un regard. Ils étaient parvenus à la même décision. Le visage de Mikato se détendit et il hocha lentement la tête. L'Australien esquissa un sourire.

— Lalek et hatahat sheli !

Dans le silence d'approbation générale, la voix de Levi Kroll cracha le juron en hébreu. Il se leva d'un bond pour s'adresser à ses collègues.

— Je n'arrive pas à croire ce que je viens d'entendre ! rugit-il, le visage livide, deux veines palpitant sur ses tempes. C'est de la folie. Écoutez-moi. Je ne dis pas que ce garçon est plus fort que nous. Je pense que c'est la chance qui lui a permis de nous battre. Mais, justement, la chance joue un rôle dans nos activités. Même si votre plan est parfait, un détail infime, imprévisible, peut le faire échouer. N'importe quoi. Une rencontre imprévue dans la rue. Une arme qui s'enraye. Le mauvais temps. Vous savez que c'est vrai.

» Or Alex Rider a toujours eu une chance du diable. Sinon, comment expliquer la mort de Julia Rothman et de Nile, son second ? Le Major Winston Wu était un génie. Il dirigeait un groupe de Snakeheads très puissant en Extrême-Orient. Pourtant, sa rencontre avec Rider s'est soldée par la mort du major et le démantèlement de son réseau. Il y a des dizaines de moyens de convaincre le gouvernement britannique de restituer les marbres d'Elgin. J'aime assez l'idée d'une bombe nucléaire, par exemple. Nous pourrions aussi kidnapper un membre de la famille royale, peut-être l'un des princes, et le rendre morceau par morceau jusqu'à ce que le gouvernement cède à nos exigences. Mais je ne suis pas d'accord pour affronter le jeune Alex Rider une troisième fois. Deux suffisent. Nous ne pouvons pas courir le risque d'une troisième humiliation.

Levi Kroll se rassit, essoufflé.

— Y a-t-il ici un autre de nos collègues qui partage cette inquiétude ? demanda Zeljan Kurst.

Tels des joueurs de poker sur le point d'abattre leurs cartes, les dix autres membres de Scorpia s'observaient mutuellement sans un mot.

— Je déduis de votre silence que vous êtes tous d'accord avec le plan de M. Razim ?

— Pas moi, insista Levi Kroll. Et, selon notre règlement, s'il n'y a pas unanimité, le plan est rejeté.

— Il pourrait y avoir unanimité, reprit Kurst après un instant de réflexion.

— Et comment, Zeljan ? dit Kroll avec un regard dubitatif, n'osant imaginer la réponse.

Rien n'avait changé. Pourtant l'ambiance de la salle de réunion devint soudain tendue. On n'entendait plus que le ronronnement des moteurs.

Zeljan Kurst haussa ses lourdes épaules. Il ignora Kroll et se tourna vers Razim.

— Vous suggériez que le cadavre d'un criminel soit retrouvé dans la Tamise, dit-il. Ne serait-ce pas encore plus convaincant si ce cadavre était celui d'un membre du comité exécutif de Scorpia ?

— C'est une idée remarquable, approuva Razim.

— N'y comptez pas !

Levi Kroll s'était de nouveau dressé. Comme par magie, un pistolet était apparu dans sa main. Un automatique 9 mm SP-21, conçu en Israël. Kroll n'avait pas pu le sortir d'un holster. Il devait y avoir un ressort secret à l'intérieur de sa veste. Il visait Zeljan Kurst. Un éclair sauvage luisait dans son œil unique.

— Je me doutais que vous songiez à vous débarrasser de moi, murmura-t-il. Cela ne me surprend pas. J'ai consacré plus de vingt ans de ma vie à cette organisation et je savais le sort qui m'attendait. Le même que celui de Max Grendel. Personne ne se retire de Scorpia, n'est-ce pas ? (Il eut un rire bref et ajouta :) Peut-être que quelques-uns d'entre vous devraient réfléchir à leur propre avenir.

Le pistolet ne bougea pas mais son œil glissa rapidement vers les jumeaux avant de revenir à Kurst.

— Vous ne m'éliminerez pas, Kurst. Comme vous le voyez, j'ai pris mes précautions. Vous croyez que Scorpia a regagné son pouvoir passé ? Vous faites erreur. C'est la fin de Scorpia. Et je vais être le premier à quitter l'organisation.

Personne ne réagit. On n'avait jamais vu un membre du comité brandir une arme au cours d'une réunion. Mais ils étaient tous confiants. Kurst contrôlait sûrement la situation.

— Vous allez donner l'ordre au capitaine d'accoster à la berge la plus proche et je m'en irai, continua Kroll. Inutile de vous inquiéter pour moi. Vous ne m'intéressez plus. Mais si l'un de vous cherche à me poursuivre, j'aurai quelques histoires à raconter qui vous enverront en prison pour beaucoup plus d'années qu'il ne vous en reste à vivre. Vous avez compris ?

Les mains de Zeljan Kurst étaient sous la table. Kroll ne vit pas sa main droite se déplacer pour presser un bouton dissimulé sur le côté de son fauteuil.

— J'ai dit… vous avez compris ?

— Je vous comprends parfaitement, répondit Kurst.

Il y eut un petit tintement de verre brisé. Derrière la tête de Kroll, un trou venait d'apparaître dans la baie vitrée.

Kroll sursauta mais resta debout. Une expression d'incompréhension traversa son visage.

Après un bref silence, Kurst reprit :

— Vous venez de recevoir une balle dans la nuque, mon cher. Votre colonne vertébrale a été endommagée et vous êtes déjà quasiment mort.

Au prix d'un effort surhumain, comme s'il savait que ce serait son ultime geste, Kroll ouvrit la bouche. Sa main, qui tenait le pistolet, resta immobile.

— En ce moment, nous passons devant la Monnaie de Paris, poursuivit Kurst en jetant un regard par les vitres.

En effet, on apercevait la belle façade de l'édifice, avec ses colonnades et ses arches.

— Je savais que vous étiez armé, mon cher Kroll, et je vous soupçonnais d'être assez fou pour tenter de vous servir de votre arme. J'ai donc pris la précaution de placer un tireur d'élite derrière vous. Pouvez-vous encore m'entendre ? Savoir que votre mort ne sera pas inutile vous consolera peut-être.

Les jambes de Kroll se dérobèrent sous lui et il s'écroula sur son siège, la tête et les épaules sur la table. Le trou dans sa nuque était étonnamment petit.

— Il faudra mettre Levi dans le réfrigérateur jusqu'à ce que le moment soit venu de l'utiliser, dit Kurst. Il ne faut pas que la date de sa mort puisse être déterminée. Par ailleurs, le document que l'on trouvera dans sa poche devra être très ingénieux. Nous voulons que le MI6 morde à l'hameçon. Plus ils se croiront malins, plus facilement ils tomberont dans le piège. Autre chose ? ajouta-t-il en se tournant vers Razim.

Celui-ci, comme tous ses collègues, était indifférent au meurtre auquel ils venaient d'assister. On aurait dit que rien ne s'était passé.

— Oui, répondit Razim. Nous pouvons faire en sorte qu'Alex Rider reprenne du service. Une fois entre nos mains, ce sera un jeu d'enfant de le tuer. Néanmoins… j'aimerais que vous m'accordiez un petit peu de temps avec lui. Il y a une expérience que j'aimerais mener.

— Soyez prudent, l'avertit le Français.

— Bien entendu. Mais j'aurais besoin aussi d'autre chose et je n'ai pas eu le temps d'en parler avant cette malencontreuse interruption… (Il jeta un bref coup d'œil au mort affaissé sur la table avant de reprendre :) Comme je l'ai déjà dit, nous ne pouvons pas fabriquer de fausses preuves. Nous vivons une époque de désinformation. Résultat : tout le monde se méfie de tout. Les gens ont maintenant besoin de voir les choses de leurs propres yeux pour les croire. Il faudra filmer Alex Rider. Je veux pouvoir le montrer à la télévision, vivant, avant de le montrer mort. Je veux que le monde entier puisse le voir en action.

— Et comment comptez-vous vous y prendre ? demanda le Dr Tree.

Razim sortit une deuxième cigarette. Personne ne songeait à lui demander de s'abstenir de fumer.

— En réalité, c'est très simple, répondit-il d'une voix traînante. Mais cela nécessitera l'assistance d'une personne particulière… je dirais même unique. Par chance, j'ai pu repérer cette personne et je l'ai déjà contactée. Cet individu a toutes les raisons de vouloir du mal à Rider. En fait, il le déteste encore plus que nous.

» Je n'ai pas encore pu lui expliquer l'affaire dans les détails, mais je vous assure qu'il sera ravi de nous aider. Bien sûr, obtenir ses services nous coûtera cher. Ce sera de l'argent bien dépensé.

» Si tout va bien, il devrait être parmi nous à la fin de la semaine. L'opération Cavalier pourra alors débuter.

4. LE PRISONNIER N°7

L'adolescent qui traversait le jardin en direction de la villa avait quinze ans, des cheveux châtain clair avec une mèche qui lui tombait sur l'œil, un visage mince et pâle aux pommettes bien dessinées. Il portait un jean, une chemise noire et des baskets. À la fois mince et athlétique, il passait visiblement du temps à la salle de sport. Ses bras et son torse étaient presque trop développés pour un garçon de son âge. Sa démarche disait qu'il avait tout le temps devant lui. Il écoutait de la musique sur un iPod, dont le fil blanc serpentait jusqu'à sa poche arrière.

Il faisait chaud. Le soleil donnait sur la pelouse bien entretenue qui s'étirait de part et d'autre de l'allée. Sur un côté, il y avait un petit carré de légumes, avec des oignons et des carottes dont les tiges pointaient déjà et, au-delà, un vieux mur en briques sur lequel couraient des rosiers grimpants et des fleurs de la passion. La villa était construite dans le style espagnol, avec des planches à recouvrement d'un jaune très pâle et des volets bleus. En approchant de la porte, le garçon ôta les écouteurs de ses oreilles. Il entendit le chant des oiseaux, rythmé par le chug-chug-chug d'un arrosage automatique. Il resta un instant immobile. En fermant les yeux, il aurait pu se croire dans un coin paisible de la campagne anglaise, un village du Kent ou du Dorset. Mais, de l'autre côté du jardin, se dressait une haute clôture de barbelés. Deux gardes munis d'armes automatiques passèrent. Cela lui rappela une fois de plus – comme s'il en avait besoin ! – qu'il était loin de chez lui, et dans l'un des plus étranges centres de détention du monde.

Une prison qui ne ressemblait à aucune autre. Qui n'avait pas de nom. Qui ne figurait sur aucune carte. Qui n'était connue que d'un nombre très restreint de personnes. Tous les membres du personnel – du directeur aux gardiens, en passant par les employés d'entretien et les cuisiniers – savaient qu'ils risquaient eux-mêmes d'échouer dans une cellule s'ils laissaient échapper un mot de ce qu'ils voyaient ici. La construction du centre avait coûté plusieurs millions d'euros, et son fonctionnement plusieurs autres millions. Pourtant – et c'était sa particularité la plus frappante –, il n'accueillait que sept prisonniers. Ceux-ci étaient si dangereux, chacun à sa façon, qu'ils avaient peu de chances d'être libérés un jour.

Depuis 1964, on ne pratiquait plus la peine de mort au Royaume-Uni. Que pouvait faire l'État de ses pires ennemis, des hommes et des femmes qui avaient juré de détruire le pays par tous les moyens ? Bien sûr, il existait des prisons de haute sécurité telles que Belmarsh, à l'est de Londres, ou des hôpitaux psychiatriques comme Broadmoor, dans le Berkshire. Mais ces établissements n'étaient pas assez infaillibles pour la poignée de cas très spéciaux qui nécessitaient d'être maintenus dans un isolement quasi total. Et qui ne devaient en aucun cas pouvoir raconter ce qu'ils savaient. Puisqu'on ne pouvait pas les exécuter, il fallait les enfermer dans un endroit où on les oublierait.

C'est pourquoi le centre avait été construit hors du territoire national. On avait un temps songé à l'Irlande du Nord, où des prisons datant des « Événements » auraient pu être aménagées. Mais on avait préféré Gibraltar, ce rocher qui pointe au sud de l'Espagne. Les raisons de ce choix étaient multiples. Tout d'abord, Gibraltar était encore une possession britannique. Entourée de trois côtés par la mer, et, sur le quatrième, délimitée par une frontière très bien surveillée, c'était virtuellement une prison en soi. Un coin très tranquille. Principal avantage : c'était une base des forces armées britanniques. La péninsule était couverte de bâtiments militaires. Qui en remarquerait un de plus ?

La prison était perchée sur le Rocher et surplombait la baie de Gibraltar et la Méditerranée. On aurait pu admirer le panorama s'il n'y avait pas eu les murs de six mètres de hauteur et d'un mètre d'épaisseur. Des barbelés électrifiés couraient à l'intérieur même des murs, de telle façon que, même avec une échelle de fortune construite secrètement dans l'atelier de la prison, un prisonnier n'aurait eu aucun appui contre quoi l'adosser. L'emplacement de la clôture avait été choisi avec soin. On ne la voyait pas de l'extérieur, de même qu'on ne voyait aucun mirador ni patrouilles de gardes armés. En d'autres termes, rien ne trahissait la véritable nature de l'édifice. Personne ne vivait dans les parages, et les résidents de Gibraltar ou les touristes de passage pensaient qu'il s'agissait d'un centre de communications navales spécialisé dans les liaisons par satellite et Internet.

L'essentiel des installations de sécurité était invisible. Près d'une centaine de caméras de surveillance et de micros cachés permettaient d'observer et d'écouter les prisonniers dès leur réveil... et même pendant leur sommeil. Des capteurs de mouvements et des appareils d'imagerie thermique fournissaient des données vingt-quatre heures sur vingt-quatre, si bien que les surveillants savaient à chaque instant à quel endroit se trouvait tel ou tel prisonnier. La douzaine de cellules, dont cinq étaient inoccupées, étaient bâties sur de la roche si solide qu'il était impossible d'y creuser un tunnel. On avait néanmoins installé un réseau de détecteurs sous les planchers. Aucun visiteur n'était autorisé. Aucune lettre reçue ni envoyée. Il y avait juste une entrée et une sortie : un sas avec une porte électronique à chaque extrémité. Tout véhicule entrant ou sortant devait obligatoirement passer sur une dalle de verre armé, afin d'être examiné sous tous les angles.

Cependant, la prison était un endroit étonnamment confortable. À croire que le gouvernement britannique voulait convaincre les détenus qu'il n'était pas totalement inhumain. Les divers bâtiments disséminés dans l'enceinte des hauts murs étaient bas, en bois et en briques. Hormis les barreaux sur les fenêtres du quartier des détenus, le complexe évoquait un village de vacances. Impression renforcée par les massifs de fleurs, les oliviers et les cyprès, l'arrosage automatique installé le long des allées sinueuses. La villa du directeur était presque absurdement jolie. Ancien militaire, le directeur vivait avec son épouse espagnole dans une maison qui semblait sortie de Disneyland.

Chaque prisonnier avait sa cellule individuelle, avec un lit, une télévision, un cabinet de toilette et une douche. La prison possédait une bibliothèque, une salle de gym bien équipée, un atelier de menuiserie et de ferronnerie, une salle à manger. Les autres bâtiments abritaient le quartier des surveillants, les bureaux administratifs, une salle de contrôle et un bloc disciplinaire. Celui-ci était constitué d'un couloir étroit et de trois cellules en sous-sol, insonorisées et aveugles. Elles étaient rarement utilisées. Les prisonniers n'avaient aucune raison de causer des troubles. S'évader était impossible. Personne n'avait jamais essayé.

Sept prisonniers.

Deux d'entre eux étaient des terroristes. Non pas des subalternes chargés de transporter des bombes, mais ceux qui avaient décidé de l'endroit où elles devaient exploser. On les avait capturés alors qu'ils planifiaient une attaque sur Londres. Ils avaient été jugés en secret puis expédiés à Gibraltar. Personne ne savait à quel point leur plan avait failli réussir. Deux autres étaient des agents secrets travaillant pour des puissances étrangères. Ils avaient réussi à s'infiltrer au cœur des services de renseignement britannique avant d'être finalement démasqués. Dans leur cas, ce qui les rendait dangereux était autant ce qu'ils savaient que ce qu'ils étaient. Le cinquième, le plus âgé des prisonniers, prétendait être l'un des inspecteurs chargés d'examiner les armes en Iraq et clamait son innocence. Personne ne le croyait. Le sixième était un assassin indépendant. Son dossier contenait très peu de pages. Il n'avait jamais révélé son identité, son âge, ni le nombre de ses victimes.

Mais le plus remarquable de tous était l'adolescent de quinze ans, le prisonnier n° 7. C'était même un être unique. Ou presque. Il n'était pas né mais il avait été créé, doté d'un visage qui n'était pas le sien, et entraîné à tuer. Et il était fou.

Il s'appelait Julius Grief. C'était l'un des seize clones fabriqués dans un laboratoire d'Afrique du Sud par son père naturel, le Dr Hugo Grief. Un clone est la copie exacte d'un être humain, fabriqué à partir d'une simple cellule cultivée dans un œuf. Non seulement Julius n'avait pas connu sa mère, mais il n'en avait pas. Jusqu'à sa « naissance », le clonage était restreint aux animaux de laboratoire : le plus célèbre était la brebis Dolly. Mais en utilisant la technologie qu'il avait élaborée d'abord à l'université de Johannesburg puis, plus tard, comme ministre de la Science, Grief avait cloné les premiers humains : seize répliques de lui-même.

Tous avaient grandi au pensionnat de Pointe Blanche, un château perché dans les Alpes françaises, près de Grenoble. Le Dr Grief projetait de prendre le pouvoir et la fortune des plus riches et plus puissantes familles de la planète, en kidnappant leurs fils pour les remplacer par ses propres rejetons. L'un après l'autre, ces derniers avaient subi une douloureuse et définitive chirurgie plastique qui les rendait identiques à leurs cibles. Aucun d'eux ne s'était plaint. Ils avaient été conçus et programmés dans ce but. Ils n'avaient jamais eu d'identité propre. Même leurs premiers noms avaient été choisis dans cette idée. Des noms de chefs militaires : Julius, comme Jules César, Napoléon, Gengis, Mao Tse et même Adolf !

Julius avait été le dernier des seize clones à recevoir son identité : Alex Friend, fils de Sir David Friend, un milliardaire qui avait fait fortune avec les supermarchés et les galeries d'art. Julius-Alex était destiné à aller vivre dans une immense propriété du Yorkshire, au nord de l'Angleterre. Ce serait formidable ! Et, un jour, une fois qu'il aurait assassiné Sir David et sa famille, tout lui appartiendrait.

Julius avait donc subi l'opération de chirurgie plastique et commencé à apprendre son nouveau rôle. Il s'était longuement exercé à parler comme Alex Friend, à marcher comme lui, à être lui. Et puis, à la dernière minute, il avait découvert la vérité. Le garçon qu'il observait jour et nuit, qu'il prenait comme modèle, n'était pas Alex Friend mais un imposteur, un espion travaillant pour le service de renseignement britannique. Julius Friend avait reçu le mauvais visage. Le visage d'Alex Rider.

Mais le pire restait à venir. Alex Rider s'était évadé de Pointe Blanche et il était revenu à la tête d'une troupe armée. Le pensionnat avait été détruit et le Dr Grief tué. Julius était parvenu à suivre les traces d'Alex jusqu'à son collège de Chelsea mais, malgré l'effet de surprise, il avait perdu son duel face à lui. Julius se souvenait de leur combat sur le toit du pavillon de chimie. L'incendie. Sa chute dans le brasier. Il sentait encore les brûlures dans son cou et sur ses jambes. Il avait passé deux mois à l'hôpital et la douleur l'accompagnerait jusqu'à la fin de sa vie. Elle était présente chaque fois qu'il se regardait dans un miroir.

Julius avait toujours le visage d'Alex.

Ça le rendait fou. Quand il se brossait les dents, il voyait Alex dans la glace. Quand il passait devant une fenêtre, la nuit, le fantôme de son ennemi glissait près de lui. Quand il avait plu, Alex Rider levait les yeux sur lui dans une flaque d'eau. Il y avait des jours où il avait envie de s'arracher la peau du visage avec les ongles. D'ailleurs, c'est ce qu'il avait cherché à faire au cours des premiers jours de son arrivée à la prison. Il en gardait encore des cicatrices sur le front et les joues. C'est à ce moment qu'on avait jugé bon de lui apporter une aide psychiatrique. Il se rendait justement à sa séance.

Julius actionna la sonnette. Sa visite était attendue mais le règlement exigeait que l'on sonne avant d'entrer. Le timbre résonna en même temps à l'intérieur de la maison du directeur et dans la salle de contrôle, près du portail d'entrée. Une caméra de surveillance l'avait déjà repéré et l'un des gardes vérifiait que sa visite était bien programmée. Oui. Séance fixée à onze heures. Il était ponctuel.

La porte s'ouvrit et une femme de petite taille, aux cheveux gris, apparut. Comme à son habitude, elle portait des couleurs sombres, un chemisier blanc boutonné jusqu'au cou et très peu de bijoux. Elle aurait pu être directrice d'école primaire dans quelque village reculé de la campagne anglaise. Âgée d'une quarantaine d'années, elle avait un visage pincé et un nez légèrement retroussé. Elle s'appelait Rosemary Flint et exerçait la profession de pédopsychiatre, autrement dit psychiatre pour enfants. Depuis six mois, elle recevait Julius deux fois par semaine. Elle préférait le voir dans le salon du directeur de la prison plutôt qu'à la bibliothèque ou dans sa cellule, car elle espérait qu'une ambiance conviviale l'aiderait.

— Bonjour, Julius.

Elle avait une de ces voix ennuyeuses, douces et raisonnables, qui vous faisait comprendre qu'elle ne perdait jamais son sang-froid.

— Bonjour, Dr Flint, répondit Julius.

— Comment vas-tu aujourd'hui ?

— Très bien, merci.

— Entre.

Ils avaient prononcé exactement les mêmes paroles lors de leurs cinquante rencontres précédentes, et le Dr Flint avait remarqué que jamais l'expression du garçon ne changeait. Il était froid et poli, il avait le regard vide. Elle ne le lui avait jamais dit, mais une partie de son travail consistait à évaluer si, un jour, il pourrait sortir de prison et se réinsérer dans la société. Après tout, ce n'était pas vraiment sa faute s'il était ce qu'il était. On l'avait formaté. Un membre du service de renseignement britannique espérait qu'il pourrait changer et mener un jour une vie normale. Mais, de l'avis du Dr Flint, ce jour-là était très lointain.

Elle précéda Julius dans le salon et l'invita à s'asseoir sur un grand et confortable canapé recouvert d'un tissu à fleurs. Julius s'asseyait toujours à la même place. La pièce était tapissée de papier peint fleuri, et il y avait un bouquet de roses du jardin sur une table basse en bois foncé. L'épouse du directeur de la prison aimait les fleurs. Les épais doubles rideaux laissaient à peine filtrer la lumière. Le miroir ancien qui ornait auparavant l'un des murs du salon avait été fracassé par Julius lors de sa troisième séance. Le Dr Flint avait obtenu du directeur qu'il ne le punisse pas. Selon elle, Julius n'était pas responsable de ses actes. Elle le considérait plutôt comme une victime. Une peinture représentant Cadix avait remplacé le miroir.

— Tu veux un verre de jus d'orange, Julius ?

— Non, merci.

Julius ne buvait jamais pendant les séances. Le Dr Flint avait essayé de lui proposer des biscuits, du chocolat, du Coca-Cola, toujours sans succès. Elle connaissait la raison de son refus : en acceptant quelque chose d'elle, il lui donnait un pouvoir sur lui. Elle imposait les règles, mais il jouait son propre jeu. Pourtant, elle ne désespérait pas de lui faire un jour accepter un gâteau Jaffa. Elle saurait alors que le processus de guérison était enclenché.

— Comment s'est passée ta semaine, Julius ?

— Très bien, merci.

— As-tu lu un livre de la bibliothèque ?

— Je viens juste de commencer *Cheval de guerre*.

— C'est très bien. Lis autant que tu peux. De quoi parle le roman ?

— De chevaux débiles qui se font tuer pendant la guerre.

— Ça te plaît ?

— Non. Pas tellement.

Le Dr Flint poussa un soupir. Le garçon mentait. Elle se tenait au courant des livres qu'il empruntait. Il était l'unique adolescent de la prison et les distractions étaient rares. Il dévorait les livres. Mais, devant elle, il prétendait le contraire.

— As-tu réfléchi à ce dont nous avons discuté la dernière fois ?

— Nous avons discuté de beaucoup de choses, Dr Flint.

— Je parle du contrôle de ta colère.

— Je ne suis pas en colère.

— Je pense que si.

Julius ne répondit pas mais il sentait quelque chose qui brûlait en lui. Ce n'était pas de la colère. Comment cette femme stupide pouvait-elle appeler ça de la colère ? C'était de la lave en fusion qui s'écoulait dans ses veines. De l'acide. Il baissa les yeux, sachant qu'il ne pourrait dissimuler son émotion. Le Dr Flint s'en apercevrait et le noterait dans son carnet. Elle notait tout. Comme si elle pouvait le comprendre ! Heureusement, elle ne pouvait pas lire dans ses pensées. Julius rêvait de tuer Alex Rider. Lentement. Douloureusement. Il aurait dû le faire sur le toit de cette école, un an plus tôt. Il avait failli réussir.

Peut-être aurait-il une seconde chance. Pendant une fraction de seconde, il songea au message qu'il avait trouvé la veille au soir, caché dans sa cellule. Cela paraissait incroyable. Impossible. Il l'avait relu tant de fois qu'il en connaissait tous les mots par cœur. Mais il se força à les chasser de son esprit. La psychiatre ne le quittait pas des yeux. Il ne voulait pas se trahir.

— Je te propose un nouvel exercice d'association de mots, dit le Dr Flint.

— Comme vous voudrez.

Elle raffolait de ce petit jeu. La règle en était simple : elle disait un mot, il répondait par un autre, du tac au tac, sans réfléchir. C'était censé révéler ce qu'il pensait profondément.

— Très bien, dit-elle en jetant un regard circulaire dans la pièce. Je vais commencer par un mot très ordinaire. Tu sais ce qu'il faut faire.

Elle marqua une pause, puis elle lança :

— Chien.

— Os, répondit Julius.

— Cuisine.

— Couteau.

— Manche.

— Pioche.

— Terre.

— Cadavre.

Le Dr Flint s'arrêta.

— Explique-moi cette association, Julius.

— C'est simple. On enterre les morts, non ?

— Qui désires-tu enterrer, Julius ?

Julius ne répondit pas.

L'un et l'autre savaient ce qu'il avait en tête.

— Essayons encore, reprit le Dr Flint.

Pour la première fois de sa carrière, elle commençait à douter de l'utilité de ses méthodes. Elle travaillait avec Julius depuis des mois sans parvenir au moindre progrès.

— Bouche, dit-elle en portant un doigt à ses lèvres.

— Gorge.

— Boisson.

— Poison.

— Bouteille.

— Message.

— Lettre.

— Lit.

Elle s'arrêta à nouveau.

— C'était un peu mieux, dit-elle. Tu pensais à un message dans une bouteille, je suppose. Mais pourquoi « lit » ?

Julius pesta intérieurement. Il n'arrivait pas à se sortir le message de la tête. Il l'avait découvert sous son oreiller au moment de se coucher. Quelqu'un avait dû le placer là pendant la journée. Et voilà qu'il avait failli vendre la mèche.

— En fait, j'ai un peu mal à la tête, Dr Flint. Ça vous ennuie si on arrête ?

— Mais non, Julius. Tu as envie de te reposer ?

— Non.

La séance venait à peine de commencer. Il restait une heure entière. Julius se demandait s'il pourrait tenir sans se mettre à hurler sa rage contre elle. Ou lui tordre le cou. Au tout début de la thérapie, il s'était jeté sur le Dr Flint. Les gardes l'avaient maîtrisé et enfermé dans le bloc disciplinaire pendant une semaine. Il ne voulait pas y retourner. Surtout maintenant. Le message. Les

amis inconnus. Ils ne le feraient pas attendre longtemps. Il devait se contrôler et se tenir prêt.

— Très bien, Julius. Si on faisait quelques dessins ?
J'aimerais que tu dessines un lieu imaginaire, que tu
me le fasses visiter en me le décrivant.

Julius avait un lieu imaginaire en tête. Une forêt
où Alex Rider était pendu à chaque arbre, cloué sur
chaque tronc, enterré vivant jusqu'au cou, gisant
inconscient dans l'herbe. Un monde rempli d'une
foule d'Alex Rider, dont chacun subissait un supplice
différent.

— Je peux dessiner une fête foraine, Dr Flint ?

— Bien sûr, Julius.

En prenant le crayon, il songea au moment où il
avait soulevé son oreiller et découvert la petite feuille
de papier pliée. Il avait tout de suite compris qu'il
s'agissait d'une chose importante. Personne n'entrait
jamais dans sa cellule en son absence. Les autres
prisonniers n'y étaient jamais autorisés. Les gardiens et les employés du ménage lui demandaient
toujours la permission.

Il avait déplié le papier et lu le message :

« Nous sommes tes amis. Nous préparons ton
évasion. Va à la bibliothèque demain à midi. Tu y trouveras d'autres instructions. »

Les mots étaient soigneusement tapés. À la place
de la signature, il y avait un petit emblème argenté
imprimé au bas de la page.

Un scorpion.

Julius avait relu le message une dizaine de fois, puis il avait roulé le papier en boule et l'avait avalé avec un verre d'eau. Ensuite il s'était couché, mais il n'avait pas dormi.

« Nous sommes tes amis. »

Qui ? Il n'avait pas d'amis. Certains de ses frères ? Julius ignorait ce qu'il était advenu d'eux après la fermeture de Pointe Blanche, mais il avait supposé qu'ils étaient prisonniers quelque part, comme lui. Ou bien ces mystérieux amis étaient peut-être des gens qui avaient connu son père en Afrique du Sud…

« Demain à midi… »

Demain, c'était aujourd'hui. Il était déjà onze heures dix. Il restait cinquante minutes. Julius Grief chassa de son esprit l'image d'Alex Rider (un couteau de cuisine planté dans la poitrine, les os à nu, étendu sous la terre), et commença à dessiner un manège de fête foraine. Le Dr Flint l'observait mais elle ne comprenait pas. Évidemment. Personne ne savait.

C'était le jour de son évasion.

5. LE GRAND SAUT

La bibliothèque était le bâtiment le plus moderne de la prison. Malgré sa taille réduite et compacte, elle ressemblait à presque toutes les bibliothèques municipales de la province anglaise : de plain-pied, avec une façade en briques rouges et des baies vitrées coulissantes. Elle contenait environ trois cents ouvrages, la moitié en anglais, l'autre moitié en espagnol pour les gardiens et leurs familles. Il y avait un bureau où l'on signait à chaque sortie et retour de livre, une section journaux et magazines (soigneusement censurés), et les livres eux-mêmes, rangés selon les classifications habituelles. La section « romans policiers et horreur » était la plus appréciée des prisonniers. De nouveaux titres arrivaient régulièrement, pour la plupart offerts par des œuvres de charité. À l'arrivée de Julius Grief dans la prison, le directeur avait ouvert une section « littérature jeunesse », et il avait acheté les premiers romans – la collection complète des œuvres de Roald Dahl – avec son argent personnel.

Julius Grief se rendit à la bibliothèque aussitôt terminée sa séance avec le Dr Flint. Il traversa la cour, où les autres prisonniers profitaient du soleil, assis sur des chaises branlantes entre les arbres. Les deux terroristes jouaient au Scrabble. Au passage de Julius, l'un d'eux venait de marquer soixante-trois points en plaçant le mot « JIHAD », avec le J sur lettre triple. Un peu plus loin, le tueur à gages lisait un magazine « people » et entourait certaines photos d'un cercle au feutre noir. Aucun des prisonniers ne salua Julius. Ils n'appréciaient pas d'avoir un adolescent parmi eux. C'était une offense à leur dignité.

Julius se força à ne pas courir. Il savait que chacun de ses mouvements était surveillé et que tout comportement suspect serait immédiatement rapporté. Il fit mine d'hésiter un instant avant d'entrer dans la bibliothèque, comme s'il n'était pas sûr d'avoir envie d'un livre. Puis il se décida et franchit la porte vitrée.

— *Buenos dias*, Julius.

Le bibliothécaire espagnol travaillait aussi au service comptabilité de la prison. Il s'appelait Carlos. C'était un homme grassouillet et jovial. Il portait le même uniforme que les gardiens : pantalon et chemise vert olive.

— Tu viens à la réunion, ce soir ?

— Bien sûr. J'attends ça avec impatience.

Des conférences étaient organisées de temps à autre à la bibliothèque, animées par les prisonniers ou les gardiens. Deux semaines plus tôt, l'un des agents secrets avait fait un exposé de deux heures sur la Guerre froide. Ce soir, le chef cuisinier avait programmé une démonstration de la recette de paella de sa mère.

— Qu'est-ce que tu veux, Julius ?

— Un livre.

Carlos jeta un coup d'œil à son écran d'ordinateur.

— Tu en as déjà trois.

— Je sais. J'en ai terminé deux et le troisième ne me plaît pas…

Julius se dirigea vers le rayonnage. Il sentait dans son dos le regard du bibliothécaire. Que cherchait-il exactement ? Le message lui disait de venir ici, où il trouverait de nouvelles instructions. Hormis Carlos, le bâtiment était désert. Si un deuxième message l'attendait caché quelque part, comment le découvrir ? Il décida de commencer par la section jeunesse. Après tout, c'était là qu'il était censé se fournir.

Il s'arrêta devant les étagères. La collection des œuvres de Roald Dahl en occupait une entière. Julius n'en avait jamais lu un seul, mais il avait un jour aperçu un des terroristes plongés dans *Fantastique Maître Renard*. À première vue, rien n'avait changé depuis sa précédente visite. On voyait même encore les places vides des livres qu'il avait empruntés.

C'est alors qu'il le remarqua. Un seul livre reposait à plat. Un gros ouvrage relié à l'air poussiéreux, intitulé : LA VIE SAUVAGE À GIBRALTAR – TOME II – OISEAUX ET INSECTES. Il n'aurait pas dû se trouver à cet endroit mais de l'autre côté de la salle, au rayon Histoire naturelle. Pourtant ce n'est pas ce qui attira l'attention de Julius. C'était la couverture. On y voyait la photo d'un insecte qui semblait le regarder droit dans les yeux. Ce ne pouvait pas être une coïncidence.

L'insecte était un scorpion, comme celui figurant au bas du message.

Julius regarda autour de lui. Carlos pianotait sur son ordinateur. Le bibliothécaire paraissait avoir oublié sa présence. Mais il y avait des caméras perchées aux quatre coins de la salle. Les gardiens devaient l'observer depuis la salle de contrôle près de l'entrée de la prison. Julius leur joua une petite comédie. Il choisit un livre, puis un autre, feignant d'hésiter, et finit par prendre *La Vie sauvage*, qu'il alla poser sur une table.

Il avait soigneusement choisi l'emplacement. La table se situait juste à côté d'une étagère qui faisait écran aux caméras. Seul Carlos pouvait le voir, mais le livre lui était masqué. Julius l'ouvrit avec précaution. Et il eut le souffle coupé. Comment était-ce possible ? Personne ne connaissait la prison. Personne ne pouvait s'y infiltrer. Pourtant il ne rêvait pas. Les pages du livre avaient été découpées de façon à y ménager une cachette pour un pistolet, un automatique Mauser C96 dont on avait raccourci le canon. Julius passa le doigt sur le métal froid. On lui avait appris à tirer dès l'âge de six ans, et il avait tué pour la première fois à neuf ans. Mais cela faisait longtemps qu'il n'avait pas tenu une arme, et il avait cru ne jamais plus en avoir l'occasion. Il éprouva l'envie fugitive de tirer une balle dans la tête de Carlos. Mais c'était de la folie. Il fallait se montrer prudent, avancer pas à pas.

Une deuxième lettre était pliée à l'intérieur du livre. Beaucoup plus longue et détaillée que la première. Julius la lut attentivement. Ses amis inconnus étaient des gens sérieux. Il ne devrait commettre aucune erreur. Quand il se sentit prêt, il ferma le livre et se leva. Il était midi et demi. Juste la bonne heure. Il savait ce qu'il avait à faire.

***

Le sujet n'a fait aucun progrès depuis son arrivée à Gibraltar. Il est évident que Julius Grief éprouve une haine pathologique pour Alex Rider. Une haine enracinée en lui et permanente. Or la chirurgie plastique l'a rendu identique à l'objet de sa haine. On peut donc supposer que, inconsciemment, une partie de cette haine est dirigée contre lui-même. Il est à craindre que ce trouble psychologique empire et fasse basculer le sujet dans une grave dépression nerveuse, ou le pousse au suicide. Il est même surprenant que la chose ne se soit pas déjà produite.

Le Dr Flint relut ses notes et une grande tristesse l'envahit. Tout au long de sa vie professionnelle, elle avait travaillé avec des enfants traumatisés, mais jamais elle n'avait rencontré un patient tel que Julius Grief. D'un côté, elle avait envie de le plaindre. Il n'était pas responsable de ce qu'il était devenu. On l'avait manipulé depuis sa naissance. En fait, sa naissance elle-même était le fruit d'une manipulation. Julius était un monstre, créé dans un seul but : permettre à son père de régner sur le monde. La lecture du rapport sur Hugo Grief donnait froid dans le dos. Les seize garçons avaient reçu, comme au goutte-à-goutte, un régime de haine et de démence. Et tous (à l'exception de deux qui étaient morts) étaient désormais enfermés dans des institutions semblables à celle-ci, où ils finiraient leurs jours. Ils n'y étaient pour rien.

Malgré ses efforts, le Dr Flint ne pouvait se défaire d'une profonde répulsion envers Julius. Ce n'était pas une attitude professionnelle, elle le savait, mais c'était plus fort qu'elle. Julius Grief était abominable. Elle ne se laissait pas berner par lui. Même s'il semblait accepter ses méthodes – les discussions, les associations de mots, les tests psychologiques –, elle savait qu'en réalité il se jouait d'elle. Et il lui cachait quelque chose. Ce matin même, elle l'avait senti. Ses réponses neutres et formelles ne visaient qu'à lui camoufler le fond de sa pensée. Elle n'était pas dupe. Il dissimulait un secret. Devait-elle en parler au directeur ? Non. En tant que thérapeute, elle devait respecter la règle de confidentialité. Elle reprit le cours de ses observations.

Je recommande que Julius Grief soit mis sous traitement immédiatement. Bien que je n'aime pas droguer les jeunes patients, dans son cas cela me semble...

La sonnette de la porte d'entrée tinta. C'était surprenant. Le directeur ne revenait jamais avant deux heures, et sa femme était sortie déjeuner en ville. Le Dr Flint alla dans le vestibule jeter un coup d'œil au petit écran de la télévision de surveillance. Elle vit l'image de Julius, dehors, sur le seuil, tenant dans les mains un bouquet de fleurs qu'il avait dû cueillir dans le jardin de la prison. Elle fut tentée de ne pas ouvrir la porte. C'était contraire au règlement. Elle n'avait pas oublié la façon dont il l'avait agressée au cours d'une de leurs premières séances. Ni comment il avait fracassé le miroir. Elle devait lui ordonner de repartir.

Mais elle se ravisa. Les crises de Julius dataient de longtemps. Peut-être essayait-il vraiment de racheter son comportement du matin. Peut-être était-il venu lui confier ce qu'il taisait si obstinément. Les fleurs étaient un geste touchant. Et puis les caméras étaient braquées sur lui. Il n'y avait aucun danger. Le Dr Flint ouvrit la porte.

— Qu'y a-t-il, Julius ?

— C'est un peu difficile à expliquer, Dr Flint.

— Tu veux entrer ?

— Non. En fait, j'aimerais que vous veniez avec moi.

— Où ?

— Nous allons partir d'ici. Ensemble.

Julius Grief lâcha le bouquet de fleurs et là, dans sa main, pointé sur elle, le Dr Flint eut le choc de découvrir un pistolet. Julius avait le regard fixe, l'index enroulé autour de la détente. Elle eut l'impression de vivre un cauchemar. Tout ceci était absurde. Comment s'était-il procuré une arme ? C'était insensé, et pourtant il y avait là quelque chose d'atrocement inévitable. Julius parvenait à contrôler son exaltation.

Il était totalement maître de lui-même. La psychiatre comprit que si elle ne lui obéissait pas, il l'abattrait sans la moindre hésitation.

Julius avança. Tout à coup, elle sentit le canon du pistolet contre sa gorge, et la joue de Julius tout près de la sienne. Elle ressentait sa folie comme s'il l'avait giflée avec. Il était aussi grand qu'elle et beaucoup plus fort. Et armé. Pour la première fois depuis qu'elle le connaissait, le visage du garçon se fendit d'un rictus qui ressemblait à un sourire. Soudain, il n'eut plus quinze ans, et les jolis traits que lui avait façonnés le chirurgien se déformèrent. Il aurait pu avoir cinquante ans, ou cent cinquante. Le mal n'a pas d'âge. Le Dr Flint était terrifiée. Avait-elle réellement passé ces derniers mois, deux fois par semaine, seule avec ce monstre ?

— Je vais sortir d'ici, reprit Julius d'une voix très douce malgré l'hystérie sous-jacente. Vous allez marcher et m'aider.

— Ils ne te laisseront jamais franchir le portail.

Julius pressa le pistolet contre son cou, le nez du canon scié vers le haut.

— Alors ils devront ramasser votre cervelle sur la clôture. On y va, Dr Flint ? Il est temps.

Ils se mirent en route à la manière de deux amoureux exécutant un étrange pas de danse. Le Dr Flint regardait droit devant elle, la tête penchée de côté, les yeux fixes. Julius jouissait de l'instant. Le contact de l'automatique dans sa main décuplait ses forces. Il aimait voir l'acier dur s'enfoncer dans la chair de la femme. Depuis des mois il supportait ses questions stupides, ses exercices interminables. Aujourd'hui, enfin, c'était lui qui menait le jeu.

Malgré les caméras, Julius et le Dr Flint avaient presque atteint la première porte, laquelle donnait accès au sas. Personne n'avait encore compris qu'il se passait une chose anormale. Peut-être les gardiens avaient-ils d'abord cru à une sorte d'exercice faisant partie de la thérapie. L'un d'eux finit quand même par remarquer le pistolet et donna l'alerte. Aussitôt les procédures d'urgence longtemps répétées se déclenchèrent. Une dizaine d'alarmes retentirent. L'écho de leurs sonneries combinées se répandit dans toute la péninsule. Les gardiens surgirent, arme pointée. Les autres prisonniers furent prestement reconduits dans leurs cellules. Un message téléphonique automatique avait été envoyé au Devil's Tower Camp, près de l'aéroport, où résidait le Régiment royal de Gibraltar. Ce message déclenchait l'envoi immédiat de renforts. Avant que Julius ait eu le temps de poser ses exigences, une demi-douzaine de Land Rover fonçait vers le sommet de la colline.

Pendant un instant, tout se figea. On aurait cru que le site tout entier était devenu une photographie. Julius Grief tenait toujours le Dr Flint, une main sur son épaule, l'autre, avec le pistolet, contre son cou. Il était cerné d'armes automatiques et de fusils-mitrailleurs. Le soleil faisait étinceler les barbelés. Quelque part, à l'extérieur de la prison, s'éleva un ricanement bref. Sans doute un des célèbres singes de Gibraltar qui avait bondi d'un arbre avant de disparaître dans les fourrés.

Le directeur de la prison apparut enfin. C'était un homme trapu, musclé, avec des cheveux courts et grisonnants, vêtu d'un treillis de l'armée. Il se trouvait dans la salle de contrôle au moment de l'alerte. Il s'immobilisa dans le sas, de l'autre côté de la porte.

— Grief ! aboya-t-il d'une voix habituée à être obéie, rodée par ses vingt ans de service dans la Royal Navy. Qu'est-ce qui te prend ?

— Ouvrez la porte ou je lui colle une balle dans la tête. (Julius ne cachait pas son plaisir. Le monde tournoyait autour de lui.) Je la tuerai, je vous le jure.

— Où as-tu pris ce pistolet ?

Une question stupide, à laquelle Julius n'était pas près de répondre.

— Il vous reste cinq secondes ! lança-t-il.

— Tu n'iras nulle part.

— Quatre...

Le directeur devait se décider. Il savait que Grief n'hésiterait pas à tirer. Il voyait la terreur sur le visage du Dr Flint. Les gardiens étaient prêts à ouvrir le feu, mais il ne pouvait pas leur donner l'ordre de tirer s'il voulait épargner la psychiatre. Comment le prisonnier avait-il pu se procurer une arme ? Était-elle réelle ? Factice ? De toute façon, il ne pouvait pas courir de risque. Rosemary Flint était une civile. Sa vie passait avant le reste.

— Trois secondes, monsieur le directeur.

Pour l'instant, le garçon avait tous les atouts en main. De l'autre côté des murs, ce serait différent. Les renforts étaient déjà en route et Julius Grief se berçait d'illusions. Une fois dehors, il ne pourrait aller nulle part. Il serait au sommet de la colline, au-dessus de la ville et du port, vers lesquels descendaient des routes sinueuses et étroites. Il ne pourrait pas garder son otage collée à lui tout le temps, et même s'il arrivait à descendre jusqu'en bas, il n'avait aucun moyen de quitter la péninsule. Personne ne le laisserait embarquer à bord d'un avion ou d'un bateau. Quant aux autorités espagnoles, elles étaient déjà alertées. Tout Gibraltar se dresserait contre le fugitif. Sa capture ne poserait aucun problème.

— Ouvrez le portail ! cria Julius.

Son visage était d'une pâleur mortelle. Son bras et la main qui tenait l'arme rigides. Même si l'on tirait sur lui, il tuerait le Dr Flint avant d'être abattu.

— Faites ce qu'il dit ! ordonna le directeur.

Pendant une seconde, rien ne se passa. Les gardes hésitaient encore à croire ce qu'ils venaient d'entendre. Puis il y eut un déclic et le lourd portail commença à s'ouvrir. Julius empoigna le col du Dr Flint et l'entraîna en avant, collée à lui. Les canons pointés sur eux les suivirent.

La porte intérieure se referma et ils se retrouvèrent dans un enclos entouré de clôtures sur trois côtés, avec la salle de contrôle sur le quatrième. Le directeur avait reculé, comme s'il cherchait à s'éloigner d'eux le plus possible. Un jeune gardien les observait derrière une vitre. Rien de tel ne s'était jamais produit dans la prison.

— Julius, hoqueta le Dr Flint. (Elle avait du mal à parler à cause du canon pressé contre sa gorge.) Ne fais pas ça. Ça ne marchera pas.

— J'adorerais appuyer sur cette détente, Dr Flint. Alors, à votre place, je me tairais. Ne me donnez pas de prétexte pour tirer.

La seconde porte s'ouvrit et, pour la première fois depuis douze longs mois, Julius vit les bosquets d'oliviers, les rochers éparpillés, les herbes folles. Au loin se profilait le ruban bleu de la Méditerranée.

— Allons-y !

Il poussa son otage en avant. C'était l'instant critique. Sitôt hors de la prison, il devrait se débarrasser du Dr Flint. La psychiatre ne ferait que le ralentir. Mais à ce moment il serait très exposé. Les gardiens n'hésiteraient pas à tirer. Julius avait mis toute sa confiance dans les mystérieux amis qui lui avaient envoyé leurs instructions. S'ils l'avaient trompé, s'ils avaient mal calculé leur coup, il mourrait. Dans un sens, cela lui était égal. Mieux valait une minute de liberté qu'une vie derrière des barreaux.

Ils franchirent côte à côte le second portail et débouchèrent sur le terre-plein à l'extérieur de la prison. Julius Grief avait été transporté ici dans une fourgonnette aux fenêtres obstruées, si bien qu'il n'avait rien vu du paysage. Une piste étroite descendait la colline en passant devant de petites constructions en ciment datant de la dernière guerre qui ressemblaient à des boîtes à pilules. Le sol poussiéreux était couvert d'aiguilles de pin. L'air embaumait le pin et l'eucalyptus. Il n'y avait personne en vue, mais la lettre cachée dans le livre avait prévenu Julius qu'il disposerait seulement de cinq minutes avant l'arrivée des Land Rover du Régiment royal de Gibraltar. Il fallait faire vite.

Il leva le Mauser et l'abattit sur le crâne du Dr Flint. La psychiatre poussa un cri et s'effondra sur les genoux, le visage ruisselant de sang. Julius fit volte-face et tira trois balles en direction de la prison. Les balles ricochèrent sur le portail en fer. Il n'avait touché personne mais il voulait impressionner les gardiens.

Ils hésiteraient quelques secondes avant de s'élancer à découvert, et il avait besoin du maximum de temps possible.

Il se mit à descendre la colline en courant. En prison, il avait soigné sa forme physique, non pas dans l'espoir d'une évasion mais parce qu'il avait été éduqué ainsi. Son père, Hugo Grief, leur avait toujours imposé six heures d'entraînement par jour, à commencer par un jogging de cinq kilomètres dans la neige, suivis de séances d'arts martiaux. Ils savaient tuer.

Et ils savaient conduire.

La voiture l'attendait exactement à l'endroit indiqué dans la lettre, garée à l'écart de la route, derrière un bosquet de palmiers. C'était un SUV, un véhicule utilitaire sport, autrement dit un 4 × 4 Suzuki Jimmy, une sorte de cube maculé de boue. Une aile était enfoncée, le rétroviseur latéral cassé. À première vue, on aurait dit un véhicule abandonné. Mais la portière n'était pas verrouillée et les clés étaient sur le contact. Julius se glissa derrière le volant. Au même moment, il entendit un véhicule foncer sur la route, venant de la prison. Par chance, le conducteur ne l'avait pas aperçu. Quelqu'un cria. Des gardes se déployaient à pied. Il ne leur faudrait pas longtemps pour le découvrir. Julius claqua la portière et mit le contact.

Le moteur 1.3 s'anima bruyamment. Ses poursuivants ne s'attendaient sûrement pas à ce qu'il ait une voiture, mais le bruit du moteur leur ferait comprendre, s'ils ne l'avaient pas déjà deviné, que son évasion avait été planifiée dans les moindres détails avec une aide extérieure. Julius fit une marche arrière avant de passer en première. La voiture bondit en soulevant un nuage de poussière. La Suzuki n'était pas très maniable. Il fallait batailler pour négocier les virages. Mais c'était toujours mieux que de courir.

Une balle toucha la carrosserie, juste au-dessus du pneu arrière. Un des gardiens l'avait repéré. Sa deuxième balle éclata la branche d'un arbre voisin. Julius était penché sur le volant. Un autre garde se dressa devant lui sur la route. Comment avait-il pu aller si vite ? Julius écrasa la pédale d'accélérateur. Pendant une brève seconde, le garde envahit le champ de vision du pare-brise. Puis la Suzuki le percuta. Il y eut un bruit mou, écœurant.

La Suzuki avait parcouru dix mètres quand le corps du garde retomba à terre et roula sur le bas-côté. Julius jeta un coup d'œil dans le rétroviseur. Deux Jeep de la prison venaient de surgir. Elles roulaient beaucoup plus vite que lui.

Si la descente n'avait pas été aussi abrupte, il aurait déjà été rattrapé.

Juste en face de lui, la route virait brutalement à droite. Il donna un coup de volant et, soudain, il se retrouva au bord d'un ravin d'une centaine de mètres. Il vit les énormes rochers et la mer, tout en bas. En même temps, il sentit les pneus glisser hors de la piste. Des cailloux giclèrent dans le vide. Il s'agrippa au volant, luttant pour reprendre le contrôle de la Suzuki. Il avait réussi à prendre le virage et à creuser l'écart avec ses poursuivants, mais il avait failli se tuer.

Le virage suivant était moins difficile. Cette fois, la Suzuki frôla la paroi rocheuse et non le ravin. Mais Julius calcula mal sa trajectoire et la carrosserie racla une saillie rocheuse, dans un fracas de verre et de métal. Les Jeep regagnaient du terrain. En contrebas, il aperçut les Land Rover du Régiment royal qui montaient.

Il était pris entre deux feux.

Le prochain virage en épingle à cheveux et une chute mortelle dans le vide l'attendaient.

Julius braqua le volant à droite. Le conducteur de la première Jeep vit la Suzuki quitter la piste et traverser en tanguant un espace broussailleux en direction d'une grange délabrée. Le garçon avait perdu le contrôle de son véhicule. Au lieu de revenir vers la route, il défonça la porte de la grange et disparut à l'intérieur, dans un nuage de bois éclaté. Pendant quelques secondes, la Suzuki resta invisible, puis elle reparut de l'autre côté, le capot embouti, le pare-brise lézardé comme une toile d'araignée. Julius Grief souriait, ses cheveux châtain clair sur les yeux, agrippé au volant.

Il n'y avait pas d'issue. Les véhicules militaires avaient pris position en contrebas. Entre la paroi d'un côté et le précipice de l'autre, il était impossible de passer.

Julius n'essaya même pas. Peut-être voyait-il mal. Peut-être avait-il reçu un choc quand la voiture avait percuté la porte de la grange. En tout, cas, il ne cherca même pas à manœuvrer son volant. Il fonça droit dans les broussailles, atteignit la piste, et la traversa. Alors que ses poursuivants, horrifiés, freinaient brutalement, la Suzuki bondit de l'autre côté de la route, défonça une clôture de barbelés, et s'élança dans le vide. Elle resta brièvement suspendue en l'air. Puis elle plongea dans le précipice, dans une interminable et effroyable chute vers la mer. À mi-chemin, elle percuta une saillie rocheuse. Il y eut une explosion et des flammes jaillirent, tandis qu'elle poursuivait sa folle culbute. La Suzuki se retourna et ce fut le toit qui percuta l'eau. Elle flotta un instant à la surface, et les flammes s'élevèrent, comme si elles cherchaient à embraser la mer. Enfin la Suzuki sombra. Quelques pièces de métal déchiqueté roulèrent sur la falaise. C'était tout ce qui restait.

Le conducteur de la première Land Rover s'arrêta et descendit. Peu à peu, d'autres soldats apparurent et coururent au bord du ravin. En bas, sur un côté, s'étendait la ville de Gibraltar, avec ses hautes falaises face à la mer. La Méditerranée était d'un bleu étincelant, le soleil faisait miroiter des millions de reflets sur sa surface.

— Vous avez vu ça ? lança quelqu'un.

— L'imbécile !

— Vous croyez qu'il l'a fait exprès ? Il n'a même pas essayé de revenir sur la route.

— Il est peut-être encore vivant.

— Impossible. Personne ne peut survivre à ça. S'il n'est pas mort carbonisé, il s'est noyé.

— Triste fin pour ce gamin. Il n'avait que quinze ans.

Bien sûr, il y aurait une enquête. La question la plus délicate serait de déterminer comment un pistolet avait pu pénétrer dans la prison. Forcément, un des gardiens avait été acheté. Mais lequel ? Par qui ? Quelle organisation se cachait derrière cette tentative d'évasion ? Comment avait-elle appris l'existence de la prison ? Une ambulance était déjà en route pour conduire le Dr Flint à l'hôpital Saint-Bernard, dans le centre-ville. Étant la dernière personne à avoir vu Julius Grief vivant, elle pourrait fournir quelques détails. Le directeur de la prison se rendrait à Londres pour présenter son rapport aux plus hautes autorités. Des réprimandes sévères allaient tomber et le niveau de sécurité de la prison serait renforcé.

Il ne restait maintenant plus que six prisonniers. Même si l'on envoyait des hommes-grenouilles inspecter les fonds sous-marins, ils auraient peu de chances de trouver quelque chose dans la carcasse déchiquetée et carbonisée de la voiture. De toute façon, personne ne regretterait Julius Grief. Bien sûr, ce n'était qu'un enfant. Mais un enfant fou. Aucun des autres prisonniers ne s'était lié avec lui. Finalement, c'était peut-être mieux ainsi.

Personne ne découvrit la vérité.

Le tour de passe-passe s'était effectué à l'intérieur de la grange, pendant les quelques secondes où Julius Grief était resté hors de vue. Respectant scrupuleusement les instructions, il avait défoncé la porte de la grange, laquelle avait été spécialement affaiblie. Une équipe de six agents de Scorpia l'attendait à l'intérieur. Au moment où Julius freinait à mort, une seconde Suzuki, identique à la première, bondissait de l'autre côté. Mais celle-ci n'avait pas de conducteur. Elle était télécommandée, avec un mannequin sanglé derrière le volant. D'ailleurs, elle n'avait pas une grande distance à parcourir. Cela avait été un jeu d'enfant de la guider à travers le terrain découvert, pulvériser la clôture et plonger dans le vide.

Ensuite, pendant que les gardiens assistaient, ébahis, à la chute et à l'explosion, les agents de Scorpia s'étaient activés. Après avoir recouvert la première Suzuki d'une bâche et de bottes de foin, ils s'étaient tous faufilés, avec Julius, dans une trappe aménagée dans le sol. En quelques secondes, tout le monde avait disparu. Si quelqu'un de la prison était venu jeter un coup d'œil dans la grange, il n'aurait vu qu'un tas de foin et quelques pièces détachées de vieux matériel agricole.

Mais personne ne jugea bon d'inspecter la grange. Tout se déroula exactement selon les plans de Scorpia. Et personne ne prêta attention, cette nuit-là, au petit bateau de pêche qui quitta le port de Gibraltar, cap au sud, sous la pleine lune et un ciel étoilé, avec un seul passager à son bord.

6. SECRETS ET MENSONGES

TOP SECRET. Les deux mots étaient tamponnés en rouge sur la couverture du rapport. Mais c'était une précaution inutile. Il n'en existait que trois exemplaires : un pour Alan Blunt, patron des Opérations Spéciales du MI6, un pour son adjointe, Mme Jones, et le troisième pour le chef du service scientifique. Et comme tout ce que faisaient ces trois personnages était secret, d'une manière ou d'une autre, ils n'avaient pas besoin qu'on le leur rappelle. Parfois, Alan Blunt se demandait combien de dizaines de milliers de documents étaient passés sur la surface polie de son bureau, au seizième étage de l'immeuble de Liverpool Street, à Londres, sous l'enseigne de la Banque Royale & Générale. Chacun de ces dossiers recelait sa petite histoire sordide. Certains avaient nécessité une action immédiate, d'autres n'avaient conduit nulle part. Combien d'individus étaient morts au détour d'une page de rapport ?

Alan Blunt se renversa contre le dossier de son fauteuil et regarda autour de lui, l'esprit encore absorbé par ce qu'il venait de lire. Après dix-sept ans passés dans ce bureau, il aurait pu le décrire les yeux fermés, jusqu'au moindre trombone. Une table de travail ancienne, quelques sièges, une moquette de couleur neutre, deux tableaux aux murs représentant des paysages sans intérêt, une étagère chargée d'ouvrages de référence jamais ouverts. Une pièce révèle beaucoup sur la personne qui l'occupe. Blunt avait fait en sorte que son bureau ne révèle strictement rien de lui.

Bientôt, il le quitterait. Le nouveau Premier ministre avait décidé qu'il était temps de procéder à des changements, et le département tout entier était en pleine réorganisation. Blunt ignorait encore qui allait le remplacer, mais ce serait très probablement Mme Jones, son adjointe. Elle n'en avait pas parlé, bien sûr. Cela n'avait rien de surprenant. Blunt se félicitait d'avance que ce soit elle. Mme Jones avait été recrutée à l'université de Cambridge, après son diplôme en sciences politiques. D'un caractère bien trempé, elle avait réussi à surmonter les tragédies qui avaient marqué sa vie : la mort de son mari et de ses deux fils. Mme Jones était un esprit brillant. Blunt espérait que le Premier ministre serait assez malin pour reconnaître ses talents. Il avait même songé à envoyer une note au 10 Downing Street pour la recommander, mais il s'était ravisé. Après tout, qu'ils prennent eux-mêmes leurs décisions !

Que lui réservait l'avenir ? Blunt avait cinquante-huit ans, pas tout à fait l'âge de la retraite. Sans doute recevrait-il un titre de chevalier, entre quelques célébrités et hauts fonctionnaires, lors de la fournée de distinctions de la nouvelle année. « Pour services rendus au gouvernement et à la sécurité intérieure. » Un hommage aimable et neutre. On lui offrirait peut-être un poste de directeur de banque – une vraie banque, cette fois. Il avait envisagé d'écrire un livre, mais c'était absurde : il était soumis à la loi sur les secrets officiels et tout ce qu'il avait à raconter était secret.

Il se surprit à examiner les fauteuils vides en face de lui. Blunt n'était pas un sentimental mais il ne pouvait s'empêcher de songer à certains des hommes et des femmes qui s'étaient assis là. Il leur avait donné des ordres et ils étaient partis, parfois pour ne jamais revenir. Danvers, Wilson, Rigby, Mortimer, Singh... qui avait si bien travaillé en Afghanistan avant d'être démasqué. Et John Rider. Blunt n'aurait jamais cru dire cela un jour, mais il avait toujours eu une estime particulière pour l'agent assassiné par Scorpia au moment où il partait pour le sud de la France avec sa jeune femme. John Rider avait été un agent beaucoup plus efficace que son frère cadet, Ian.

Et puis, bien sûr, il y avait Alex. De bien des manières, il avait surpassé son père et son oncle. Blunt esquissa un sourire. Dès le début, il avait perçu chez ce garçon de quatorze ans des aptitudes singulières. Et il avait ignoré les réserves ou les protestations de ses collègues, qui jugeaient insensé de jeter un collégien dans le monde de l'espionnage. Alex avait été l'arme parfaite justement parce qu'il était inattendu. Et parce qu'il avait accompli ce que peu d'autres agents avaient réussi. Il avait effectué huit missions périlleuses, et il avait survécu.

Pourtant, c'était Alex qui était la cause de la disgrâce de Blunt. En apprenant que le MI6 employait non seulement un adolescent mais que celui-ci avait moins de seize ans, le Premier ministre avait sauté au plafond. C'était contraire à toutes les règles. L'opinion publique aurait été horrifiée si l'information avait filtré, et aurait blâmé le Premier ministre même s'il n'y était pour rien. Blunt savait que c'était la raison de sa mise à la retraite. On lui avait clairement fait comprendre qu'il était hors de question de renvoyer Alex en mission, ou de le remplacer. Fin de l'histoire. D'une certaine façon, Blunt n'en était pas mécontent. Il avait vu assez de housses mortuaires. Il lui aurait été pénible d'en voir une de la taille d'un enfant.

Le rapport…

Chose rarissime chez Blunt, il avait laissé ses pensées dériver. Il se força à se concentrer. Quarante-huit heures plus tôt, on avait découvert un cadavre flottant dans la Tamise, juste à l'est de Southwark Bridge. Le corps était celui d'un homme d'âge moyen, vêtu d'un costume cravate, tué d'une balle dans la nuque. L'identification n'avait présenté aucune difficulté car l'homme était borgne et avait autrefois servi dans l'armée israélienne, qui avait conservé son dossier médical. Son nom était Levi Kroll et il était connu comme membre actif de Scorpia, et même un de ses fondateurs. Sitôt la connexion établie, les voyants rouges avaient commencé à clignoter et le rapport était remonté aux Opérations Spéciales.

À première vue, il paraissait incroyable qu'un membre aussi important de Scorpia puisse être assassiné et, plus encore, que son cadavre soit retrouvé. Cela soulevait toutes sortes de questions. D'abord, que faisait Kroll à Londres ? Y avait-il un lien avec la présence de Zeljan Kurst et la fusillade au British Museum, quelques mois plus tôt ? L'entrée de Kroll sur le territoire n'avait été signalée nulle part, mais cela n'avait rien de surprenant car l'homme devait avoir une bonne dizaine d'identités et de passeports. Qui l'avait tué ? Selon les rapports, il avait reçu une balle de Winchester Short Magnum calibre 300 dans la nuque, probablement tirée par un FN Special Police Rifle belge. Est-ce qu'une organisation rivale avait déclaré la guerre à Scorpia ? Blunt pesa cette hypothèse. La réputation de Scorpia avait effectivement décliné au cours des douze derniers mois. Un autre groupe avait fort bien pu décider d'empiéter sur son territoire.

Le rapport mentionnait plusieurs indices. Blunt les avait soulignés en rouge. Pour commencer, les enquêteurs du MI6 suggéraient que Kroll avait pu séjourner en Égypte avant de venir à Londres. Sa chemise provenait d'un magasin d'Arkadia Mall, une galerie commerçante sur les hauteurs du Nil ; elle portait la marque Dalydress, un fabricant de luxe égyptien, et le modèle faisait partie de la collection de printemps, ce qui indiquait qu'elle avait été achetée récemment. Il était bien sûr possible que la chemise ait été offerte à Kroll, mais les enquêteurs avaient visionné des centaines d'heures de bandes vidéo prises par les caméras de surveillance des quatre aéroports londoniens, en se concentrant sur les vols en provenance d'Égypte, et leur persévérance avait fini par payer. Un homme portant une barbe et un bandeau sur un œil était arrivé par un avion de British Midland venant du Caire, la veille du jour où l'on avait repêché le corps de Kroll.

Celui-ci avait sur lui deux objets qui donnaient au MI6 matière à cogiter. Le premier, trouvé dans sa poche intérieure de veste, était un portefeuille en croco portant la marque Cartier, Paris, et visiblement neuf. Il contenait plusieurs cartes de crédit au nom de Goodman, sans doute l'identité choisie par Kroll pour son voyage à Londres. Les enquêteurs avaient vérifié l'historique des cartes de crédit. Un seul achat avait été effectué par « Goodman » à l'aéroport de Heathrow : trois magazines et un journal. Le journal était le supplément Éducation du *Times* – en général lu par les enseignants et les universitaires. Blunt avait souligné ce détail et tracé à côté un point d'interrogation.

Le portefeuille contenait également une clé magnétique, semblable à celles utilisées dans tous les hôtels du monde, mais elle ne portait aucun nom et serait extrêmement difficile à identifier. Kroll avait sur lui l'équivalent de trois cents euros en différentes monnaies : des livres anglaises, des dollars américains et des livres égyptiennes – autre connexion avec Le Caire. Enfin, il y avait un tronçon de billet de l'opéra de Milan, daté d'un mois plus tôt, un ticket de caisse pour un dîner au Harry's Bar de Venise, et une photo d'un garçon de dix ans tenant un chien rottweiler par le cou. Son fils ? On ignorait même que Kroll fût marié.

Le plus intéressant était l'iPhone trouvé dans la même poche que le portefeuille. Bien entendu, l'eau avait complètement ravagé l'appareil, mais les techniciens du MI6 avaient réussi à extraire de sa mémoire quelques fragments d'information. Ceux-ci avaient été imprimés sur une feuille séparée à l'intention de Blunt, qui la posa à plat devant lui.

> ... PROGRÈS ... LE VICAIRE
> SHAFIK (43) ... PAIEMENT
> 31 MAI – 4 JU
> ... CIBLE...

Blunt examina les mots en y cherchant de possibles associations. Si l'on supposait qu'ils se référaient à une opération de Scorpia, Kroll avait été étonnamment imprudent de noter quelque chose dans son téléphone portable. Évidemment, il ne savait pas qu'il allait mourir. Les dates, qui remontaient à trois semaines, évoquaient vaguement quelque chose à Blunt. Mais s'agissait-il de juin ou de juillet ? Shafik était un nom arabe. 43 indiquait peut-être son âge. Était-il la cible mentionnée à la dernière ligne ? Ou un tueur ? Ceci expliquerait le besoin d'un paiement. Et que pouvait être ce vicaire ? Le mot figurait en haut de la page, souligné. Une opération impliquant la religion ? Pourtant, l'Église était le dernier endroit où l'on s'attendait à rencontrer Scorpia.

Blunt n'avait pas besoin de perdre davantage de temps et d'énergie mentale à essayer de déchiffrer ce puzzle. Une demi-douzaine de services, au sein même des Opérations Spéciales, avait travaillé sur cette énigme, et Blunt avait demandé une réunion à neuf heures pour entendre leurs résultats. Justement, il y eut un petit coup frappé à la porte et Mme Jones entra, suivie par une jeune femme blonde, le visage constellé de taches de rousseur, vêtue de façon décontractée. Samantha Redwing. Âgée seulement de vingt-sept ans, elle avait rapidement gravi les échelons avant de devenir chef du service scientifique. Redwing possédait une mémoire photographique étonnante et l'esprit analytique d'un joueur d'échecs de classe internationale. Ça ne l'empêchait pas de mener par ailleurs une vie normale, avec un fiancé qui travaillait dans la pub, un appartement dans le quartier branché de Notting Hill, et une vie sociale harmonieuse. Aux yeux de Blunt, Redwing était vraiment une rareté.

Les deux femmes s'assirent. Chacune tenait à la main sa copie du dossier Scorpia.

— Bonjour, dit Blunt en les accueillant d'un hochement de tête. Du nouveau sur l'affaire Kroll ?

— Oui, nous avons un peu progressé, répondit Mme Jones en ouvrant son dossier.

Comme à son habitude, elle était habillée de couleurs sombres. Avec ses cheveux et ses yeux noirs, cela ne lui donnait pas seulement l'air professionnel mais aussi celui de quelqu'un se rendant à des funérailles. Le prochain patron du MI6 ? Blunt remarqua quelques feuillets agrafés derrière le rapport. Mme Jones était venue préparée.

— En premier lieu, commença-t-elle, Kroll a séjourné dans l'eau pendant environ dix heures avant d'être repêché. Ce qui laisse penser qu'il a été tué vers onze heures du soir. Nous avons examiné les bulletins des marées pour la Tamise. Si Kroll allait finir par s'échouer à Southwark, il a dû entrer dans l'eau plus loin à l'est, probablement quelque part aux abords de Woolwich.

Woolwich se trouvait à proximité de City Airport. Une question se forma dans l'esprit de Blunt mais il se retint d'interrompre son adjointe.

— Nous avons concentré nos efforts sur la clé d'hôtel électronique et les informations extraites de l'iPhone, poursuivit Mme Jones. Malheureusement, tous les numéros de téléphone sont perdus. Et l'appareil lui-même ne nous apprend pas grand-chose. C'est le dernier modèle : un iPhone 4, acheté à New York le jour de sa sortie.

» Cependant nous pensons avoir décodé les mots. Seuls, ils ne signifient pas grand-chose. Mais en les associant avec les autres objets trouvés sur Kroll, ils prennent davantage de sens. La clé de tout est le supplément Éducation du *Times*, acheté à l'aéroport de Heathrow. J'ai ici le numéro de cette semaine.

Mme Jones posa le journal sur le bureau et poursuivit :

— Qu'est-ce qu'un homme comme Kroll faisait avec un journal pareil ? S'intéressait-il à un article ayant un rapport avec une école ? Si nous admettons que « JU » signifie juin et non juillet, alors les dates 31 mai – 4 juin coïncident avec les petites vacances scolaires de printemps de la plupart des écoles d'Angleterre et d'ailleurs. Nous savons que Kroll venait juste d'arriver du Caire. Et Shafik, le nom dans l'iPhone, pourrait être égyptien...

— Donc, dit Blunt, Scorpia s'intéresserait à une école quelque part en Égypte.

— C'est en effet la conclusion à laquelle nous sommes parvenus. Et c'est dans ce sens que nous avons orienté nos recherches.

Mme Jones défit le papier d'un bonbon à la menthe et le glissa dans sa bouche. Blunt attendit qu'elle continue :

— Il existe vingt-huit hommes et femmes qui portent le nom de Shafik et travaillent dans diverses écoles en Égypte, reprit-elle. Dont onze au Caire. Au début, nous pensions que 43 pouvait être un âge. Cela réduisait la liste des Shafik à trois, dont un seul au Caire, une Mme Alifa Shafik, directrice d'une école primaire. Mais, après vérification, rien chez cette femme ne peut présenter le moindre intérêt pour Scorpia. Elle dirige une école dans un quartier pauvre de la ville. Nous avons conclu que cette piste ne menait nulle part.

Blunt acquiesça d'un signe de tête. Il était impressionné. Mme Jones avait travaillé vite et ses conclusions étaient d'une logique parfaite.

— Shafik est un nom assez courant, dit-il à mi-voix. Le lien avec le supplément Éducation du *Times* est intéressant et il se peut qu'une école soit concernée. Mais elle pourrait tout aussi bien se situer à Alexandrie, Louxor ou Port-Saïd. Avons-nous quelque chose de plus précis ?

— Oui, répondit Mme Jones en feuilletant les pages du journal. Nous avons lu le journal d'un bout à l'autre, en cherchant les articles concernant l'Égypte de près ou de loin. Il n'y en a aucun. Sauf à la dernière page. Une offre d'emploi. On demande un responsable de la sécurité au Collège international du Caire, situé à Sheikh Zayed City, un faubourg de la ville. La coïncidence nous a intrigués et nous avons pris contact avec l'école. Cela nous a appris une chose assez intéressante. Ils recherchent un nouveau chef de la sécurité parce que le précédent a été tué par un chauffard alors qu'il venait travailler. L'homme s'appelait Mohammed Shafik. Le conducteur qui l'a écrasé a pris la fuite. L'accident, si c'était un accident, a eu lieu le 4 mars dernier…

Blunt examina la feuille de papier devant lui.

— Le 4 du 3. 4/3. Quatre mars. Les mêmes chiffres.

— Exactement.

— On peut donc supposer que c'était la raison de la présence à Londres de Zeljan Kurst, murmura Blunt. Si cette école recrutait un chef de la sécurité… Scorpia cherchait peut-être à placer un de ses hommes.

Blunt lut rapidement l'offre d'emploi publiée dans le supplément du *Times*. Une agence de recrutement londonienne recevait les postulants, mais ce n'était pas du tout à Woolwich, où Kroll avait peut-être été tué.

— Est-ce que l'agence a trouvé quelqu'un pour remplacer ce M. Shafik ?

— Oui. Un dénommé Erik Günter. Mère écossaise, père allemand. Élevé à Glasgow. A servi dans le 1er bataillon des Scots Guards avant d'être blessé en Afghanistan. A reçu la Queen's Medal pour son courage au front. J'ai son dossier ici.

Mme Jones passa le dossier à Blunt, qui le parcourut rapidement. Günter avait été blessé pendant une patrouille dans la province de Helmand, au sud-ouest de l'Afghanistan. Selon le rapport militaire, il avait probablement sauvé la vie de sa section. Il avait reçu quatre balles et été renvoyé chez lui.

— Et sur cette histoire de vicaire, vous avez quelque chose ? demanda Blunt. Y a-t-il un aumônier dans cette école ?

— Non, répondit Mme Jones en jetant un regard à Redwing, qui était restée silencieuse depuis le début de l'entretien. Cela nous a pris beaucoup de temps. Rien ne collait. Au début, nous avons pensé qu'il pouvait s'agir d'un nom de code. Vous vous souvenez de ce tueur, il y a quelques années, qui se faisait appeler « Le Prêtre » ? Mais c'est Redwing qui a fini par trouver l'explication.

— Il s'agit d'une erreur, dit Redwing. Si vous prenez les initiales de Cairo International College of Arts and Education : CICAE, et que vous les tapez sur un iPhone, l'appareil effectue une correction automatique et vous obtenez le mot VICAR.

— C'est la confirmation qui manquait, reprit Mme Jones. L'opération de Scorpia concerne cette école. Pour en avoir la certitude, j'ai vérifié la clé électronique. J'ai envoyé Crawley au Caire. Il est rentré ce matin. L'école est gardée, protégée par une clôture, et surveillée vingt-quatre heures sur vingt-quatre. Mais il y a une brèche dans la sécurité. La clé ouvre une porte dans la cuisine.

Blunt resta silencieux. Dehors, une ambulance fila dans Liverpool Street. Le hurlement de la sirène sembla s'attarder en suspens dans l'air. Vers quoi roulait-elle si vite ? Une nouvelle vie ? Une autre mort ?

— Parlez-moi de l'école, dit Blunt.

Mme Jones attendait sa question.

— Le Collège international offre une cible de choix pour Scorpia. (CIBLE était l'autre mot extrait du téléphone.) L'école emploie un important service de sécurité, et elle a de bonnes raisons. Elle accueille environ quatre cents élèves venus du monde entier. Et si vous regardez les noms, vous avez l'impression d'ouvrir le *Who's Who* des gens riches et célèbres. Les parents des élèves sont des milliardaires du pétrole, des politiciens, des diplomates, des émirs, des princes, et même des pop stars. Le président syrien y a son fils. L'ambassadeur de Grande-Bretagne, sa fille. Le P-DG de Texas Oil, l'une des plus grosses compagnies pétrolières des États-Unis, a trois de ses enfants au CICAE. Imaginez que l'un d'eux soit kidnappé. Ou pire, tué ? Supposez que Scorpia projette de prendre toute l'école en otage ? Ils seraient en mesure de menacer quatre cents des familles les plus fortunées de la planète. De quoi déclencher une guerre mondiale.

— Rien ne dit que ce sont leurs intentions, objecta Blunt.

Un bref instant, une pensée totalement différente lui traversa l'esprit. Dix-sept années passées aux Opérations Spéciales du MI6 avaient transformé son cerveau en ordinateur sans cesse en éveil. Partout, toujours, s'établissaient des connexions. Quelle était celle-ci ? Ah oui, un rapport qui avait transité par son bureau la semaine précédente. La mort d'un adolescent à Gibraltar. Julius Grief. Cette histoire d'école lui avait fait établir le lien. Il s'y arrêta un moment. Le garçon avait tenté de s'échapper en voiture et fait une chute mortelle d'une falaise. On n'avait pas encore retrouvé le corps mais sa mort ne faisait aucun doute. C'était tout. Blunt chassa l'idée. Il n'y avait aucun lien avec l'affaire en cours.

— Sinon, pourquoi viseraient-ils une école ? poursuivit Mme Jones.

— Voyons ensemble toutes les possibilités, dit Blunt.

Il s'absorba dans ses réflexions. Derrière les lunettes carrées, les yeux étaient glacials. À quelques semaines de la retraite, il ne s'attendait pas à une histoire de ce genre.

— Scorpia envisage d'attaquer une école internationale au Caire, reprit-il lentement. Ils envoient Levi Kroll à Londres pour des raisons confuses mais qui semblent liées au recrutement du futur chef de la sécurité de cette école. On peut aussi supposer que Kurst était à Londres en février dernier pour les mêmes raisons...

» Il paraît probable qu'ils aient manœuvré pour placer un homme à eux dans l'école, alors que, apparemment, d'après son dossier, le dénommé Günter est au-delà de tout soupçon. C'était un héros de guerre, tout de même ! Mais bon, je suis d'accord avec vous. C'est une étrange coïncidence que l'ancien chef de la sécurité ait été écrasé par un chauffard. Par ailleurs, nous devons supposer que Kroll a été liquidé par une organisation rivale de Scorpia. Dans le cas contraire, s'il avait été tué par ses petits copains de Scorpia, on n'aurait rien retrouvé dans ses poches. On n'aurait même pas retrouvé son cadavre. Il me semble que deux questions se posent à nous. Est-ce l'explication la plus plausible ? Et que devons-nous faire ?

— Prévenir l'école, proposa Mme Jones.

— Pas sûr. Les prévenir de quoi ? L'opération de Scorpia n'est qu'une simple supposition, et nous ignorons quand elle pourrait avoir lieu. Nous pourrions avertir le gouvernement égyptien, mais il y a peu de chance qu'il nous écoute. De plus, il faut mesurer les conséquences à une échelle plus large. Que diraient les Syriens, les Américains, et les pays des autres ressortissants ? Nous verrions la moitié des agences de renseignement du monde se bagarrer. Ça pourrait virer au chaos.

— Et si les chefs de Scorpia apprennent qu'on est à leurs trousses, ils décideront peut-être d'arrêter.

— Exactement.

Mme Jones vit une lueur dans le regard de Blunt et comprit soudain où il voulait en venir.

— Vous voulez qu'ils continuent.

— Je veux qu'ils essaient, dit Blunt. Nous pourrions transformer tout ça en un joli piège. Pour une fois, nous avons un coup d'avance sur eux. S'ils décident de passer à l'action, ce sera peut-être pour nous l'occasion d'en finir une bonne fois avec Scorpia.

— Mais vous n'envisagez pas sérieusement de mettre en danger la vie des élèves de cette école ?

— Bien sûr que non. Nous placerons un de nos agents dans le collège pour avoir un œil sur la situation.

Et au moment où Scorpia se manifestera, nous serons prêts. Ce qu'il nous faudrait…

Blunt réfléchit un instant.

— Non, nous ne pouvons pas faire ça, le coupa Mme Jones.

Il était très rare qu'elle interrompe son supérieur. Blunt cligna lentement des paupières.

— Vous savez à quoi je pense.

Évidemment, elle le savait. Mme Jones avait passé des centaines d'heures près de Blunt. Bientôt elle le remplacerait peut-être à la tête du service. Elle le connaissait par cœur.

— Nous ne pouvons pas utiliser Alex.

— Vous avez raison, Mme Jones. Mais admettez que ce serait une mission parfaite pour lui. Un garçon de quatorze ans dans une école n'attire pas l'attention. Comme à Pointe Blanche.

— Alex a quinze ans, maintenant, lui rappela Mme Jones. Et la mission au Kenya était la dernière, Alan.

Elle utilisait rarement le prénom de Blunt en présence d'autres personnes, mais elle avait presque oublié Redwing, silencieuse, qui attendait son tour.

— Alex a été grièvement blessé, insista Mme Jones. Il a fallu de nouveau l'hospitaliser. Nous étions d'accord. Il en a assez fait.

— Je ne crois pas que j'étais d'accord.

— Je vous rappelle aussi que nous avons reçu des ordres de Downing Street.

Mme Jones ne désobéissait jamais à un ordre venant directement du Premier ministre, d'autant moins maintenant qu'elle était tout près de prendre la direction du MI6. Blunt la comprenait.

— Très bien, dit-il. Je suggère donc qu'on envoie un de nos hommes.

Mme Jones se détendit.

— Comme professeur ?

— Professeur ou homme de ménage. Mettez Crawley sur le coup. Et dites à Smithers qu'il s'occupe du matériel de surveillance et de communication. Pendant ce temps, gardons un œil sur tous les agents connus de Scorpia, surtout s'ils pointent leur nez du côté des frontières égyptiennes. Et vous, Redwing ? ajouta Blunt en se tournant vers la jeune femme comme s'il venait de se souvenir de sa présence. Qu'est-ce que vous en pensez ?

— J'ai une ou deux choses à ajouter, monsieur. Je n'ai rien à redire aux conclusions de Mme Jones, mais je trouve un peu bizarre que Kroll ait atterri à Heathrow et traversé tout Londres jusqu'à Woolwich. Si c'est vraiment là qu'il a été tué. Pourquoi n'aurait-il pas atterri simplement à City Airport ? C'était plus près.

Blunt était ravi. Il avait eu la même idée.

— Il n'y a pas de vols directs depuis Le Caire, dit-il. Néanmoins, il aurait pu prendre un jet privé.

— Ce qui m'intrigue beaucoup plus, c'est le rapport médical, poursuivit Redwing. D'abord, grâce à l'analyse du contenu de l'estomac de Kroll, nous savons que, pour son dernier repas, il avait mangé des escargots, du rôti de porc, des pommes de terre, et un dessert à base de Grand Marnier. C'est le genre de menu qu'on vous sert à Paris, ou à Londres, mais certainement pas au Caire.

— Continuez.

— Eh bien, même en première classe, jamais on ne propose d'escargots. Et le porc est un mets peu courant dans les pays musulmans. D'ailleurs, nous n'avons trouvé ni épice ni aromate d'Égypte. Pas de riz ni de fallafel. Bien sûr, Kroll aurait pu résider dans un hôtel international. Peut-être détestait-il la nourriture égyptienne. Néanmoins, ça reste étrange.

— Autre chose ?

— Oui, monsieur. À l'autopsie, nous avons découvert un minuscule fragment de verre enfoncé dans la nuque. Il est arrivé là avec la balle, expliqua Redwing. Nous avons supposé que Kroll a été tué à Londres, à proximité de la Tamise. Il était peut-être sur une rive, ou sur un pont. On l'a abattu et il est tombé dans l'eau. Bon.

» Mais ce petit fragment de verre nous raconte une autre histoire. Kroll ne se trouvait pas dehors mais à l'intérieur. En tout cas derrière une vitre. Ce qui implique qu'on a transporté son corps jusqu'à la rivière. Et si ça s'est passé ainsi, dans quel but ? Pourquoi tenait-on à ce que le corps soit retrouvé ?

— Si je comprends bien, vous suggérez que le message contenu dans le téléphone y a été déposé exprès. Mais alors pourquoi Scorpia tient-il à nous mettre au courant de ses plans ?

— Je n'ai pas de réponse, monsieur, admit Redwing.

Suivit un long silence. Enfin Blunt prit sa décision.

— On y va. On place un de nos hommes dans l'école. Au pire, ce sera une perte de temps. Bien qu'il soit dommage de gaspiller l'énergie d'un agent actif.

Mme Jones lui jeta un regard perçant. Elle lisait dans ses pensées. Si Blunt avait eu les mains libres, Alex serait déjà en route pour Le Caire.

Mais les choses n'allaient pas se passer ainsi. Alex Rider était hors du jeu à présent. Sans lui en avoir jamais parlé, Mme Jones s'était promis de ne plus faire appel à lui, et elle était fermement décidée à tenir sa promesse, quel que soit son avenir personnel au sein du MI6.

7. ANGLE D'ATTAQUE

— Alex ! Lève-toi ! Tu vas encore être en retard !

Jack Starbright était sur le seuil de la chambre d'Alex, au premier étage de la maison qu'ils partageaient à Chelsea, près de King's Road. Il était huit heures moins le quart. Alex aurait déjà dû être debout et habillé. Mais tout ce qu'elle apercevait de lui, c'était une touffe de cheveux hirsutes émergeant de la couette.

— Alex, répéta Jack.

Une main apparut, saisit le bord de l'oreiller et le tira.

— Quel jour on est, Jack ? grommela une voix étouffée.

— Vendredi. Jour d'école.

— Je ne veux pas y aller.

— Mais si.

— Il y a quoi pour le petit déjeuner ?

— Tu le sauras quand tu auras pris ta douche.

Jack ferma la porte. Quelques secondes plus tard, Alex fit surface, clignant des yeux comme une chouette à la lumière du jour. Il écarta la couette et roula sur le côté pour s'asseoir, en jetant un coup d'œil circulaire sur le chaos qu'était sa chambre. Des vêtements froissés sur le sol, des manuels et des dossiers scolaires un peu partout, des DVD et des jeux vidéo empilés à côté de l'ordinateur, des affiches de l'équipe de Chelsea bâillant sur les murs. Quelques semaines plus tôt, Jack et lui avaient eu une de leurs rares disputes. Non parce qu'elle voulait qu'il range sa chambre, mais l'inverse. Alex avait insisté pour que Jack cesse d'y faire le ménage, comme elle le faisait depuis huit ans. Elle avait fini par comprendre. C'était son espace. Il en faisait ce qu'il voulait.

Alex se débarrassa de son pyjama et trébucha sous la douche. Le jet d'eau chaude le réveilla brutalement et il laissa longuement l'eau marteler ses épaules et son dos. C'était son moment préféré, le matin, cinq minutes qui n'appartenaient qu'à lui, cinq minutes qui lui permettaient de rassembler ses pensées et de se préparer à la journée qui l'attendait.

Il n'était plus espion. C'était cela le plus important. Ce qu'il devait se mettre dans la tête. Quatre mois s'étaient écoulés sans la moindre nouvelle du MI6. Le deuxième trimestre et les cinq premières semaines du troisième s'étaient déroulés sans qu'il soit recruté, kidnappé, ni obligé de se lancer dans une mission farfelue à l'autre bout du monde. Il commençait à

s'habituer à l'idée que rien de tout cela ne se repro-
duirait plus. Il avait beaucoup grandi. Il mesurait un
mètre soixante-dix-sept. Ses épaules s'étaient élargies
et il avait presque perdu les traits enfantins qui avaient
été si utiles à Alan Blunt et Mme Jones. Ses cheveux
avaient poussé. Il avait quinze ans. Un âge que, parfois,
il avait cru ne jamais atteindre.

Que s'était-il produit au cours de ces quatre derniers
mois ? Rien de spécial. L'école, bien sûr. La prépara-
tion du brevet. Alex avait même commencé à songer à
l'université. Il avait encore trois ans devant lui. Il savait
déjà que les sciences et les maths étaient ses points
forts. Son professeur de physique, Mme Morant,
disait qu'il avait un talent naturel pour ces matières.
« Je t'imagine bien à Oxford ou à Cambridge, Alex. Si
seulement tu t'appliquais un peu et essayais d'être plus
assidu en classe. » Il y avait aussi le sport. Alex avait été
choisi comme capitaine de l'équipe de foot première.
Et puis le théâtre : il jouerait le rôle de Teen Angel
dans *Grease*, le prochain spectacle. Mais il n'était pas
convaincu de vraiment savoir chanter.

Il passait de moins en moins de temps à la maison
et traînait sur King's Road, avec Tom Harris et
James Hale, ses deux meilleurs amis. Le week-end,
il jouait au foot. Il s'était également inscrit dans un
club d'aviron près de Hammersmith, le samedi après-
midi. On l'avait mis dans la section des quinze/vingt
et un ans. Il adorait le rythme de l'aviron, du bateau
qui fendait l'eau entre Putney, Richmond et Hampton
Court, et tant pis si ses muscles restaient tout endo-
loris jusqu'au dimanche soir. Le barreur, qui beuglait
ses instructions et soufflait dans une vieille corne de

brume, était une fille de son âge, Rowan Gently. Et Rowan s'intéressait visiblement à lui.

Mais il voyait toujours Sabina, même si l'essentiel de leur relation transitait par Facebook. Ce n'était pas facile de vivre séparés par des milliers de kilomètres, avec huit heures de décalage horaire. Quand Alex se levait le matin, Sabina dormait encore profondément. C'était un peu comme s'ils vivaient sur des planètes différentes. Alex savait que si Sabina ne revenait pas bientôt en Angleterre, il leur serait difficile de préserver leur amitié.

Ils s'étaient vus récemment. Les parents de Sabina avaient invité Alex une dizaine de jours pendant les vacances de Pâques. Jack lui avait offert le billet d'avion. C'était aussi une occasion pour elle de prendre l'air.

Sabina et lui avaient passé des vacances formidables, comme ils se l'étaient promis en Écosse, le jour de l'An, après leur rencontre avec Desmond McCain – rencontre qui avait failli leur être fatale. Ils avaient visité San Francisco – le pont du Golden Gate, le quartier de Fisherman's Wharf, la prison d'Alcatraz –, ils avaient descendu en voiture la côte pacifique jusqu'à Big Sur, où ils avaient campé dans un des paysages les plus fantastiques de Californie.

Tout en enfilant son pantalon et en cherchant à localiser des chaussettes assorties, Alex se souvint de sa dernière soirée avec Sabina. Ils étaient assis tous les deux sous la véranda de la maison en bois toute blanche qu'Edward Pleasure avait louée à Pacific Heights, un quartier paisible et verdoyant de San Francisco. Le ciel noir était criblé d'étoiles.

— J'aimerais que tu restes, avait dit Sabina.

— Moi aussi.

— C'est idiot. Tu es mon meilleur ami et tu habites à des milliers de kilomètres.

— Tu penses revenir en Angleterre ?

— Je ne sais pas si on reviendra un jour y habiter, soupira Sabina. Papa est heureux ici. Et maintenant il a sa carte verte. Ce qui veut dire qu'il peut résider en permanence aux États-Unis. Et maman s'y plaît beaucoup aussi. (Sabina avait passé un bras autour du cou d'Alex, puis elle avait ajouté :) Tu crois qu'on restera ensemble, Alex ?

— Je ne sais pas. Tu vas probablement rencontrer un joueur de football américain très baraqué et je n'entendrai plus parler de toi.

— Tu sais bien que c'est faux… Reviens l'été prochain. On pourrait aller à Yellowstone. Ou à Los Angeles…

— J'aimerais bien.

Alex n'avait pas oublié le regard que lui avait lancé Sabina à cet instant. Ni, surtout, la façon dont elle l'avait embrassé.

Alex ramassa sa chemise mais, avant de l'enfiler, il pivota pour examiner ses épaules dans le miroir. C'était un geste devenu machinal. Les cicatrices s'étaient estompées mais elles étaient encore là, pareilles à une série de points d'exclamation, souvenirs du kérosène enflammé qui l'avait brûlé sur la piste de l'aérodrome de Laikipia, au Kenya. Les médecins l'avaient prévenu qu'il en garderait probablement des traces à vie. Elles s'ajouteraient au musée des blessures qu'était devenu son corps : plaie par balle dans la poitrine, meurtrissures diverses, mince balafre blanche sur le dos de la main, causée par une toile d'araignée venimeuse.

Tout cela lui manquait-il ? S'ennuyait-il d'être redevenu un collégien ordinaire ? Alex avait la sensation d'avoir traversé un tunnel. Pendant un laps de temps, il avait eu besoin du danger, éprouvé presque du plaisir à faire partie du monde secret du MI6. Après tout, c'est à cela qu'il avait été entraîné pendant presque toute sa vie. Son père avait été un espion. Son oncle avait été un espion. Et tous deux avaient fait en sorte qu'Alex suive leurs traces dans ce qui était devenu une tradition familiale.

Mais, désormais, il avait quitté l'ombre pour la lumière. Suffisamment de temps s'était écoulé depuis le Kenya pour qu'il comprenne que la vie réelle était plus agréable. Herod Sayle, Dr Grief, Mme Rothman, le Major Sarov, Damian Cray, Winston Yu et, plus récemment, Desmond McCain. Il les avait affrontés et tous étaient morts. Le moment était venu de les oublier.

Alex regarda sa montre. Malgré l'appel de Jack, il allait arriver en retard en classe. Et cela justement la semaine où M. Lee, le principal, avait annoncé qu'une double retenue punirait les retardataires. C'était l'une de ses dernières trouvailles dans la liste des mesures disciplinaires de Brookland. Tantôt c'était les cravates de travers et les chemises sorties de pantalon qui étaient visées. Tantôt les chewing-gums. Maintenant, les retards. C'était bon d'avoir à se soucier de choses si dérisoires. Alex boutonna soigneusement son col et fit passer sa cravate par-dessus sa tête. Puis il dévala l'escalier pour aller prendre son petit déjeuner.

Deux œufs à la coque l'attendaient sur la table. Alex sourit en voyant que Jack continuait de lui couper des mouillettes. Elle était en train de préparer du café pour elle et du thé pour lui. Alex s'assit.

— Tu es complètement débraillé, dit-elle en apportant les deux tasses. Ta cravate n'est pas nouée, tu ne t'es pas coiffé, et ta chemise est un chiffon.

— Ce n'est que l'école, Jack.

— Si j'étais la directrice, je ne te laisserais pas entrer dans cette tenue.

Jack s'assit en face d'Alex. Elle lui jeta un regard attendri en le voyant décalotter le premier œuf et y plonger une mouillette.

— Tu as des projets pour ce week-end ? Je pensais que, après ton entraînement d'aviron, on pourrait aller se balader en dehors de Londres.

— Je ne suis pas là, ce week-end. J'avais oublié de te le dire.

— Où vas-tu ?

— Tom m'a invité. Son frère revient d'Italie et on va passer un moment avec lui.

La vie de Tom Harris était toujours aussi embrouillée. Depuis la séparation de ses parents, il vivait avec sa mère. Alex avait rencontré son frère aîné, Jerry, à Rome, lors de sa première mission contre Scorpia. Tom et Jerry. Comme disait Tom, leurs prénoms révélaient tout ce qu'il y avait à savoir sur leurs parents.

— Bon, très bien, dit Jack. Je te préparerai quelques affaires de rechange.

Rêvait-il ou avait-il perçu quelque chose dans la voix de Jack ? Alex l'observa mais elle paraissait normale. Comme à son habitude : décontractée, vêtue

123

d'un T-shirt, d'un jean et d'un ample gilet. Elle était assise, souriante, les coudes sur la table, tenant sa tasse de café entre ses deux mains. Pourtant, l'espace d'une fraction de seconde, elle avait semblé différente. Comme si quelque chose la préoccupait.

— Ça ne va pas ? dit Alex.

— Si, si, répondit-elle en se redressant. Excuse-moi. Je suis juste un peu fatiguée. Je me suis couchée trop tard hier soir.

Jack avait récemment décidé d'apprendre l'italien. Alex ne savait pas exactement pourquoi, mais il soupçonnait que l'une des raisons était peut-être le professeur d'italien lui-même, un beau brun de vingt-neuf ans bâti comme un boxeur. En tout cas, Jack était très assidue : cours particuliers deux fois par semaine, et travail avec CD audio à la maison chaque soir.

— Jack, tu ne t'inquiètes pas pour moi, j'espère ? Je n'ai plus aucune nouvelle du MI6, tu le sais.

— Oui, je le sais, Alex. Ce n'est pas ça. Ce n'est rien. Je vais bien.

Dix minutes plus tard, Alex enfourchait son Raleigh Pioneer 160, qu'il avait acheté pour remplacer son vieux Condor Roadracer. Le Pioneer n'était pas son premier choix, mais il avait négocié un bon prix avec le marchand et c'était parfait pour circuler dans Londres : pas trop voyant ni trop attrayant pour les voleurs. Et avec une selle ergonomique Rido R2, c'était assez confortable. En s'éloignant de la maison, il jeta un coup d'œil en arrière et vit Jack, devant la porte, qui levait la main pour lui dire au revoir. Cela aussi c'était bizarre. D'habitude, elle ne sortait jamais pour l'accompagner.

Mais c'était une belle journée de printemps. Le soleil brillait. Alex oublia Jack et pédala joyeusement vers King's Road. Il tourna l'angle de la rue et disparut.

Jack était fâchée contre elle-même. Elle n'avait pas encore trouvé le moyen de parler à Alex de la lettre qu'elle avait reçue une semaine plus tôt. C'était typique de sa mère de lui écrire au lieu de lui téléphoner ou de lui envoyer un courriel. Ses parents n'étaient pas âgés, soixante ans à peine, mais ils avaient toujours été délibérément rétrogrades, comme s'ils voulaient absolument montrer que leur monde était meilleur que celui qui prenait forme autour d'eux.

Les nouvelles n'étaient pas réjouissantes. Son père avait eu un accident vasculaire cérébral au début du printemps et il avait besoin de quelqu'un pour veiller sur lui. La mère de Jack faisait de son mieux mais avait du mal à y arriver seule. La sœur aînée de Jack avait trois jeunes enfants et vivait en Floride, et Jack résidait en Angleterre depuis maintenant dix ans. Sa mère lui suggérait, très gentiment, de songer à rentrer aux États-Unis.

Jack se disait que sa mère avait raison, qu'il était peut-être temps de partir.

Pas seulement à cause de son père. Elle devait penser à son propre avenir. À bientôt trente ans, elle était toujours célibataire. Elle était arrivée à Londres à l'âge de vingt ans pour étudier à la St Martin's School of Arts. Elle rêvait de devenir dessinatrice de bijoux. Pour payer ses études, elle avait travaillé chez Ian Rider. Puis, sans même s'en rendre compte, elle s'était peu à peu laissé aspirer dans son monde. Au début, il était convenu qu'elle logerait chez Ian pendant ses absences afin de s'occuper d'Alex et le conduire à l'école. Le reste du temps serait consacré à ses propres études. Mais Ian s'absentant de plus en plus souvent, il avait semblé plus pratique pour Jack de s'installer à demeure. Et ainsi, sans vraiment l'avoir choisi, elle était devenue un membre de la famille, presque une grande sœur pour Alex. Elle s'était tout de suite prise d'affection pour lui. Il avait sept ans, à cette époque. Ses parents étaient morts dans un accident d'avion. Et il était évident que Ian ne pouvait pas les remplacer en voyageant aussi souvent.

Puis Ian Rider était mort à son tour, et tout avait changé.

S'était-elle jamais interrogée sur son employeur ? Pas vraiment. Ian disait travailler pour une banque internationale et elle l'avait cru. Avec le recul, elle se rendait compte de sa naïveté. Un banquier, même international, ne conserve pas trois passeports différents dans son tiroir de bureau. Jack les avait découverts par hasard un jour où elle cherchait une paire de ciseaux. Elle s'en était étonnée auprès de Ian. Pour la première fois, il s'était mis en colère contre elle.

— Ne me posez jamais de questions sur mon travail, Jack. C'est la seule chose dont je ne parle jamais. Ni avec vous, ni avec Alex…

Elle entendait encore sa voix. Comment avait-elle pu être aussi stupide ? Aucun banquier, même international, ne s'absente plusieurs semaines d'affilée. Encore moins en revenant avec des blessures aussi innombrables qu'inexplicables. Ian avait été « agressé » à Rome, victime d'un « accident de voiture » à Genève, s'était « cassé le bras » en faisant du ski à Vancouver. Il plaisantait, disait qu'il avait la fâcheuse manie d'avoir des accidents. Jusqu'au dernier, qui lui avait été fatal. Et qui avait révélé la vérité.

Ce qu'Alex ignorait – Jack ne le lui avait jamais dit –, c'est que deux semaines avant le départ de Ian en Cornouailles pour la mission qui allait lui coûter la vie, elle avait pris la décision de partir. Elle avait même tapé sa lettre de démission. Cela lui crevait le cœur mais elle était sûre que c'était la meilleure solution. Elle ne pouvait pas rester nounou jusqu'à la fin de ses jours, et plus elle attendait, plus ce serait douloureux de quitter Alex. Elle lui rendrait visite le plus souvent possible, mais il était temps pour elle de mener sa vie.

C'est alors que la nouvelle terrible de la mort de Ian était arrivée. Il y avait eu les obsèques, puis la première entrevue avec Alan Blunt et la découverte de l'incroyable vérité. Ian Rider était un espion du MI6. Peu après, Alex avait à son tour été recruté par le service de renseignement. Et quel argument avait convaincu Alex de risquer sa vie en allant enquêter sur l'ordinateur Stormbreaker ? Pas son devoir envers son pays. Ni le respect pour la mémoire de son oncle. Non. Le MI6 avait menacé d'expulser Jack d'Angleterre et Alex avait accepté de les aider en échange d'un visa permanent afin qu'elle puisse rester.

Après cela, comment aurait-elle pu l'abandonner ? Alex n'avait plus aucune famille, hormis une lointaine cousine qui vivait à Glossop, et Jack l'imaginait mal recommencer une nouvelle vie là-bas. Alors elle était restée. Elle était la seule personne au monde, hormis les patrons du MI6, à connaître le secret d'Alex. Tant qu'il travaillait pour le service de renseignement, personne ne pouvait la remplacer auprès de lui.

Désormais, tout cela appartenait au passé. La dernière fois que Jack avait rencontré Mme Jones, c'était à l'hôpital Saint-Dominic de Londres, quelques jours avant le quinzième anniversaire d'Alex. Il revenait tout juste du Kenya, grièvement blessé. Jack avait tapé du pied pour se faire entendre, exigeant que le MI6 ne lui confie plus aucune mission et le laisse tranquille. Mme Jones n'avait fait aucune promesse, mais Jack l'avait sentie ébranlée. D'ailleurs, depuis ce jour, le MI6 n'avait plus repris contact avec Alex.

À la vérité, il était probablement trop vieux pour eux maintenant. Il n'avait plus l'air d'un enfant. À l'époque de son entraînement au SAS, Alex lui avait raconté qu'il avait grimpé dans un conduit de cheminée. Chose qu'il serait bien incapable de faire à présent. Certains commandos du SAS étaient même peut-être plus petits que lui.

Mais si Jack se réjouissait que cette période de leur vie fût révolue, il y avait un effet secondaire qu'elle n'avait pas prévu. Alex n'avait plus autant besoin d'elle qu'avant. Il ne rentrait plus à la maison couvert de plaies et de bosses. Il n'avait plus besoin de protection. Et peu à peu leurs chemins commençaient à se séparer. Depuis plusieurs semaines, Alex passait de moins en moins de temps avec elle, et de plus en plus avec ses amis. Ce week-end, par exemple.

Il lui avait annoncé avec désinvolture qu'il allait chez Tom Harris, sans se soucier de la laisser seule ni de la prévenir à l'avance. Et il était allé passer les dernières vacances avec Sabina. C'était normal. Alex était un adolescent. Mais Jack se sentait inutile, mise à l'écart. Elle y voyait le signe que le moment était venu pour elle de s'en aller.

Elle en parlerait avec Alex. Ils chercheraient ensemble une gouvernante pour la maison et elle partirait après les vacances d'été. Bien sûr, ce serait un déchirement pour Alex aussi. Il tenterait sûrement de la dissuader. Mais il finirait par comprendre. Jack se leva et rangea la vaisselle du petit déjeuner. Elle avait repoussé trop souvent ce moment. Cette fois, sa décision était prise. Elle parlerait à Alex le soir même, dès son retour de l'école.

***

— Bien, nous allons commencer par un petit échauffement.

Grant Donovan, le professeur de maths, pressa un bouton sur le rétroprojecteur et six figures géométriques apparurent sur le tableau blanc. Chacune avait un angle marqué x.

— Dans trois de ces diagrammes, reprit-il, x est égal à quarante-cinq degrés. Vous avez cinq minutes pour me dire lesquels. Le premier qui aura trouvé gagnera le bonus de la semaine.

— J'espère qu'il sera plus intéressant que le bonus de la semaine dernière ! ironisa une voix.

— Le dernier aura une page de multiplications négatives à faire chez lui.

La sentence déclencha un grognement unanime et toutes les têtes plongèrent sur les pupitres.

Alex tenta de se concentrer mais les figures géométriques flottaient devant lui et refusaient de se stabiliser. Tous les triangles lui paraissaient identiques. Il avait eu les mêmes difficultés de concentration une heure plus tôt, pendant le cours de littérature, sur un passage de *La Nuit des rois* de Shakespeare. « Si la musique est la nourriture de l'amour... » Ou bien était-ce : l'amour de la nourriture ? D'ailleurs, qu'est-ce que cela signifiait ? Il n'arrivait pas à réfléchir. Il voyait les mots sur la page, mais ils refusaient de s'assembler pour former une phrase cohérente.

Alex posa son stylo et délaissa les triangles. Une chose le préoccupait et il serait incapable de faire quoi que ce soit tant qu'il n'aurait pas défini ce que c'était. Il fit défiler les événements de la journée depuis le matin. Il s'était levé, douché, habillé. Il n'avait pas tout à fait terminé ses devoirs, la veille au soir, mais cela ne l'inquiétait pas. Il connaissait par cœur ses répliques pour la pièce de théâtre. Il n'avait pas de soucis d'argent de poche. Il lui en restait largement sur sa semaine.

Ensuite, il était descendu prendre son petit déjeuner. Il se remémora sa conversation avec Jack. Notamment quand il lui avait annoncé qu'il passait le week-end chez Tom. Voilà. C'était ça. Jack avait été contrariée. Elle s'en était défendue, mais sa voix l'avait trahie.

En y réfléchissant, Alex prit conscience qu'ils passaient très peu de temps ensemble. Avec ses devoirs, les répétitions de la pièce, l'aviron et tout le reste, il y avait des jours où ils se parlaient à peine. Tout à coup, il se sentit coupable. Jack avait toujours été là pour lui. Or, ces derniers temps, il l'avait négligée et lui avait sûrement donné l'impression qu'elle ne comptait pas.

Alex tourna la tête vers la fenêtre. De l'autre côté de la rue, il y avait un nouvel immeuble en construction. Tout le monde plaisantait en disant que personne n'aurait envie de venir habiter ici et d'avoir sous ses fenêtres sept cents élèves qui faisaient un boucan d'enfer, le matin à huit heures et demie et l'après-midi à seize heures trente. Aujourd'hui, le chantier était désert. Cela se produisait régulièrement. Comme si les ouvriers venaient quand ça leur chantait. Pourtant, Alex remarqua un homme seul, sur le toit, qui avançait plié en deux, un sac en bandoulière sur l'épaule.

Que faire à propos de Jack ? Alex prit une décision. Il lui parlerait le soir même. Il lui dirait combien il était perdu sans elle, combien il avait besoin d'elle. Jack le savait, bien sûr, mais c'était mieux de le lui dire. Et puis il n'avait pas besoin de passer le week-end entier avec Tom. Il pourrait revenir le dimanche en début d'après-midi et aller se promener avec Jack à Borough Market ou ailleurs. Sa décision prise, il se sentit beaucoup mieux, et il reporta son attention sur les triangles. ABC avait un angle droit... soit quatre-vingt-dix degrés. Les deux autres angles ne semblaient pas les mêmes. Donc, pas de quarante-cinq degrés ici. Il raya celui-ci et passa au suivant.

Trois pupitres plus loin, un grand rouquin dégingandé dénommé Spencer pointait un projectile en direction d'un camarade au premier rang. Il s'apprêtait à catapulter un morceau de caoutchouc sur une règle en plastique ployée en arrière. Il lâcha la règle. Le missile traversa la salle de classe, manqua sa cible, et rebondit sur le mur. Quelqu'un ricana.

M. Donovan avait tout vu.

— Si tu espères rester dans les premiers, Spencer, ne te comporte pas comme un élève de maternelle. D'accord ?

Le professeur paraissait plus las qu'irrité.

— Oui, monsieur.

— Il vous reste deux minutes. Vous devriez avoir fini la moitié.

Alex en était loin. Et puis il ne se sentait pas très bien, tout à coup. Il transpirait. Pourtant il ne faisait pas particulièrement chaud. Son front et sa nuque étaient moites, comme s'il avait la fièvre. Il y avait un martèlement sourd dans sa tête, il avait du mal à respirer. Que lui arrivait-il ? Il était onze heures du matin. Il n'avait pas encore déjeuné, donc la cantine du collège, pour une fois, n'était pas à blâmer. Il ressentit une douleur dans la poitrine et s'aperçut que son ancienne blessure palpitait, comme une sorte d'horloge biologique qui se serait mise en route. Pour lui rappeler quelque chose…

Ou l'alerter.

L'homme sur le toit. D'un coup, Alex remonta le temps et se retrouva dans Liverpool Street, sortant des bureaux du MI6, quelques secondes avant que le sniper ouvre le feu et lui tire en pleine poitrine la balle qui avait failli le tuer. Qu'avait-il aperçu du coin de l'œil ? Non. Impossible. Ça ne pouvait pas recommencer. Pas ici. Très lentement, le plus naturellement possible, Alex tourna la tête. Il voulait juste avoir l'air d'un écolier qui s'ennuie et regarde dehors. S'il y avait vraiment quelqu'un là-haut, et si ce quelqu'un le visait, il ne devait surtout pas lui fournir un prétexte pour tirer.

Car l'homme était un tueur, Alex n'en doutait pas. Sinon, pourquoi avancer furtivement, plié en deux, en cherchant à passer inaperçu ? Quel genre d'ouvrier transporte sur son dos un étui en cuir long et étroit ? Alex ne le voyait plus mais il gardait imprimées sur sa rétine la forme et la taille de la sacoche. Son contenu ne faisait pas le moindre doute. Il ne s'agissait pas d'une pelle, ni d'une perceuse électrique. Rien de ce qu'on utilise habituellement sur un chantier. D'ailleurs, personne ne travaillait, aujourd'hui. L'homme était venu dans un autre but.

Et il était toujours là-haut, quelque part, caché. Alex parcourut du regard le toit apparemment désert. Oui, il était bien là, allongé à plat ventre, la tête vers le collège, le corps en partie dissimulé derrière un haut échafaudage où pendait une bâche de plastique. Alex ne pouvait pas voir le fusil mais il le devinait. Et il savait ce qu'il visait.

On dit qu'il existe une sorte de télépathie entre le chasseur et le chassé, entre le tireur et sa cible. Alex n'avait aucun moyen de savoir à quel moment l'homme allait presser la détente, pourtant il eut un geste de recul instinctif, et, exactement au même instant, il entendit un léger tintement suivi d'un bruit sec. Juste

133

devant lui, comme par magie, un trou se creusa dans la surface du pupitre et des éclats de bois giclèrent. Alex se figea. L'énormité de ce qui venait de se produire le terrassa. Quelqu'un avait tiré sur lui. Quelqu'un avait tenté de le tuer. S'il était resté penché sur son cahier, la balle l'aurait frappé en pleine tête.

— Alex ?

M. Donovan avait remarqué son mouvement brusque, mais il n'avait pas vu le petit trou rond dans la vitre. Même s'il l'avait vu, il lui aurait fallu plusieurs secondes avant de comprendre. Les snipers ne visent pas les salles de classe. Du moins pas en Angleterre. M. Donovan crut peut-être qu'Alex avait eu une quinte de toux. Ou qu'il s'était fait piquer par une guêpe. Deux de ses camarades lui jetèrent un regard étonné. Tout à coup, les diagrammes sur le tableau paraissaient à des milliers de kilomètres.

— Couchez-vous ! lança Alex.

Il ne cria pas mais sa voix était pressante.

— On nous tire dessus !

— Quoi… ?

Alex était déjà debout pour s'écarter de la ligne de mire du tireur avant qu'il ne fasse feu une deuxième fois. Tant qu'il resterait ici, toute la classe serait en danger. Autour de lui, plusieurs garçons s'étaient levés, devenant à leur tour des cibles. Certains avaient remarqué le trou dans la vitre et compris qu'Alex disait vrai. La panique commençait à gagner les rangs.

— Couchez-vous !

Cette fois, Alex cria. La plupart de ses camarades n'avaient pas réagi. Certains se disaient :

« Évidemment ! Encore Alex Rider ! » Des rumeurs circulaient à son sujet. On racontait qu'il trempait dans des histoires louches, dont il valait mieux ne pas parler. Mais ce qui se passait en ce moment était franchement incroyable. Irréel.

Il y eut un second coup de feu. Tom Harris poussa un cri et pivota sur lui-même. Horrifié, Alex s'aperçut que son meilleur ami avait reçu une balle dans le bras. Le sang imbibait déjà sa manche.

— Tout le monde à terre !

M. Donovan avait enfin pris la mesure de la situation, et la direction des opérations. Son ordre fut aussitôt suivi par le fracas des pupitres et des chaises renversés. Tom fut le dernier à réagir. En état de choc, il pressait une main sur sa blessure. Alex se jeta sur lui et plaqua son ami au sol, comme au rugby. Tom poussa un cri de douleur. Il était livide.

Des sonneries retentirent dans tout le collège. Alex en conclut que M. Donovan avait actionné le signal d'alarme avant de se mettre à l'abri. Tous les élèves s'étaient tassés contre le mur de côté. Alex redressa Tom pour examiner sa blessure. Il y avait du sang partout, mais apparemment la blessure n'était pas trop grave. La balle était ressortie sans toucher l'os.

— Que personne ne bouge ! cria de nouveau M. Donovan. Ici, nous sommes à l'abri. La police et les pompiers vont arriver.

Le reste du collège allait être évacué dans la cour, offrant une cible rêvée au tireur embusqué. Alex songea à prévenir le professeur contre ce risque, mais il se ravisa. C'était inutile. Il ne s'agissait pas d'un psychopathe qui en voulait à des collégiens. Le tueur était là pour lui.

Cette évidence submergea Alex de colère. Il n'était plus un espion. Il n'avait pas eu de contact avec le MI6 depuis des mois. Il n'était plus qu'un simple collégien essayant de réussir son année scolaire. Pourtant, quelqu'un n'était pas de cet avis. Quelqu'un avait pris froidement la décision d'envoyer un tueur l'abattre, au risque de blesser des innocents. Qui ? Pourquoi ? Un ancien ennemi cherchant à se venger ? Ou un nouvel ennemi poursuivant un autre but ?

Alex devait en avoir le cœur net. Si le tireur s'échappait aujourd'hui, il reviendrait le lendemain ou le jour suivant. Et Alex vivrait sous une menace permanente. En l'espace d'une seconde, il avait replongé dans son ancienne vie et ça ne lui plaisait pas du tout. Il était furieux.

— Alex ! Qu'est-ce que tu fais ?

Alex s'était relevé. M. Donovan, toujours accroupi, lui jeta un regard effrayé et impuissant.

— Ne sors pas, Alex ! Reste ici !

Trop tard. Alex avait traversé la salle et ouvert la porte. Une seconde après, il disparut dans le couloir et se fraya un passage au milieu de la foule des élèves qui suivaient les consignes d'évacuation en cas d'alerte incendie.

Il surgit dans la cour, cherchant déjà ses clés au fond de sa poche. Il courut vers le hangar à vélos. Les alarmes continuaient de claironner. Autour de lui, sept cents élèves bavardaient et riaient, cherchant des yeux l'hypothétique fumée, tandis que les professeurs s'efforçaient de les faire mettre en rangs.

Alex trouva son vélo, ôta le cadenas, et sauta sur la selle.

— Alex !...

Miss Devonshire, la secrétaire, l'avait aperçu. Elle lui faisait signe de s'arrêter. Alex l'ignora et franchit à toute vitesse le portail du collège.

8. LEÇON DE VOL

Une cible facile.

Alex se sentait comme un canard au stand de tir. Il roulait lentement près de l'immeuble en chantier où le tireur s'était caché. La rue était déserte, à l'exception de quelques voitures en stationnement. Il n'y avait personne en vue. Si le tueur était encore en planque, cette fois il ne manquerait pas son coup. Alex imaginait la visée du fusil balayant la rue, s'arrêtant d'abord sur ses épaules, puis sur sa nuque. Il était peut-être déjà dans la ligne de mire, et une simple pression de l'index du tueur allait le catapulter par-dessus son guidon et dans le néant.

Il leva la tête vers le toit mais ne vit rien. Alex misait sur le fait que le sniper avait déjà filé. En entendant le raffut au collège, il avait sans doute supposé qu'Alex avait été évacué avec le flot des élèves et qu'il était perdu au milieu de la foule. Un uniforme parmi tant d'autres. Et avec l'arrivée imminente de la police (on entendait déjà les sirènes affluer de toutes parts), l'homme préférait sûrement ne pas traîner dans les parages.

Où était-il ? Alex avait espéré le repérer quand il partirait. Mais il ne voyait personne dans le chantier, aucun mouvement sur le toit ni sur les échafaudages. Il s'arrêta, un pied sur le bord du trottoir, guettant un bruit de moteur. Quelque part, de l'autre côté des murs inachevés, quelqu'un courait. « Où es-tu ? murmura Alex. Tous les flics du pays seront là dans une minute. Tu n'as sûrement pas envie de rester dans le coin. »

Tout à coup, une voiture surgit en haut de la rue. Une Golf Volkswagen gris métallisé émergea du chantier et tourna dans la direction opposée. Alex ne distinguait pas le conducteur mais, à en juger par sa silhouette, c'était un homme et il était seul. Ce ne pouvait être que le sniper. Alex redémarra. Derrière lui les sirènes d'alarme de Brookland continuaient de hurler. Il entendit arriver la première voiture de police, des claquements de portières, des voix d'hommes aboyant des ordres. Il n'y avait pas de temps à perdre. D'une minute à l'autre, tout le secteur serait bouclé. Si la chance jouait contre Alex, le tireur filerait alors que lui-même resterait coincé.

La Golf roulait vite mais sans dépasser la limite autorisée. Le conducteur voulait éviter d'attirer l'attention. Alex pédala énergiquement pour le rattraper, tout en prenant garde de ne pas trop s'approcher. Un an plus tôt, il avait effectué le même genre de poursuite à vélo. À l'époque, il pourchassait des revendeurs de drogue en Skoda. Il les avait filés jusqu'à une péniche sur la Tamise, près du pont de Putney. Jamais il n'aurait imaginé répéter le même exercice. Cette fois, cela s'annonçait plus délicat. Contrairement aux types de la Skoda, qui ne le connaissaient pas, le sniper pouvait l'identifier en jetant un coup d'œil dans le rétroviseur. Alex quitta la chaussée et roula sur le trottoir, courbé sur son guidon pour se cacher derrière les voitures en stationnement.

Londres est probablement la ville la plus lente d'Europe. En moyenne les voitures roulent à vingt à l'heure, et le moyen de locomotion le plus rapide est le deux-roues. Tout en fonçant sur le trottoir, Alex eut une pensée pour son oncle Ian, un jour où celui-ci se plaignait d'être bloqué dans un embouteillage. « C'est bien la peine d'avoir une BMW six cylindres turbo ! J'irais aussi vite avec une charrette à cheval. » Alex savait qu'il avait un avantage sur la Golf. Il pouvait se faufiler au milieu de la circulation, ignorer les feux rouges, couper les virages. Tant qu'ils ne rouleraient pas sur une avenue à double voie, il ne risquait pas d'être distancé.

À un carrefour en T, la Golf tourna à gauche en direction de King's Road. Avant de la perdre de vue, Alex mémorisa le numéro d'immatriculation. Il y avait un grand nombre de Golf Volkswagen à Londres, et la plupart de la même couleur métallisée. Par chance, celle-ci avait un numéro facile à retenir. Toujours sur le trottoir, Alex vira à son tour à gauche... et évita de justesse une femme poussant un landau. Le Raleigh 160 était idéal pour ce genre de course. Pas trop lourd, des roues en alliage léger parfaitement équilibrées, et vingt et une vitesses qui donnaient toute la vélocité nécessaire. Ils se dirigeaient vers l'ouest et la banlieue. Le collège était déjà loin.

C'est alors que la Golf mit son clignotant à droite. Alex chercha du regard une rue mais il n'en vit aucune. Il y avait une série de boutiques, après lesquelles se trouvait un garage Esso. Alex étouffa un juron. La Golf s'engageait sur la piste de service. Manifestement, il s'était trompé. Il est rare que des tueurs en fuite s'arrêtent pour prendre de l'essence ou s'acheter un Twix. Alex en profita pour reprendre son souffle. Il songea d'abord à revenir à Brookland. Mais il y avait trop de questions sans réponse et il préférait rentrer à la maison pour en discuter avec Jack.

Au moment de faire demi-tour, il s'aperçut que la Golf ne prenait pas d'essence. Au lieu de s'arrêter devant les pompes, elle entra dans l'aire de lavage automatique. Ce qui était plutôt étrange car il y avait une grande pancarte « HORS-SERVICE » posée à côté. Alex la suivit des yeux, intrigué. Le conducteur n'avait même pas abaissé sa vitre pour glisser un jeton dans la fente de l'appareil. Pourtant, au moment où la Golf disparaissait derrière l'écran de plastique, les brosses se mirent à tourner et des jets d'eau giclèrent des tubes courant sur les parois. On aurait dit que la laveuse automatique attendait la voiture. La pancarte avait dû être placée pour décourager les autres automobilistes.

Alex ne quitta pas son poste d'observation. Il attendait que la Golf réapparaisse, certain à présent qu'il se passait des choses bizarres, et que ces choses avaient un lien avec les coups de feu tirés sur le collège. Il ne distinguait que les contours de la voiture, enfouie sous un nuage de mousse blanche. Enfin la dernière brosse s'immobilisa et revint à sa position de départ. Quelques secondes plus tard, la Golf réapparut.

Mais elle n'était plus gris métallisé. À présent elle était rouge. Avait-elle été repeinte ? Évidemment non. C'était le contraire. La peinture grise avait été enlevée pendant le lavage pour révéler la peinture rouge. Le numéro d'immatriculation avait également été modifié. Des segments de lettres avaient été effacés : BEG était devenu PFC, et le numéro 88 était devenu 33. Tout cela faisait partie d'un plan bien établi. Le conducteur savait que la police serait alertée. Après la fusillade dans le collège, tous les flics de Londres se lanceraient à la recherche du véhicule en fuite. Mais s'ils cherchaient une Golf VW gris métallisé avec une plaque BEG 88, ils feraient chou blanc. Cette voiture-là s'était volatilisée.

Alex avait maintenant la confirmation que l'homme ne travaillait pas seul. Il avait fallu une sérieuse organisation pour arranger le tour de passe-passe du lavage automatique. Scorpia ? Les Triades ? Difficile de croire que l'un ou l'autre de ses deux vieux ennemis ait cherché à l'éliminer après cinq mois d'inactivité. Ça n'avait aucun sens. Mais il devrait se méfier. La voiture allait peut-être le conduire vers un autre danger, et il était totalement livré à lui-même. Seule Miss Devonshire l'avait vu quitter le collège, et elle ne savait pas dans quelle direction. Alex avait du mal à croire que, la veille encore, il se félicitait de n'avoir plus aucun ennui.

Il suivit la Golf maintenant rouge jusqu'à Eel Brook Common, un petit quartier d'espaces verts où affluaient les habitants de Chelsea pour promener leur chien. La voiture avait accéléré, mais heureusement un feu passa au rouge et Alex put la rattraper. Il était déterminé à ne pas la laisser s'échapper. Mais quand la Golf tourna dans Wandsworth Bridge Road en direction de la Tamise, il serra les dents et redoubla d'efforts. De l'autre côté du pont, la voie s'élargissait. Un vélo pouvait se maintenir au niveau d'une voiture en pleine circulation, mais sur l'autre rive, il n'aurait pas une chance.

Ils s'arrêtèrent de nouveau et il fut tenté de venir se mettre à hauteur de la Golf dans l'espoir d'avoir une description précise du conducteur à fournir plus tard à la police. Tout ce qu'il voyait c'était une casquette. Quel genre d'homme fallait-il être pour tirer sur une école ? Combien avait-il été payé ? Quel esprit tordu avait inventé l'astuce du lavage automatique ? Quels autres tours ces gens avaient-ils dans leur sac ?

Soudain, Alex se retrouva sur Wandsworth Bridge. Quelques semaines plus tôt, il était passé sous ce même pont en canoë et il s'était demandé comment on avait pu construire une horreur pareille. La plupart des ponts de la Tamise étaient élégants, conçus comme des ornements du fleuve. Or celui-ci était une banale dalle de béton armé, fonctionnelle et laide. Il était aussi très long, et à quatre voies. Alex devait pédaler de toutes ses forces. Il craignait de se faire repérer, mais plus encore de perdre la Golf. Celle-ci arriva à un rond-point, sur l'autre rive, et le chauffeur accéléra sans regarder à gauche ni à droite. Alex en fit autant. Cela lui valut un coup de klaxon assourdissant, et une bourrasque d'air chaud et chargé de poussière. Un énorme camion passa dans un grondement de tonnerre à quelques centimètres de lui. Il vacilla un peu, chercha à conserver son équilibre, conscient que ses jambes commençaient à faiblir. Finalement, mieux valait que la voiture disparaisse vite de sa vue. Encore un peu et il risquait de se tuer.

Mais au lieu de disparaître, la Golf sembla être arrivée à destination. Elle bifurqua dans une allée étroite et sinueuse qui revenait vers la rivière. Alex l'aperçut de loin s'engager sur un terre-plein et se garer. Un panneau indiquait : « PARKING WANDSWORTH », mais il s'agissait moins d'un parking que d'un site industriel, une de ces petites parcelles de Londres qui ont bizarrement été négligées. Il y avait deux bâtiments de bureaux, côte à côte, face à la rivière. Modernes, quelconques, avec un étage, des murs blancs et des fenêtres carrées. Sur l'un d'eux, il y avait une enseigne de compagnie de téléphone mobile. L'autre pouvait servir à presque n'importe quoi. Plus loin, près de l'eau, il y avait un garage de réparation automobile, mais il paraissait fermé définitivement.

Les lieux étaient jonchés de détritus, de pneus abandonnés, de bidons d'huile, de bennes vides. Alex s'était arrêté en haut de l'allée, dissimulé derrière une clôture de barbelés avachie. Il trouvait étonnant de laisser se délabrer un lieu aussi bien situé. Quelques maisons construites ici, avec cette vue imprenable sur la rivière, vaudraient des fortunes. Évidemment, les environs présentaient des inconvénients. La circulation sur le pont de Wandsworth faisait un vacarme incessant, et l'air empestait le diesel. Seules quelques entreprises minables comme celles-ci pouvaient sans doute s'en accommoder.

Le chauffeur de la Golf descendit de voiture, puis il sortit du siège arrière le sac qu'Alex l'avait vu porter sur le toit. Le sac qui contenait le fusil. Alex risqua un coup d'œil pour mieux le voir. L'homme était de petite taille, âgé d'une trentaine d'années, vêtu d'un anorak et d'un jean. Sa casquette couvrait ses cheveux. Il était rasé de près. Il se mouvait sans se presser, comme s'il rentrait chez lui après un parcours de golf. Il verrouilla les portières avec la télécommande de sa clé de contact, et s'éloigna tranquillement vers la rivière. Alex en profita pour descendre la pente en roue libre et s'arrêta derrière une des bennes.

Et maintenant ? De ce nouvel angle de vue, il pouvait voir une jetée qui s'avançait dans les eaux vives de la Tamise. La jetée était en forme de T, et assez longue pour recevoir une dizaine de voitures. Pourtant ce n'était pas des voitures qui y stationnaient, mais un hélicoptère Robinson R22 à deux places, un des modèles les plus répandus au monde. Alex reconnut la longue queue rebiquant vers le haut, et la petite cabine en forme de bulle juchée sur ses pattes de sauterelle. Le Robinson R22 était perché au bout de la jetée. Il avait la même couleur grise que la rivière. Le pilote avait dû venir chercher le conducteur de la Golf. Mais ils n'iraient pas bien loin. Alex croyait se souvenir que le Robinson a une autonomie de moins de 400 kilomètres. Assez néanmoins pour atteindre la France.

À l'autre extrémité de la jetée, au bord du fleuve, se dressait une petite bâtisse de deux étages. Peut-être un club-house pour canoéistes, ou un avant-poste de la police fluviale. Elle était en bois, peinte en blanc, mais la peinture s'écaillait et plusieurs fenêtres étaient cassées. Alex en conclut qu'elle n'était plus utilisée. La porte s'ouvrit. Un homme sortit et traversa la jetée vers l'hélicoptère. Sans doute le pilote.

Le pilote et le conducteur de la Golf allaient se rejoindre. S'il voulait entendre leur conversation, Alex devait se rapprocher. Heureusement, les deux hommes étaient tournés vers la rivière et ne pouvaient pas le voir. Il abandonna son vélo et quitta l'abri de la benne, en prenant soin toutefois de rester à couvert derrière le relief du terrain. Grâce au grondement de la circulation sur le pont, il n'avait pas à craindre que le bruit de ses pas ne le trahisse. Il courut et se jeta à plat ventre au moment où les deux hommes se rejoignaient.

— Comment ça s'est passé ?

— Très bien, répondit le sniper. Mission accomplie.

Pourquoi mentait-il ? Il devait savoir qu'il avait manqué sa cible. Mais peut-être avait-il intérêt à ce que cela ne se sache pas. En tout cas, pas s'il voulait se faire payer.

— Bon, alors allons-y, dit le pilote.

Ils marchèrent vers l'hélicoptère. C'était tout ? Allait-il rester là et les regarder partir ? Alex mémorisa le numéro inscrit sur la queue de l'appareil. A5455H. S'il téléphonait à la police, peut-être arriveraient-ils à intercepter le Robinson ? Non, cela ne suffirait pas. Alex sentait toujours gronder la colère au fond de lui.

Ces gens avaient fait irruption dans sa vie. Ils avaient essayé de le tuer et blessé son meilleur ami. Un coup de téléphone à la police ne servirait probablement à rien. Si l'on pensait à leur tour de prestidigitation avec la Golf, changer le numéro d'immatriculation de l'hélicoptère serait pour eux un jeu d'enfant. Qui sait si le Robinson ne deviendrait pas rose bonbon dès qu'il aurait décollé ! Alex prit sa décision.

Avant même de savoir ce qu'il faisait, il s'était levé et mis à courir. Les deux hommes grimpaient déjà dans l'hélicoptère, trop occupés par leur départ pour le remarquer. Il traversa le terrain en diagonale pour gagner l'autre extrémité de la jetée. Du coin de l'œil, il vit le sniper boucler sa ceinture sur le siège arrière, son champ de vision obstrué par le pilote penché devant lui. Alex bifurqua vers la droite et atteignit la bâtisse de deux étages d'où était sorti le pilote.

Il ne pouvait pas affronter les deux hommes seul, les mains nues. Il espérait trouver quelque chose à l'intérieur, n'importe quoi pouvant lui servir d'arme. Et pourquoi pas un téléphone. Il avait laissé le sien dans son casier à l'école.

Mais ses espoirs s'effondrèrent dès qu'il eut franchi la porte. Il se trouvait dans des bureaux qui avaient dû appartenir autrefois aux autorités fluviales. Sur les murs vert pâle, quelques vieilles cartes de la Tamise et des horaires de marées étaient épinglés sur un panneau de liège. À part cela, tout était vide, abandonné. Les bureaux sentaient l'humidité et le moisi. Il essaya vainement d'ouvrir une porte.

Dehors, il entendit le ronronnement du moteur quatre cylindres du Robinson. Il faudrait une minute aux rotors pour atteindre leur vitesse maximum. Ensuite il décollerait et disparaîtrait dans le ciel, à jamais hors d'atteinte. Alex jeta un regard rapide autour de lui. Rien. Rien que des portes fermées et un escalier délabré montant à l'étage.

Le toit. C'était sa seule possibilité de prendre sa revanche sur le sniper qui prétendait avoir réussi sa mission. Alex allait prouver le contraire ! Il se hisserait sur le toit, bien en vue, et montrerait à son complice, et donc à ses employeurs, qu'il avait échoué. Le tueur serait peut-être puni de leur avoir menti. En tout cas, il avait peu de chances d'être payé.

Alex monta les marches deux à deux. À l'étage, il découvrit un extincteur fixé au mur et le détacha de son support, sans idée vraiment précise. Il imagina projeter de la mousse sur le cockpit pour aveugler le pilote au moment où l'hélicoptère passerait devant lui. Mais c'était stupide. Le vent chasserait la mousse aussitôt. Lancer l'extincteur sur les rotors ? C'était assez lourd pour causer des dommages, mais aussi trop lourd pour le lancer assez loin.

Malgré tout, c'était sa seule arme, et Alex l'emporta avec lui sur le toit. Il lui fallut à peine quelques secondes pour prendre ses repères. La rivière se trouvait en face de lui. Le pont de Wandsworth sur la gauche. Le Robinson R22, oscillant sur ses pattes, s'apprêtait à quitter le sol. Le pilote, les yeux protégés par des lunettes de soleil, ses écouteurs sur les oreilles, cajolait le manche à balai. Le sniper était assis derrière lui. Alex se trouvait au-dessus d'eux mais, comme prévu, trop loin. Du moins pour l'instant. Dans quelques secondes, l'appareil allait passer juste devant lui. À cause du pont, il ne pouvait pas décoller dans l'autre sens.

L'hélicoptère se souleva sans effort, en diagonale, dans la direction d'Alex mais au-dessus de la rivière. Lorsqu'il se trouverait à son niveau, il serait à une quinzaine de mètres. Jamais Alex ne pourrait lancer l'extincteur aussi loin. Et pas question d'envoyer de mousse, il ne ferait que s'asperger lui-même.

« Si tu veux rester dans les premiers, Spencer, ne te comporte pas comme un élève de maternelle. »

Par une étrange association d'esprit, Alex venait de rappeler à quoi s'amusait Mike Spencer une seconde avant qu'il remarque le tireur. Mike lançait un caoutchouc sur un camarade en se servant d'une règle en plastique comme catapulte. Était-il possible que… ? Mais oui ! Pourquoi pas ? L'antenne de télévision se dressait en bordure du toit, et son lent balancement sous le vent indiquait qu'elle devait pouvoir ployer. Le mât possédait quatre râteaux métalliques formant un V. Alex courut vers l'antenne et cala l'extincteur dans la fourche du V. Puis, à deux mains, il tira le mât en arrière en usant de tout son poids. Il sentit la tension du métal. S'il lâchait maintenant, l'extincteur filerait jusqu'au milieu de la rivière. C'était un des avantages d'avoir quinze ans. Un an plus tôt, il aurait eu moins de force.

Soudain, l'hélicoptère se trouva à sa hauteur. Alex ne voyait plus que lui. Le vent propulsé par les rotors le fouettait sauvagement, menaçant de l'éjecter du toit. Le vrombissement était assourdissant. Ses cheveux plaqués sur son visage l'aveuglaient. Mais cela ne l'empêchait pas de distinguer le tueur assis à l'arrière.

Celui-ci tourna la tête et le vit. Il ouvrit des yeux ahuris et cria quelque chose. Le pilote aussi semblait tétanisé. L'hélicoptère ne bougeait pas. Il restait en suspens, juste devant Alex. Une cible parfaite.

Alex lâcha le mât d'antenne. Celui-ci se détendit d'un coup et propulsa l'extincteur à la manière d'une catapulte du Moyen Âge. Le cylindre en métal rouge percuta la cabine de l'hélicoptère. La vitre s'étoila. Cela n'aurait pas suffi à faire chuter l'hélicoptère mais le pilote, sous le choc, eut un mouvement de recul instinctif et perdit le contrôle de l'appareil. Alex se jeta à plat ventre sur le toit pour éviter d'être fauché par la queue de l'hélicoptère qui tournoyait au-dessus de sa tête. La puissance du vent faillit lui arracher sa chemise. L'espace d'une brève seconde, il vit le visage terrifié du pilote. Celui-ci bataillait pour reprendre le contrôle de l'appareil et il était sur le point de réussir. Mais la queue accrocha le bord de la bâtisse. Il y eut un horrible grincement, suivi d'un claquement sec. Une partie de l'hélice s'était brisée. Plaqué sur le toit, Alex se couvrit la tête de ses deux mains, craignant d'être haché menu. Un segment de métal fila devant lui et se ficha dans le rebord en briques.

Puis l'hélicoptère s'éloigna d'un bond, soulevé comme un poisson au bout d'une ligne invisible. Livré à lui-même, il tournoyait follement. Alex se redressa sur les genoux et contempla son œuvre avec un sentiment d'incrédulité. L'hélicoptère était devenu fou. Dans le cockpit, le pilote et son passager devaient vivre un cauchemar. Heureusement, il s'était éloigné du pont et tourbillonnait maintenant au-dessus de la rivière. Alex se leva. L'hélicoptère parut se redresser, puis il plongea comme une pierre dans la rivière. Il y eut une immense explosion d'eau, puis plus rien.

Les deux hommes étaient-ils morts ? Difficile à savoir. À la vérité, Alex s'en moquait. Il leur avait donné une leçon qu'ils méritaient amplement. Après tout, ils avaient voulu le tuer. Le sniper avait ouvert le feu sur une classe remplie d'élèves sans se soucier des dommages. Alex savait que la blessure de Tom n'était pas trop grave, mais il connaissait d'expérience le choc psychologique que cela engendrait.

Deux personnes surgirent du petit bâtiment de bureaux et traversèrent la cour vers la jetée. Alex s'était écorché les coudes et les genoux en se jetant à plat ventre. Son pantalon était déchiré. Jack allait avoir du travail de couture.

Il quitta le toit en boitillant, descendit l'escalier branlant et alla chercher son vélo.

9. MESURES DE SÉCURITÉ

Assis sur la banquette arrière de sa Jaguar XJ6 conduite par un chauffeur, Alan Blunt était de très mauvaise humeur. Il n'avait pas desserré les dents depuis qu'ils avaient quitté Liverpool Street, trente minutes plus tôt. Il regardait par la fenêtre, les yeux plissés et fixes. On aurait dit que la ville tout entière l'avait offensé. Mme Jones, assise à côté de lui, savait très exactement à quoi il pensait. L'un et l'autre étaient en train de transgresser les règles les plus élémentaires. Au lieu d'avoir convoqué Alex Rider au siège du MI6, c'étaient eux qui se rendaient chez lui.

Alan Blunt et Mme Jones étaient bien sûr au courant des événements de Brookland. Comme d'ailleurs le pays entier. Des coups de feu tirés sur une école des quartiers chic de Londres font instantanément la une de tous les médias, et les services secrets avaient dû intervenir très vite pour contrôler l'information. Brookland étant le collège d'Alex, le MI6 avait aussitôt établi le lien et mis tout en œuvre pour détourner l'attention des journalistes. Les autorités avaient démenti la présence d'un sniper, affirmant qu'il s'agissait d'un petit voyou du coin armé d'une carabine à air comprimé, qui avait réussi à se faufiler dans un immeuble en construction et tiré sur les fenêtres de l'école. On déplorait un blessé léger, mais aucune victime.

La nouvelle avait fait l'ouverture du bulletin d'informations de six heures et serait reprise par tous les journaux le lendemain. On avait filmé Tom Harris dans sa chambre d'hôpital, un bras en écharpe, entouré de fleurs et de boîtes de chocolat, visiblement ravi d'être le centre de tant d'attentions. La police avait dressé des barrages routiers dans les quartiers de Fulham et de Chelsea. La ministre de l'Intérieur avait promis de faire une déclaration au Parlement. On avait mis en place une aide psychologique pour les élèves de Brookland et l'école resterait fermée jusqu'à la fin de la semaine.

Conséquence de cette frénésie médiatique : deux autres sujets d'actualité passèrent presque inaperçus. Tout d'abord, un hélicoptère s'était écrasé dans la Tamise près de Wandsworth Bridge. La police recherchait encore le pilote et son passager, dont on ignorait les noms. Ensuite, en Grèce, l'un des hommes les plus riches du monde, Ariston Xenopolos, avait fini par succomber à un cancer. Il laissait derrière lui une fortune de vingt milliards d'euros.

Alan Blunt assistait à l'une de ses réunions régulières avec le chef d'état-major lorsque la nouvelle de la fusillade lui était parvenue. Il avait aussitôt regagné son bureau pour en discuter d'urgence avec Mme Jones. Alex était visé, cela ne faisait aucun doute. Le tireur avait manqué son coup, mais Alex avait disparu dans la nature. Un témoin l'avait aperçu quitter le collège à vélo. Puis, quand la nouvelle du crash de l'hélicoptère dans la Tamise leur était parvenue, à peine une heure plus tard, Blunt avait présumé qu'il existait un lien entre les deux événements. Cela ressemblait bien à Alex. Ce garçon avait des ressources extraordinaires.

Alex finit par rentrer chez lui au milieu de l'après-midi. Jack était sous le choc, et lorsque Mme Jones lui téléphona, elle n'était pas d'humeur conciliante.

— Nous voulons parler avec Alex, dit Mme Jones. Nous envoyons une voiture le chercher.

— Désolée, Mme Jones, rétorqua Jack d'une voix glaciale. Alex ne va nulle part. Je comprends que vous souhaitiez l'interroger. Mais si vous voulez le voir, il faudra venir chez nous.

— C'est hors de question.

— Alors vous ne le verrez pas.

Et sans laisser à Mme Jones le temps d'argumenter, Jack ajouta :

— Chaque fois qu'Alex est allé dans vos bureaux, il n'a eu que des ennuis. La dernière fois, c'était en novembre. Il est venu vous voir parce qu'un journaliste le harcelait. Et que s'est-il passé ? Vous l'avez envoyé espionner Desmond McCain. Il a fini par atterrir au Kenya et a failli être dévoré par des crocodiles. Maintenant, tout cela est terminé. Alex ne travaille plus pour vous. Si vous voulez lui parler des événements de ce matin, venez ici. Mais pas trop tard. Il a eu une rude journée et je veux qu'il se repose.

Il était inconcevable pour le directeur des Opérations Spéciales et son adjointe d'être convoqués ainsi. Les conversations secrètes devaient impérativement se dérouler dans un environnement sécurisé. Le bureau de Blunt répondait à toutes les exigences. Personne ne pouvait y entrer sans être scanné. Les lieux étaient parfaitement insonorisés, les fenêtres traitées pour dévier les ondes radio. Il était impossible de savoir qui y entrait et pour quelle raison. À l'inverse, une visite dans la maison d'Alex à Chelsea représentait un risque inacceptable.

Pourtant, en cette fin d'après-midi, la voiture se gara devant l'élégante maison à façade blanche qui avait appartenu à Ian Rider. M. Blunt et Mme Jones en descendirent. Jack ne s'était pas laissée fléchir. Bien sûr, Alex n'était pas un agent ordinaire. Son recrutement même, dès le début, avait violé toutes les règles. Ils s'étaient donc résignés à faire une autre exception.

Alex les attendait dans le salon. Blunt vit tout de suite le changement qui s'était opéré en lui en quelques mois. Non seulement Alex avait grandi et s'était étoffé, mais il paraissait plus sûr de lui. En le regardant, Blunt ne put s'empêcher de penser à son père. La ressemblance était frappante.

Jack leur offrit une tasse de café, qu'ils refusèrent poliment. Ils savaient ce qu'avait fait Alex en quittant Brookland, et l'adjointe des Opérations Spéciales ne perdit pas de temps en détails inutiles.

— Nous avons envoyé des hommes-grenouilles, commença-t-elle. Apparemment, le pilote et son passager ont réussi à s'extraire de l'hélicoptère. Mais aucun corps n'a refait surface.

— Vous pensez qu'un témoin aurait pu voir deux bonhommes dégoulinants sortir de l'eau ? grommela Jack.

— Les recherches continuent, poursuivit Mme Jones en jetant un regard à Alan Blunt. Je doute qu'ils aient réussi à disparaître dans la nature. En plein jour, au beau milieu de Londres. Ils ont sûrement été blessés. Mais, pour l'instant, personne ne les a aperçus.

— Tu as pu voir le sniper, Alex ? demanda Blunt.

— Pas vraiment.

Alex avait enfilé un jean et un T-shirt. Il était pieds nus, comme pour bien souligner qu'il était chez lui et s'habillait à sa guise. La présence de Blunt dans sa maison lui faisait un effet bizarre. Comme si deux mondes séparés par des années-lumière étaient brusquement entrés en collision.

— Il était trop loin et il me tournait le dos. Mais j'ai relevé les numéros de la voiture et de l'hélico.

— Faux tous les deux, intervint Mme Jones. Nous analysons la voiture pour trouver des empreintes et des traces d'ADN. Et on a repêché la carcasse de l'hélicoptère. Mais je serais très étonnée que l'un ou l'autre nous mène quelque part.

— Ces gens sont de vrais professionnels, acquiesça Alan Blunt. L'astuce du lavage automatique, notamment, démontre un certain style…

— Le style de qui ? demanda Jack.

— Nous l'ignorons. Le propriétaire du garage a déclaré avoir été payé pour fermer l'aire de lavage pendant deux jours. Il ne sait rien d'autre. Nous pensons qu'il dit la vérité. Mais des questions plus essentielles se posent. Qui veut tuer Alex ? Pourquoi maintenant ? Et, surtout, comment faire pour empêcher les tueurs de recommencer ?

Alex observa le chef du MI6. Alan Blunt était assis sur le bord du canapé, le dos raide, comme s'il refusait par principe de s'installer confortablement. Il ne quittait jamais son attitude professionnelle, son costume anthracite, ses lunettes à monture d'acier et ses chaussures vernies noires. Toute cette histoire semblait l'ennuyer terriblement.

— Ils me croient mort, reprit Alex. Le sniper a dit au pilote que sa mission était accomplie. Je l'ai entendu.

— Pas nécessairement, dit Mme Jones en jetant un nouveau coup d'œil en direction de Blunt pour s'assurer qu'il l'autorisait à poursuivre. Tout d'abord, nous devons supposer que le sniper te visait. C'est une opération très risquée et très coûteuse. Donc, ceux qui tirent les ficelles doivent avoir une raison sérieuse de te vouloir du mal. D'après ce que tu dis, le tueur a menti. Mais ses employeurs ont certainement deviné que tu t'en étais sorti. Et le crash de l'hélicoptère le leur a confirmé. Tu peux retourner le problème de tous les côtés, Alex, une chose est sûre. Tu es encore en danger et je crains que tu ne puisses pas retourner en classe avant que l'enquête soit terminée.

— Ça va prendre du temps ?

Une bouffée de désespoir envahit Alex. Certains auraient trouvé ça idiot, mais il avait vraiment envie de retourner à l'école. Le trimestre s'était bien passé et il aimait être avec ses camarades.

— Impossible à dire, admit Mme Jones. Nous ignorons à qui nous avons affaire, et pourquoi ils ont choisi ce moment pour passer à l'action. Pour l'instant, nous n'avons aucun indice. Nous sommes dans le brouillard autant que toi.

— Dans ce cas, comment comptez-vous protéger Alex ? demanda Jack.

Blunt et Mme Jones échangèrent un coup d'œil et, à cette seconde, Alex comprit qu'ils avaient déjà tout prévu. Ils savaient exactement ce qu'ils allaient dire avant même de franchir sa porte. Le même scénario s'était déroulé sur la côte de Cornouailles, quand il faisait du surf avec Sabina. Ils avaient été attaqués et Blunt avait utilisé la situation à son avantage. Il s'apprêtait à faire la même chose maintenant.

— Je pense qu'Alex doit quitter le pays, dit Blunt.

— Pas question ! protesta Jack.

— Je vous en prie, Miss Starbright, laissez-moi finir. Alex ne peut pas retourner à Brookland, ni rester ici. Comme vient de vous l'expliquer Mme Jones, c'est trop dangereux.

— Vous pourriez le mettre sous protection vingt-quatre heures sur vingt-quatre.

— Nous ferons surveiller votre maison cette nuit et les jours suivants. Mais, sur le long terme, ce n'est pas réalisable. Un ennemi déterminé réussit toujours à déjouer des mesures de protection, aussi sérieuses soient-elles. Non. Pendant l'enquête, Alex sera beaucoup plus en sécurité quelque part à l'étranger, sous une nouvelle identité.

— Vous avez une idée derrière la tête ?

— Eh bien, en vérité... oui, admit Blunt avec une petite toux. Il mit délicatement sa main devant sa bouche, puis ajouta : Je voudrais envoyer Alex en Égypte.

— En Égypte ?

— Au Caire, plus précisément. Il se trouve que je devais envoyer un de mes hommes là-bas et...

— Alex n'est pas un de vos hommes ! le coupa sèchement Jack.

Blunt l'ignora. Il s'adressa directement à Alex.

— Je ne voulais pas faire appel à toi, Alex. Tu as expliqué nettement ta position et, bien sûr, j'ai essayé de la respecter. Mais les circonstances ont changé. Tu as besoin de notre aide. Et nous avons besoin de la tienne. J'ai un petit travail parfait pour toi, qui en même temps te permettra de t'éloigner et de te mettre à l'abri.

— Quel genre de petit travail ? demanda Alex à contrecœur.

— Oh, il suffit de se trouver au bon endroit et d'ouvrir les yeux. Nous voulons juste un rapport. Ensuite, ce sera à nous de jouer.

Blunt fit une courte pause, dans l'attente d'une objection. Comme rien ne venait, il poursuivit :

— L'endroit dont je parle est une école. Une excellente école, même. Autre avantage, tu ne prendras pas

160

de retard dans tes études. Il s'agit du Cairo International College of Arts and Education. Mais les élèves l'appellent plus simplement le CC. Le Cairo College accueille les garçons et les filles de treize à dix-huit ans. Mais il a aussi des classes de primaire. La plupart des parents d'élèves sont des étrangers qui travaillent au Moyen-Orient. Certains sont des personnalités très en vue. Certains sont très riches.

» D'après nos informations, le collège pourrait être victime d'actions hostiles dans les semaines à venir. Malheureusement, nous n'en savons pas plus. On peut imaginer un kidnapping, par exemple. Certains parents d'élèves ont les moyens de payer des millions de dollars de rançon.

— Vous avez prévenu la direction du collège ? demanda Jack.

— Les avertir ne servirait à rien tant que nous ne savons rien de précis. Mais nous avons une piste. La semaine dernière, le collège a embauché un nouveau chef de la sécurité. Un dénommé Erik Günter. Il est peu probable que cet homme soit impliqué dans une sale histoire. C'est un héros de guerre. Il a été décoré par la reine. Malgré tout, nous avons du mal à croire que son arrivée soit une coïncidence.

— Qu'est devenu l'ancien chef de la sécurité ? s'enquit Alex.

Blunt déglutit avant de répondre.

— Il a eu un accident. Tout ce que nous te demandons, Alex, c'est de garder un œil sur cet homme et de nous rapporter ce qui te paraîtra suspect. Tu n'as pas besoin d'en faire plus. Au premier signe inquiétant, nous intervenons.

— Attendez une minute ! s'exclama Jack. Je ne vous crois pas. Vous êtes venus ici parce que quelqu'un a tiré sur Alex. Son meilleur ami a été blessé. Or tout ce qui vous intéresse c'est de l'utiliser encore...

— Nous voulons le protéger, se défendit Mme Jones. Sincèrement, Jack. C'est la meilleure solution. Personne ne songera à aller chercher Alex au Caire. Nous lui donnerons une fausse identité. L'avantage, dans une école internationale, c'est que les élèves vont et viennent. Les parents sont toujours en déplacement. Personne ne posera de questions en voyant débarquer un nouveau. Pendant ce temps, nous continuerons d'analyser l'hélicoptère et les indices en notre possession. Dès que nous jugerons qu'Alex peut rentrer sans risque, nous vous préviendrons. Cela ne devrait pas durer plus de quelques semaines.

Mme Jones se tut. Blunt ne quittait pas Alex des yeux. Jack secouait la tête, visiblement contrariée. Alex savait que c'était à lui seul de décider. Mais avait-il le choix ? Le matin même, il se réjouissait d'avoir repris une vie normale. D'être sorti du tunnel. Quelle naïveté ! En réalité, le tunnel l'avait à nouveau englouti et il errait dans ses ténèbres.

— D'accord pour Le Caire, dit-il enfin. M. Blunt a raison. Si quelqu'un cherche à m'éliminer, je ne peux pas rester ici à l'attendre. Et je ne veux pas mettre en danger les gens qui sont autour de moi.

— Nous pourrions aller en Amérique, intervint Jack. Ou n'importe où ailleurs !

— Il faut bien que j'aille à l'école quelque part, Jack. Je veux passer mon brevet.

— Alors nous sommes d'accord, dit Blunt.

— Une minute, dit Jack. J'ai encore des questions. Où Alex va-t-il loger au Caire ? Qui va s'occuper de lui ? Votre collège international, c'est un pensionnat ?

— Non, ce n'est pas un pensionnat, répondit Mme Jones. Nous devrons louer un appartement.

— Alors trouvez un appartement avec deux chambres, parce que je pars aussi !

Étonné, Alex se tourna vers Jack. Au son de sa voix, il comprit que rien ne la ferait changer d'avis.

— J'en ai assez de rester ici pendant que vous envoyez Alex en première ligne ! Vous prétendez qu'il ne court aucun danger, mais vous avez dit la même chose la dernière fois. Et la fois d'avant. Si Alex veut partir, libre à lui. C'est son choix. Mais je ne le laisserai pas seul. Et ça, c'est mon choix. C'est nous deux, ou personne. Votre réponse, Mme Jones ?

Mme Jones réfléchit un moment avant d'acquiescer.

— Je crois que c'est une bonne idée. Et toi, Alex ?

Alex continuait d'observer Jack.

— Tu es sûre de toi ?

— Je ne l'ai jamais été autant.

— Alors c'est super, dit-il en souriant. On pourra visiter les pyramides. Et le Nil. Je suis content de t'avoir avec moi.

— Nous prendrons toutes les dispositions nécessaires, dit Blunt. Je préviendrai notre bureau du Caire de votre arrivée. Ils vous fourniront tout ce dont vous avez besoin.

— Très bien. Alors nous sommes d'accord, conclut Jack.

Elle se leva et raccompagna Blunt et Mme Jones à la porte. Leur voiture les attendait dehors. Alex resta dans le salon, un peu ébranlé. Il ne pouvait s'empêcher de ressentir une certaine excitation. Le Caire ! Une ville fascinante. Il n'y était jamais allé. Mais, en même temps, il sentait un poids peser sur ses épaules. Tout recommençait.

— Ils sont partis, annonça Jack en revenant.

— Merci, Jack. Merci d'avoir proposé de m'accompagner.

— Sinon, j'aurais refusé que tu partes.

Était-ce elle qui, le matin même, envisageait d'abandonner Alex et de retourner aux États-Unis ? C'était absurde. Ses parents et Washington attendraient.

— Je suppose qu'ils vont me donner aussi une nouvelle identité. Je me demande quelle tête j'aurais avec une fausse moustache ! Bon, tu vas faire tes devoirs ?

— C'est un peu superflu, non ?

— Tu as raison. Je vais préparer le dîner. Regarde s'il y a un bon programme à la télé, ce soir.

Alan Blunt était de bien meilleure humeur sur le chemin du retour. Cela n'échappa évidemment pas à Mme Jones.

— Finalement, vous avez obtenu ce que vous vouliez, remarqua-t-elle.

— Oui, admit Blunt en évitant son regard. C'est amusant de voir comment les choses évoluent parfois.

— Vous avez oublié de mentionner que Scorpia était peut-être dans le coup.

— Ce n'est pas un oubli. J'ai préféré ne pas alarmer Alex.

— Il aurait pu renoncer à partir.

— Je préfère qu'il n'ait pas d'idée préconçue.

Ils roulèrent en silence pendant un moment.

— Je veux qu'il ait un soutien au Caire, décréta soudain Mme Jones.

— À qui songez-vous ?

Blunt prit conscience que jamais son adjointe ne lui aurait parlé de façon aussi directe par le passé. Mais il ne serait bientôt plus là. La passation de pouvoir avait déjà commencé.

— On pourrait envoyer Crawley, suggéra Blunt. Ou Gerrard…

— Je pensais plutôt à Smithers, dit Mme Jones.

— Un choix intéressant.

— Alex a confiance en lui. Et Smithers pourrait s'avérer utile. Surtout si Scorpia est impliqué. Vous avez une objection ?

— Aucune, Mme Jones. Faites comme vous le jugerez bon.

Blunt avait eu raison de se méfier. Jamais il n'aurait dû quitter Liverpool Street, et encore moins accepter d'aller chez Alex.

Mme Jones et lui avaient été filmés quand ils descendaient de leur voiture, depuis une fenêtre de la maison d'en face. Les propriétaires étaient en vacances en Thaïlande. Leur séjour s'était prolongé malgré eux car ils avaient été victimes d'une intoxication alimentaire et hospitalisés à Bangkok. Cette fâcheuse intoxication était l'œuvre de Scorpia, qui avait tout orchestré pour envoyer une équipe dans la maison installer des caméras au premier étage.

La maison d'Alex avait également été mise sur écoute. Deux hommes en tenue de techniciens du téléphone s'étaient introduits pendant que Jack sortait faire des courses. Ils avaient placé des mouchards dans la cuisine, dans le salon, dans les deux chambres à coucher, et même dans le jardin. La conversation avec Blunt et Mme Jones avait été enregistrée.

« Je voudrais envoyer Alex en Égypte...

J'ai un petit travail parfait pour toi...

Je vais prévenir notre bureau du Caire de votre arrivée...

Ils vous fourniront tout ce dont vous avez besoin...

Nous lui donnerons une fausse identité... »

Tout était enregistré. Audio et vidéo. C'était la preuve que le MI6 avait de nouveau recruté Alex Rider pour l'envoyer en mission au Moyen-Orient. Cela viendrait compléter le dossier « Cavalier », lequel allait s'étoffer au cours des prochains jours. Ariston Xenopolos était mort, mais son œuvre lui survivrait. L'opération montée par Scorpia avait débuté.

10. BIENVENUE AU CAIRE

Le fonctionnaire de l'ambassade s'était présenté sous le nom de Blakeway. C'était un homme d'âge mûr, mince, desséché par le soleil, et très anglais. Il portait un costume en lin froissé, une cravate rayée et un panama. Il attendait Jack et Alex à l'aéroport du Caire, à la sortie du tunnel métallique venant de l'avion.

— Miss Starbright ? Alex ? Ravi de vous rencontrer. Une voiture nous attend. Suivez-moi, je vous prie...

Ils s'éloignèrent d'un pas tranquille. Blakeway ne semblait pas le genre d'homme à se presser. C'était agréable d'être ainsi accueilli. Ils franchirent le contrôle des passeports sans avoir besoin de faire la queue ni de payer des visas d'entrée à vingt dollars. Blakeway attendit avec eux leurs bagages devant le carrousel, puis il porta ceux de Jack, et les guida au milieu de la foule des chauffeurs de taxi et des voyagistes qui braillaient dans le hall des arrivées.

La chaleur sauta au visage d'Alex. Sitôt franchies les portes coulissantes, on avait l'impression de pénétrer dans un four. En quelques secondes, il sentit ses vêtements lui coller à la peau et sa valise le clouer au sol. Blakeway jeta un regard circulaire sur le parvis.

— Où est passé Ahmed ? grommela-t-il. Je lui ai pourtant dit que j'en avais pour quelques minutes. Ah ! Le voilà !

Il agita la main en direction d'une limousine noire qui vint se garer devant eux. En sortit un petit homme joufflu, en pantalon noir et chemise blanche, qui se précipita pour ranger leurs bagages dans le coffre.

— Installez-vous à l'arrière, dit Blakeway à Jack et Alex. La voiture est climatisée, Dieu merci. Si la circulation n'est pas trop infernale, la traversée du Caire ne devrait pas nous prendre longtemps.

Une minute plus tard, ils avaient démarré. À l'intérieur de la limousine, la température était fraîche et les sièges confortables, mais Alex n'arrivait pas à se détendre. Le voyage l'avait épuisé, et malgré son envie irrésistible de dormir, il savait qu'il aurait du mal à trouver le sommeil. Londres n'était pas seulement à six heures de vol, c'était un monde totalement différent. Et il se demandait quand il le reverrait. Quel idiot il était d'avoir imaginé que le MI6 le laisserait tranquille. Son oncle Ian et ses parents avaient sans doute eu la même expérience. On n'échappait pas au MI6.

Assise près de lui, la tête contre la vitre, Jack semblait suivre le même cheminement de pensée. Elle portait de grandes lunettes noires et un chapeau blanc et mou qui lui mangeaient le visage, mais Alex n'avait pas besoin de voir son expression pour savoir qu'elle s'inquiétait pour lui. Elle posa la main sur son bras et dit à mi-voix pour ne pas être entendue de Blakeway :

— Rien ne nous oblige à rester ici, Alex.

— Je sais.

— J'ai repéré un vol pour New York qui décolle dans trois heures. On peut le prendre.

— Maintenant que nous sommes ici, autant voir à quoi ça ressemble.

Mais, à supposer qu'ils aient décidé d'aller à New York, était-il certain qu'on les laisserait prendre l'avion ? Le MI6 leur permettrait-il de quitter Le Caire ? Si Alan Blunt avait tant insisté pour l'envoyer en Égypte, ce n'était pas pour le laisser partir avant que le travail soit terminé.

— Ça va, derrière ? lança Blakeway par-dessus son épaule. J'ai de l'eau, si vous avez soif. Il suffit de dem…

La fin de sa phrase se perdit dans le vacarme. Blakeway avait dit que la circulation pouvait être infernale et il n'avait pas exagéré. Ils roulaient maintenant sur une route à six voies, mais cela ne suffisait pas pour les milliers de voitures qui s'y entassaient. Les conducteurs actionnaient furieusement leurs klaxons. Comme si cela avait pu arranger les choses. En regardant par la fenêtre, Alex avait l'impression d'être plongé dans un cauchemar d'acier et de béton, de sable et de poussière. Des immeubles de bureaux anciens côtoyaient des maisons croulantes. Ici et là, les minarets s'élevaient au-dessus des dômes des mosquées, mais ils étaient cernés de mâts d'antennes, de pylônes électriques et de grues. Des tonnes et des tonnes de ferraille se disputaient le contrôle du ciel. La première impression d'Alex était que Le Caire était une ville affreuse. Ce n'était pas un endroit où il choisirait de vivre.

La limousine finit par s'extraire de l'embouteillage. La circulation devint un peu plus fluide et ils arrivèrent dans un faubourg, plus calme, moins surpeuplé que le centre, mais aussi peu accueillant. Tout semblait inachevé. Ils roulaient dans une avenue bordée de palmiers et de villas luxueuses d'un côté, et d'amoncellements de taudis et de clôtures démolies de l'autre. Pour la première fois, Alex aperçut le désert. Une vague sans fin et morne de sable jaune. On aurait dit que Le Caire ne désirait pas aller plus loin. La ville s'arrêtait là, tout net. Après, il n'y avait plus rien.

— On arrive bientôt, annonça Blakeway d'une voix étonnamment enjouée.

Il se tourna vers le chauffeur, ajouta quelque chose en arabe, et tous deux pouffèrent de rire.

Ils s'arrêtèrent devant un complexe moderne et rutilant baptisé Golden Palm Heights. Un portail automatique s'ouvrit lentement, puis se referma derrière eux. C'était un ensemble résidentiel d'une cinquantaine de maisons blanches et d'appartements, entourés de pelouses bien entretenues, avec des arrosages automatiques qui scintillaient sous le soleil et une piscine de belle taille. On se serait cru dans un de ces villages de vacances où l'on passe une semaine à bronzer. La limousine s'arrêta devant un petit immeuble d'appartements dont les terrasses surplombaient la piscine.

— Nous y sommes ! dit Blakeway. Venez. Ahmed apportera les bagages.

Ils le suivirent au premier étage. La porte était ouverte. Il les fit entrer dans un appartement moderne et lumineux, avec un sol en marbre, l'air conditionné, deux chambres à coucher, un séjour ouvert avec cuisine américaine, et une baie vitrée aux portes coulissantes donnant sur le balcon. Il y avait un immense réfrigérateur-congélateur, un four électrique, un micro-ondes, et un écran de télévision plasma sur le mur. Tout était immaculé. Après le long voyage, Alex dut admettre que c'était une agréable surprise.

— Je vous laisse vous reposer, dit Blakeway. Vous devez avoir envie de défaire vos bagages et de plonger dans la piscine. Si vous avez besoin de quoi que ce soit, voici mon numéro. On est à cinq minutes seulement du collège. Tu trouveras sans peine quelqu'un pour te montrer le chemin, Alex. Beaucoup d'élèves et de professeurs habitent à Golden Palm Heights. Ils rentrent vers seize heures, après les cours. En général, c'est la ruée sur la piscine.

Il se pencha au balcon et jeta un coup d'œil alentour, comme pour s'assurer qu'ils étaient seuls. Quand il se retourna, sa voix était basse, presque nerveuse.

— On m'a dit qu'un de tes collègues serait là dimanche soir, reprit-il. Il te donnera de plus amples instructions et veillera à ce que vous ne manquiez de rien. Cela vous laisse le week-end pour vous acclimater et visiter un peu Le Caire. Ce n'est pas une ville désagréable quand on apprend à la connaître. En tout cas, je te souhaite bonne chance, Alex. Tu sais, j'ai un peu entendu parler de toi et je suis très content de te connaître.

Blakeway appela Ahmed et les deux hommes s'en allèrent. Jack vit la voiture s'éloigner par le portail.

— Qu'est-ce qui te tente, Alex ? demanda-t-elle. Nager, manger, dormir ?

— Les trois. Dans cet ordre-là.

Jack préférait commencer par ranger les affaires. Alex sortit son short de bain de sa valise, se changea, et descendit à la piscine. Il nagea six longueurs dans l'eau fraîche. Il s'y prélassait encore quand les premiers élèves rentrèrent du collège. Ils se débarrassèrent de leurs sacs à dos, de leurs vêtements, et se jetèrent aussitôt à l'eau. Alex se retrouva bientôt entouré par deux garçons et une fille, à peu près de son âge, qui semblaient ravis de voir un visage nouveau.

Les deux garçons étaient australiens : Craig Daniels et Simon Shaw. Craig était grand pour son âge – en fait il était immense. Il avait besoin de se raser mais ne le faisait pas. Simon avait l'air d'un surfeur, avec son bronzage, ses longs cheveux blonds, son collier de perles et son bermuda aux couleurs vives. La fille s'appelait Jodie. Bien que née en Angleterre, elle avait vécu presque toute sa vie à l'étranger. Ses parents étaient enseignants, mais heureusement pas au Cairo College. Elle avait des cheveux courts couleur paille, des taches de rousseur. Elle plut aussitôt à Alex.

— Le collège n'est pas trop mal, lui dit-elle, pour répondre à ses questions. C'est assez cool et les profs sont sympas. J'ai passé deux ans à Singapour, c'était atroce.

172

— Qu'est-ce qui t'amène ici, Alex ? voulut savoir Craig.

Son père, comme celui de Simon, travaillait dans l'industrie pétrolière. La plupart des familles qui envoyaient leurs enfants au collège international étaient des cadres de Shell ou de BP.

C'était le moment redouté par Alex. Se faire des amis était déjà assez difficile, construire des relations sur un mensonge plus compliqué encore. Mais il n'avait pas le choix. Le MI6 lui avait fourni une fausse identité : Alex Tanner, et il avait plusieurs fois répété son supposé passé avec Jack, afin d'accorder leurs versions si quelqu'un les questionnait.

— Mes parents sont morts, répondit Alex. Mon oncle travaille pour une banque internationale qui s'est implantée au Moyen-Orient. Il est en voyage, en ce moment. J'ai une gouvernante qui s'occupe de moi. On a trouvé plus pratique de vivre ici.

Comme tous les bons mensonges, celui-ci contenait une part de vérité. Avant sa mort, Ian Rider prétendait travailler dans une banque, le MI6 menait des actions au Moyen-Orient, et Jack était sa tutrice légale. En tout cas, ses explications parurent satisfaire ses trois nouveaux amis.

— Ce n'est pas mal, Le Caire, une fois qu'on est habitué au bruit et à la chaleur…

— Et aux démarcheurs, renchérit Simon.

— Et à Miss Watson ! ajoutèrent-ils tous les trois en grognant.

— Bienvenue au Caire, Alex ! Tu vas adorer, tu verras.

Dès les deux premiers jours, presque malgré lui, Alex commença à se relaxer. En attendant le début des cours, Jack et lui jouèrent les touristes. Ils se sentaient en vacances et se vidèrent l'esprit. Ils visitèrent les fameuses pyramides de Gizeh dès l'ouverture, et purent déambuler presque seuls dans les fabuleux monuments construits pour abriter les momies de rois morts depuis près de cinq mille ans. Ils se promenèrent sur le Nil à bord d'une felouque, le traditionnel bateau en bois. Ils explorèrent les rues grouillantes du souk et marchandèrent des objets qu'ils n'avaient pas envie d'acheter. Ils franchirent la porte d'un ou deux musées. Ils visitèrent l'endroit où Moïse était censé avoir été trouvé, dans une corbeille déposée dans les roseaux sur une rive du Nil. Ils se firent photographier, bras dessous bras dessous, souriant comme des idiots.

Craig et Simon avaient dit vrai. La chaleur de la ville était suffocante. Il faisait au moins quarante degrés, sans la moindre brise, et les petits quémandeurs ne les laissaient jamais en paix, cherchant à leur vendre tout et n'importe quoi, des épices aux cartes postales porno. Le Caire n'avait pas de véritable centre et donnait l'impression qu'on ne pouvait pas en sortir. La moitié de l'humanité semblait s'être entassée là, bien décidée à y rester.

Mais cela leur était égal. Ils s'amusaient bien et il y avait longtemps qu'ils n'avaient pas été aussi complices. Alex se retrouvait presque cinq ans en arrière, du vivant de son oncle Ian, à l'époque où Jack s'occupait de lui et où chaque jour était une joie. Dans un sens, il était presque content qu'on lui ait tiré dessus.

Ils n'eurent aucune nouvelle de Blakeway mais, en rentrant le dimanche soir, ils remarquèrent une voiture inconnue garée devant la porte. L'agent du MI6 annoncé par Blakeway avait dû arriver. En effet, quelqu'un les héla et, à sa grande surprise, Alex vit arriver d'un pas dandinant une silhouette massive et familière.

La dernière fois qu'il avait vu Smithers, c'était au onzième étage de la Banque Royale & Générale à Londres (qui servait de couverture au QG du MI6), juste avant sa mission au centre de recherche Greenfields à Salisbury. Alex avait toujours eu de la sympathie pour cet homme jovial qui lui avait procuré des armes si bizarres et si utiles quand il travaillait pour le MI6. En le voyant maintenant, il se demanda comment Smithers pouvait supporter la chaleur, avec son énorme bedaine, son triple menton, ses joues rebondies, et son cou qui paraissait se fondre dans ses épaules. Il portait un costume de lin qui ondulait autour de lui comme un parachute. Avec son crâne chauve et sa petite moustache, Smithers faisait penser à ces comédiens des vieux films muets en noir et blanc. Il s'épongeait le front avec un immense mouchoir en soie, qu'il replia et rangea dans sa poche en arrivant devant eux.

— *As-salâm 'aleïkoum*, Alex, gloussa Smithers. Ça signifie « bonjour » en arabe. Vous devez être Jack Starbright. Je suis ravi de faire votre connaissance.

— Que faites-vous ici, M. Smithers ? demanda Alex.

— Crois-le ou non, Mme Jones m'a envoyé veiller sur toi, répondit Smithers avec un large sourire. Entrons discuter à l'intérieur. Il paraît que vous êtes au premier étage. J'espère qu'il n'y a pas trop de marches !

Ils furent bientôt assis tous les trois autour de la table du salon. Alex devant un verre de grenadine à l'eau, sa boisson favorite, Jack un thé glacé, et Smithers devant une bière.

— Donc, tu commences tes cours au Cairo College demain matin, dit Smithers. Ma tâche consiste à t'aider et à servir d'intermédiaire entre toi et Londres.

— Quoi de nouveau, là-bas ? demanda Jack.

— On n'a toujours pas retrouvé le pilote de l'hélicoptère ni son passager. Ni leurs cadavres. On suppose donc qu'ils ont réussi à filer.

— Ils ont essayé de tuer Alex. Vous devez bien avoir une idée de leur identité !

— Je crains que non, Miss Starbright. Vous permettez que je vous appelle Jack ? J'ai l'impression de vous connaître depuis longtemps, même si nous venons à peine de nous rencontrer. Je suis d'accord avec vous. Tout cela est assez mystérieux. Pour commencer, je m'explique mal comment l'hélicoptère a pu se poser dans Londres. Normalement, il faut fournir un plan de vol et obtenir une autorisation. Mais, jusqu'ici, les pistes n'ont mené nulle part.

— Pourquoi pas Scorpia ? demanda soudain Alex, sans savoir pourquoi cette idée lui était venue.

— Je ne sais pas, Alex. On ne m'a rien dit. Le côté positif, c'est que personne ne sait que tu es au Caire. Au moins, tu es à l'abri.

— Vous voulez dire qu'il est à l'abri jusqu'à ce que quelqu'un fasse sauter le collège ! intervint Jack. À ce moment-là, Alex sera en première ligne.

— Qu'est-ce que je suis censé faire, exactement, M. Smithers ? Et quels gadgets m'avez-vous préparés ? Un chameau explosif ?

Smithers secoua la tête. Pour une fois, il était très sérieux.

— C'est une situation assez bizarre, dit-il. Il faut se montrer prudent. Tout ce que nous savons, c'est que l'école est visée et que la vie d'un grand nombre de jeunes est menacée. Imaginez un peu que le collège soit pris d'assaut par des criminels armés. Cela s'est déjà produit. Ou bien qu'un des élèves soit enlevé.

Il tira de sa poche une liste de dix noms qu'il posa sur la table.

— À toutes fins utiles, voici les noms des dix élèves les plus riches du Cairo College.

Alex y jeta un coup d'œil. Simon Shaw y figurait en troisième position. C'était le surfeur blond qu'il avait rencontré le jour de son arrivée.

— Celui-là, je le connais. Je l'ai vu à la piscine.

— Son père est Richard Shaw. Il possède la moitié des stations d'essence d'Australie, dit Smithers en reprenant la feuille. Ne te laisse pas abuser par le fait que son fils habite dans un appartement semblable à celui-ci. Beaucoup de ces jeunes gens ne veulent pas que l'on sache à quel point leurs parents sont riches.

C'était une idée intéressante. Finalement, Alex n'était peut-être pas la seule personne au Caire à avoir des secrets.

— Nous devons examiner tout le système de sécurité du collège, poursuivit Smithers. Autrement dit, nous devons nous assurer que tout va bien. Il faut aussi s'intéresser au personnel. Savoir s'il y a des professeurs qui ont des problèmes d'alcool ou de jeu. Quand j'y pense, je me dis que mon ancien prof d'histoire avait les deux ! L'important est de savoir s'ils ont une faiblesse qui les rend vulnérables à un chantage.

» Ensuite il y a le dénommé Erik Günter. Maintenant que j'ai lu son dossier, j'ai du mal à croire qu'il ait mal tourné. Il a été grièvement blessé pendant une action de bravoure en Afghanistan, et il a passé neuf semaines à l'hôpital. Il n'a pas de casier judiciaire. Mais, d'un autre côté, il vient d'être embauché comme chef de la sécurité et je ne crois pas aux coïncidences. C'est sur lui que tu dois concentrer tes efforts. Nous voulons tout savoir sur ce qu'il fait. Qui il rencontre, combien d'argent il dépense... et même ce qu'il mange.

Smithers ouvrit son petit attaché-case. Il en sortit d'abord une paire de lunettes de soleil assez grosses et un bidon en plastique rouge vif, semblable à ceux qu'utilisent les sportifs.

— Ces deux objets fonctionnent ensemble, expliqua Smithers. Au Caire, tout le monde a une bouteille d'eau. Celle-ci contient un quart de litre dans la partie supérieure. L'équipement est caché dans le fond. Une toute nouvelle technologie. Et ultrasecrète. Elle consiste à utiliser les téléphones mobiles contre leurs propriétaires. Tu pointes la bouteille dans la direction de la personne et tu entends ce qu'elle dit. Les écouteurs se trouvent dans les branches des lunettes, juste derrière tes oreilles. Mais ce n'est pas tout. Tu peux aussi activer des téléphones portables à une distance de cinquante mètres, et les transformer en mouchards. Si deux profs discutent dans la cour, tu captes leur conversation.

Smithers sortit ensuite un interrupteur banal en plastique.

— C'est le même modèle que tous les interrupteurs du collège, expliqua-t-il. Tu peux le coller sur n'importe quel mur. Il y a une résine spéciale sur le dos et personne ne le remarquera au milieu des autres interrupteurs. Bien entendu, il ne sert pas à allumer ou à éteindre une lumière. C'est un instrument d'écoute ultrasensible, qui permet d'entendre à travers des cloisons. Lui aussi est relié aux lunettes.

» Maintenant, si tu veux communiquer avec moi, tu auras besoin de ceci, poursuivit Smithers en montrant un calepin et un stylo-bille.

Alex les soupesa. Ils lui parurent un peu lourds.

— Tout ce que tu noteras sur ce carnet apparaîtra aussitôt sur mon écran d'ordinateur. Si tu écris « S.O.S. », j'arrive. J'habite une maison dans le centre-ville, tout près de la rue Al-Azhar, à deux pas du souk. Je te donnerai l'adresse. Ou alors tu te serviras de ceci.

Smithers exhiba une casquette de base-ball ornée d'un sigle fantaisiste sur le côté.

— Il y a un système de navigation par satellite miniaturisé à l'intérieur du tissu. Un GPS, si tu préfères. Il est entièrement autonome grâce au panneau solaire dissimulé dans le sigle. Et il y a un retour audio relié aux lunettes. Je lui ai trouvé un nom rigolo.

— Le chap-sat ?

— Tu m'as eu, gloussa Smithers en sortant son mouchoir pour s'éponger le front. L'ennui, dans ce pays, c'est la chaleur.

— Venez vous baigner avec moi, proposa Alex.

— Non merci, mon ami. Je ne nage jamais. Autrefois, j'ai inventé un sous-marin miniature. Mais c'était raté. D'abord, je ne pouvais pas rentrer dedans. Ensuite, le fait de flotter ne m'est pas naturel. Mais ne te gêne pas pour moi ! Je m'en vais. C'est un plaisir de vous connaître, Jack. Et toi, Alex, prends soin de toi. Inutile de me raccompagner, je connais le chemin.

Une fois Smithers parti, Jack examina les lunettes.

— Voilà donc le fameux Smithers, dit-elle. Il est incroyable, cet homme.

— Tu parles de ses gadgets ?

— Non, de son volume !

Jack lui rendit les lunettes et se dirigea vers la cuisine.

— Va te baigner pendant que je prépare le dîner. Tu ferais bien de te coucher tôt. Demain, c'est ton premier jour de classe.

11. LE NOUVEAU

Le Cairo College se trouvait à cinq minutes à pied de l'appartement, comme l'avait dit Blakeway. Le lundi matin, Alex se mit en route avec les deux Australiens, Craig et Simon. Jack aurait bien aimé accompagner Alex, mais ce n'était plus un enfant et elle comprenait qu'il préfère y aller avec des garçons de son âge. Avant son départ, elle le prit dans ses bras et lui plaqua un gros baiser sur la joue.

— Ça me rappelle ton premier jour à Brookland, dit-elle d'une voix émue.

Le plus étonnant était qu'Alex éprouvait lui aussi le même trac que lors de son entrée au collège à Londres, deux ans plus tôt. Son nouvel uniforme – pantalon bleu foncé et polo bleu clair – lui paraissait ridicule. Au fond, se dit-il, l'âge importait peu. Ce genre d'appréhension ne vous quitte jamais.

Le Cairo College ressemblait un peu à Brookland. Situé à mi-chemin d'une large avenue bordée d'arbres, c'était un établissement moderne, avec un grand portail devant lequel s'arrêtaient des bus et des voitures d'où se déversaient des enfants de tous âges et de toutes tailles chargés de sacs à dos. Dans le monde entier, les écoles se ressemblent plus ou moins. Une classe est une classe, un terrain de football un terrain de football, et le Cairo College avait beaucoup des deux. Le bruit aussi était le même : brouhaha de cris, sonnerie de rassemblement, martellement de pieds sur le ciment. Existe-t-il un autre lieu que l'école aussi rapidement identifiable par le son qu'il produit ?

Ce qui différenciait le Cairo College, c'était le soleil brûlant, les murs jaune vif, les plantes exotiques et les palmiers, le sable éparpillé dans la cour principale. Les architectes avaient conçu des passages clairs et aérés entre les différents bâtiments, avec des cours munies de bancs et de tables sous des auvents en bois où les élèves pouvaient déjeuner. Les classes du primaire, qui comptaient une centaine d'enfants entre huit et treize ans, étaient regroupées dans un seul bâtiment près d'une piscine de taille olympique. Les trois cents filles et garçons du secondaire se partageaient le reste de l'espace.

Alex franchit le portail principal encadré par Craig et Simon. Là, chaque élève devait présenter un passe, lequel était scanné par un gardien égyptien. Alex dut patienter pendant qu'on lui en confectionnait un. Sur sa photo d'identité, il avait l'air de sortir d'une bagarre. Les deux Australiens le quittèrent devant la porte d'un bureau, où il fut accueilli par la secrétaire de l'école, une dame souriante et maternelle avec un fort accent du Yorkshire. Elle lui fit remplir une multitude de formulaires, lui remit le règlement du collège, et le conduisit dans le bureau voisin. Là, il eut la surprise d'être reçu par le principal en personne.

— Matthew Jordan, se présenta celui-ci en lui serrant la main. Tout le monde m'appelle Monty.

C'était un Néo-Zélandais d'une cinquantaine d'années, hirsute et sympathique, qui aimait visiblement son travail.

— Bienvenue au Caire, Alex. J'espère que tu te plairas parmi nous. Au début, tu seras un peu désorienté, mais nous tâcherons de te faciliter les choses. Nous n'apprécions ni les brutes ni les frimeurs, mais comme tu n'as l'air ni de l'un ni de l'autre, je suis sûr que tu vas très bien t'adapter. Si tu as des problèmes, ma porte est toujours ouverte. Chaque nouvel élève a un chaperon. Le tien t'attend dehors. Elle s'appelle Gabriella. Je suis certain que vous allez bien vous entendre. Bonne chance, Alex. On se reverra…

Gabriella avait seize ans. Fille de l'ambassadeur d'Italie au Caire, elle fréquentait le Cairo College depuis trois ans et brûlait d'envie – ainsi qu'elle le déclara tout de suite à Alex – d'en partir. D'ailleurs, son corps lui-même semblait déjà jaillir hors de son uniforme. Elle avait les ongles peints en rouge et la démarche assurée des gens persuadés que tout leur appartient. Elle conduisit Alex au rassemblement général du matin, puis à son premier cours. Après quoi elle disparut.

Lundi au Cairo College…

La journée débutait par quatre cours d'une heure. Suivait le déjeuner. Le programme ressemblait très exactement à celui des collèges anglais, à cette exception qu'il n'y avait pas d'enseignement religieux. Sans doute parce que, dans un pays musulman, c'était un sujet trop sensible. L'ambiance y était plus décontractée et les classes, d'une quinzaine d'élèves, plus petites. Comme les élèves, les professeurs venaient du monde entier. Et tous, probablement parce qu'ils se sentaient loin de chez eux, éprouvaient le même besoin de sympathiser, de nouer des liens. Alex avait un professeur de maths américain, un professeur d'histoire sud-africain, et un professeur de littérature japonais.

Le déjeuner était servi dans la cour. Il y avait un large choix de salades, de sandwichs, de beignets et de pizzas. Bien entendu, on ne servait pas de porc. Alex ne se posa pas longtemps la question de savoir où il allait s'asseoir. Craig, Simon et Jodie lui firent signe de les rejoindre. Ils semblaient impatients de lui faire rencontrer leurs camarades de classe. À la façon dont ils le présentèrent, on aurait pu croire qu'ils le connaissaient depuis des années et non depuis deux jours.

— Tanner ? C'est un nom écossais, remarqua un rouquin râblé, écossais lui-même bien sûr, un certain Andrew MacDonald.

Le Cairo College comptait de nombreux Écossais, dont les parents travaillaient dans l'industrie pétrolière. C'était la seule communauté qui restait toujours groupée.

— Je ne suis pas écossais, rectifia Alex.

— Dommage pour toi. Qu'est-ce qui t'amène ici ?

À nouveau, Alex dut raconter son histoire. Le faux nom, le faux passé. Tout ce qu'il détestait. Son mensonge l'isolait des autres.

— Où sont tes parents ? demanda quelqu'un.

— Ils sont morts il y a longtemps.

— Oh. C'est dur…

— Je m'y suis habitué.

— Combien de temps comptes-tu rester au Caire ? demanda Andrew.

— Je ne sais pas.

Deux autres cours suivaient le déjeuner : sport et activités parascolaires – ce qui englobait à peu près tout, du théâtre à la piscine, en passant par des randonnées dans le désert. La secrétaire avait incité Alex à s'inscrire dans deux de ces activités au moins, et il avait choisi théâtre et football – bien que l'idée de taper dans un ballon en pleine chaleur lui parût difficilement imaginable. L'après-midi s'acheva par un cours de français, assez superflu puisque la plupart des élèves parlaient couramment deux ou trois langues, dont le français. Le professeur en était Joanna Watson, que Craig et Simon avaient mentionnée dans la piscine de Golden Palm Heights le premier jour. Alex se disait que chaque école avait sa Miss Watson : irritable, ronchon, mal-aimée et fière de l'être.

Alex fit la connaissance d'Erik Günter dès la fin de la première journée.

Il tomba sur lui au moment de partir, alors que le chef de la sécurité sortait de son bureau au rez-de-chaussée. Ils se trouvèrent face à face et se dévisagèrent mutuellement.

— Bonjour, dit Günter. Tu es le nouveau, je suppose. Alex Tanner, c'est ça ?

— Oui, monsieur.

— Je m'appelle Erik Günter. (Alex reconnut l'accent de Glasgow.) Moi aussi je suis nouveau. J'ai commencé il y a un mois.

Günter était plus jeune que ne s'y attendait Alex. À peine trente ans. Son passé militaire se voyait au premier regard. Il était très athlétique, avec des biceps hyperdéveloppés et prédestinés aux tatouages, que l'on devinait sous le costume noir. Ses cheveux sombres étaient rasés et ne laissaient transparaître qu'une ombre. Il avait un front haut, des yeux enfoncés et luisants. Il n'était pas très grand – en fait, de la même taille qu'Alex – mais Alex pressentait qu'en cas de bagarre, Günter serait beaucoup plus rapide, plus fort, et plus vicieux que lui. C'était le genre d'homme à qui il valait mieux ne pas se frotter. D'ailleurs, si Günter était vraiment impliqué dans un complot quelconque, ce serait le MI6 qui s'occuperait de lui.

— Vous êtes professeur ? demanda Alex.

— Non. Je m'occupe de la sécurité. Tu te sens en sécurité, Tanner ?

— Oui, monsieur.

— Parfait. Tiens-toi tranquille et ça continuera. À bientôt.

186

Günter se dirigea vers l'entrée principale. Alex vit qu'il marchait avec difficulté. Il n'était pas lent, mais son corps allait de travers, comme si les différentes parties ne recevaient pas les bons signaux de son cerveau. Rien chez lui ne fonctionnait correctement depuis qu'il avait été blessé en Afghanistan. Difficile de voir un ennemi en Günter. C'était un héros de guerre et, à sa façon bourrue, il s'était montré relativement amical. Alex était gêné d'avoir à l'espionner.

Ainsi s'achevait sa première journée au Cairo College. Il était impatient de rentrer tout raconter à Jack. Cependant, une dernière rencontre l'attendait. Une très étrange rencontre.

Günter avait un peu retardé Alex, et les autres élèves l'avaient distancé. Il était quasiment seul à se diriger vers la sortie. Les derniers bus démarraient. Le soleil déclinait déjà, laissant des traînées roses dans le ciel et une sensation de calme dans l'atmosphère. Alex tendit sa carte au gardien, qui la passa au scanner. C'est à cet instant précis qu'il eut la sensation d'être observé. Plus qu'une sensation, une certitude. Ce fut comme une onde électrique, un frisson qui lui parcourut le corps. Il sentit un regard le scruter.

Lentement, il tourna la tête et, pendant une fraction de seconde, il aperçut quelqu'un, à une fenêtre du rez-de-chaussée, qui le surveillait. La fenêtre était celle du bureau de Günter. Mais cela ne pouvait pas être Günter puisqu'il venait de le voir partir. D'après la silhouette, c'était plutôt un adolescent. Il portait l'uniforme du collège. Alex entrevit des cheveux châtain clair. Le visage était flou. Il tenta de préciser les traits, mais le garçon s'écarta et disparut d'un coup, comme un mirage dans le désert.

En l'espace de cette brève seconde, la chaleur de l'après-midi parut céder la place à un froid soudain, comme cela se produit devant un phénomène inconnu, ou devant une chose déplaisante du passé qui ressurgit. Alex s'arrêta et prit une profonde inspiration pour chasser cette sensation étrange. Il devait se concentrer sur sa tâche et ne pas se laisser submerger par des impressions.

Il regarda de nouveau la fenêtre. Elle était vide.

Il franchit le portail en hâte. Sans se retourner.

Jack l'attendait à l'appartement. Elle avait passé la matinée au célèbre musée du Caire et admiré les trésors de l'enfant-roi Toutankhamon. L'après-midi, elle avait fait des courses. À son retour, elle avait fait la connaissance de plusieurs parents d'élève qui résidaient à Golden Palm Heights. Tous s'étaient montrés très accueillants. L'exil renforçait le besoin de se faire des amis.

Alex lui raconta sa première journée en classe.

— Tu sais, je crois que je vais me plaire ici. Les gens sont sympas, le collège est bien. Et au moins il ne pleut pas...

— Tant mieux, dit Jack. Finalement, tout va peut-être bien se passer.

Pourtant, dans la soirée, après avoir dîné, fait ses premiers devoirs, et regardé un mauvais film sur la télévision satellite, Alex se posa des questions. Il avait pris la plus petite des deux chambres, dont la fenêtre donnait sur l'arrière de la résidence. Il n'y avait pas de rideaux et la nuit était très noire, parsemée d'étoiles. L'air conditionné tournait à plein régime et il sentait l'air frais sur ses épaules. Il avait ouvert son ordinateur portable pour se connecter sur Facebook. La photo de son profil le montrait lors d'une ascension en montagne avec son oncle Ian, assis côte à côte sur une arête, une corde enroulée sur l'épaule. Il ne savait pas pourquoi il avait choisi cette photo-là précisément.

Il avait dix-huit messages, de presque tous ses amis de Brookland. Le premier était de Tom Harris :

```
Salut, Alex. Où es-tu ? Moi je suis à
l'hôpital. Je sais maintenant ce qu'on
ressent quand on se fait tirer dessus.
Merci de m'avoir plaqué au sol. Ça m'a
évité de recevoir une autre balle de
ce timbré. Je suppose que c'est toi
qu'il visait ! J'espère que tu n'es
pas encore dans le pétrin. Réponds-
moi si tu peux. Ici, tout le monde
ne parle que de ça. Ils ont montré
Brookland aux infos. On nous a inter-
dit de répondre aux journalistes. Je
tape ce message d'une main. J'ai droit
à deux semaines de repos, et à une
aide psychologique ! Ah ha ha. Tom.
```

Alex parcourut rapidement les autres messages mais ne répondit à aucun. Comment expliquer son absence ? Pour finir, il ouvrit celui de Sabina :

Bonjour, Alex. On a appris ce qui s'est passé à Brookland. Je n'arrive pas à croire que quelqu'un ait cherché à te tuer. Où es-tu ? Mes parents sont très inquiets pour toi. Ils supposent que c'est en rapport avec tu-sais-qui. Pourtant tu disais que c'était fini. Je me fais vraiment du souci pour toi. Je sais par James que tu as quitté Londres. J'espère que tu es à l'abri. Tiens-moi au courant. Je t'embrasse. Sab.

Alex se sentit encore plus isolé, pris au piège dans une sorte de cyberespace, entre deux mondes. En Égypte, il était Alex Tanner, collégien dans une nouvelle école, en train de se faire de nouveaux amis. Mais rien de tout ceci n'était vrai. Dès que sa mission serait terminée, le MI6 le sortirait d'ici et il s'évanouirait dans la nature, aussi totalement et subitement que si l'on avait pressé le bouton « effacer » sur le clavier d'ordinateur. Et ses anciens amis ? Sa vraie vie à Londres ? Les retrouverait-il un jour, ou le sniper avait-il tout balayé pour de bon ?

Alex s'apprêtait à éteindre le portable et à se coucher lorsqu'il remarqua l'arrivée d'un nouveau message.

Bonjour, Alex.
Julius G vous invite à rejoindre son groupe d'amis sur Facebook.
Pourquoi attendre ?

Pendant une longue minute, Alex regarda fixement l'écran, le court message, et la case verte : « ACCEPTER L'INVITATION ». Il ne connaissait aucun Julius, mais ce genre de chose n'avait rien d'inhabituel. Il avait communiqué avec des foules d'inconnus. Mais pourquoi ce nom le mettait-il si mal à l'aise ? Et pourquoi l'image du garçon entrevu derrière la fenêtre du Cairo College revenait-elle s'imposer à son esprit ?

En ce moment, il avait besoin de tous les amis possibles. Mais pas de celui-ci. Son instinct lui soufflait de le tenir à l'écart.

Il pressa la touche « IGNORER », éteignit l'ordinateur et se mit au lit.

***

Au cours des deux semaines suivantes, Alex s'immergea dans le rythme naturel du Cairo College. Le lundi était le jour le plus calme, le mercredi le plus chargé de devoirs. La cantine était correcte, si l'on évitait les pâtes. Il effectua une sélection entre les profs qu'il aimait bien et ceux qu'il préférait éviter, et il se fit de nombreux amis. Il était toujours « le nouveau », mais dans une école internationale telle que celle-ci, où les gens allaient et venaient, les nouveaux étaient vite intégrés. À la fin de la première quinzaine, il fut convoqué dans le bureau de Monty Jordan pour son premier rapport.

— Tu travailles bien, Alex, dit le principal. D'après tous tes professeurs, tu fais des progrès rapides. Seule Miss Watson trouve que tu devrais te concentrer davantage en cours de français. Et toi, comment te sens-tu avec nous ?

— Bien, monsieur. Merci.

— Tant mieux. Je suis ravi de l'entendre. Au fait, j'ai vu que tu t'es inscrit à mon atelier de politique.

C'était l'une des nombreuses activités parascolaires. Alex savait qu'Andrew, l'Écossais, ainsi que Craig faisaient partie du groupe qui se réunissait une fois par semaine pour débattre des sujets traités dans la presse. Ils participaient également à une sorte de version miniature de l'ONU, où chacun était censé représenter un pays différent. Craig avait raconté à Alex que, lors de la dernière séance, la Belgique avait envahi la Hollande, et la Chine avait déclaré la guerre à tout le monde.

Mais la politique n'intéressait pas particulièrement Alex. Il ne cacha pas sa surprise.

— Je ne comprends pas, monsieur. Je ne me suis pas inscrit.

— Ah non ? dit le principal en fronçant les sourcils. C'est bizarre. Ton nom figure au bas de la liste.

Il sortit une feuille de papier d'un dossier.

— Je n'ai pas rêvé. Ton nom est bien là. Qu'importe. Pourquoi ne viendrais-tu pas ? Il se passe des choses intéressantes dans le monde. Ça pourrait t'amuser d'en parler.

Alex haussa les épaules. Après tout, pourquoi pas. Et mieux valait ne pas contrarier le principal.

— D'accord, monsieur.

— Parfait. Je te verrai dans la semaine...

Ainsi donc il participait à des discussions politiques, jouait au football (dans le gymnase climatisé), et on lui attribua même un petit rôle dans la production théâtrale de *Frères de Sang*. S'il était resté à Brookland, il serait en train de répéter *Grease*. Bizarrement, partout où il se trouvait dans le monde, les gens essayaient de le faire chanter !

Tout se passait bien, pourtant Alex n'arrivait pas à se détendre totalement. Il avait un travail à effectuer, et ce travail lui faisait un peu honte. Il n'était pas ici comme simple collégien, mais comme espion. Et cela le distinguait des autres. Pas une minute ne se passait sans qu'il y pense.

L'émetteur-récepteur dissimulé dans le fond du bidon d'eau que lui avait remis Smithers fonctionnait à merveille. Il transformait n'importe quel téléphone portable en micro caché et, avec ses lunettes, Alex captait les conversations dans la cour de l'école. Mais il apprenait des choses qu'il n'avait pas envie de connaître. Ainsi, Miss Kennedy, qui enseignait la physique-chimie, avait une liaison avec M. Jackson, le professeur d'éducation physique. Miss Watson était très inquiète pour sa mère malade, hospitalisée à Londres. Monty Jordan venait de solliciter un poste de directeur de collège en Nouvelle-Zélande. Ces personnes n'étaient ni des criminels ni des terroristes. Alex détestait les espionner. Il trouvait cela avilissant.

Le système d'écoute avait ses limites. Les gardiens parlaient arabe et il était inutile d'écouter leurs conversations. Quant à Erik Günter, qu'il croisait de temps en temps, il semblait se faire un devoir de ne parler avec personne. Alex avait placé un des interrupteurs-micros à l'extérieur du bureau du chef de la sécurité, et il traînait aussi souvent que possible dans le couloir pour écouter ce qui se passait à l'intérieur du bureau. Günter avait passé quelques coups de téléphone. À une société chargée de la maintenance du système d'alarme, à un médecin pour lui demander des médicaments contre la douleur. Soit Günter était d'une prudence extrême, soit il était innocent. Alex n'avait pas encore tranché.

En même temps, il faisait de son mieux pour évaluer la sécurité au Cairo College. C'était la seconde moitié de la mission que lui avait confiée Blunt. C'était assez bizarre d'essayer de se mettre dans la peau d'un terroriste. S'il devait s'en prendre à l'école, par où commencerait-il ? Quelle serait sa première cible ?

Les faiblesses étaient nombreuses. Bien sûr, il y avait des gardiens, des cartes d'identité, des caméras de surveillance, des barbelés, des alarmes. Mais aucun gardien n'était armé et n'importe quel groupe un peu organisé pouvait s'emparer de l'école en quelques minutes. Et si l'objectif était le kidnapping d'un des élèves figurant sur la liste de Smithers, les ravisseurs n'auraient même pas à s'approcher. Simon Shaw, le fils du roi du pétrole australien, se rendait au collège à pied. Il suffisait d'une voiture pour l'enlever en chemin. Tous les élèves riches du Cairo College tenaient à mener une vie ordinaire. Cela signifiait qu'ils n'avaient ni gardes du corps, ni berline blindée.

La seule piste était Erik Günter, le nouveau chef de la sécurité. On l'avait sans doute recruté pour une raison précise. Comme les écoutes ne donnaient rien, Alex comptait s'introduire dans son bureau dans l'espoir d'y découvrir des indices.

Le vendredi après-midi de la deuxième semaine, il s'arrêta devant la porte du rez-de-chaussée, près de l'entrée principale. Les fenêtres étaient fermées et protégées par des barreaux, mais il avait souvent vu Günter entrer et sortir de son bureau. Il n'utilisait pas de clé. Il collait son pouce contre un scanner électronique et la serrure s'ouvrait avec un déclic. Alex analysa rapidement le système. Derrière le petit panneau de verre se trouvait un capteur de lumière, semblable à celui de tous les appareils photo numériques. Celui-ci prenait une photo du pouce de Günter, laquelle était transformée en une série de points par un convertisseur analogique-numérique. Quelque part dans le mécanisme, se trouvait une seconde photo. Si les deux coïncidaient, la porte s'ouvrait.

Alex avait donc besoin du pouce de Günter. Mais du pouce relié à la main. Le Cairo College avait installé un système sophistiqué qui contenait aussi un détecteur de pulsation et de chaleur. Seul le pouce « vivant » était valable.

Compliqué, mais pas impossible.

Alex sortit le calepin et le stylo que lui avait donnés Smithers. Il dessina rapidement un croquis de la porte et du système d'ouverture. Il inscrivit même le nom du fabricant : SECURITY-SCAN, avec le numéro de série de l'appareil. Dessous, il griffonna un message : « Pouvez-vous me faire entrer ? »

Il ferma le calepin et le rangea. L'image et la question avaient dû apparaître instantanément sur l'écran de l'ordinateur de Smithers. Restait à espérer que celui-ci trouverait la solution pendant le week-end.

Alex reprit son sac à dos et se dirigea vers la sortie.

12. SUR LA PHOTO

Erik Günter était absent le lundi. Il participait à un colloque à Alexandrie et avait confié la sécurité du collège à son adjoint, un Égyptien dénommé Naguib, qui passa la journée entière soit à fumer, soit à somnoler au soleil. C'était rageant de savoir que le bureau de Günter était vide, mais Alex ne pouvait pas s'y introduire sans lui. Il devait attendre son retour, et l'occasion ne se présenta que le mardi en fin d'après-midi.

La journée s'était déroulée normalement mais, sachant qu'il allait bientôt passer à l'action, Alex n'avait pas réussi à se concentrer. À l'heure du déjeuner, il avait aperçu Günter assis avec plusieurs professeurs, buvant un verre de lait. En fait, il n'avait jamais vu le chef de la sécurité avaler un quelconque aliment

solide. Il supporta tant bien que mal les cours de français, d'histoire et de maths. Il nagea, répéta la pièce
de théâtre et, enfin, se retrouva seul, traînant dans un
couloir après le dernier cours. Il était certain d'être le
dernier élève présent dans l'école. Il était trois heures
et demie. Le portail serait verrouillé à quatre heures.
Cela lui laissait juste trente minutes. C'était peu.

L'emploi du temps de Günter lui était maintenant
familier, ainsi que ceux de Naguib et de tous les
vigiles chargés de la sécurité. Günter revenait dans
son bureau à trois heures moins le quart chaque jour.
Il y restait environ vingt minutes, puis retournait au
portail surveiller la sortie des élèves. Bizarrement, il
semblait avoir oublié une des règles de la sécurité :
il se répétait. Or la répétition est une arme donnée à
l'ennemi. La répétition vous rend prévisible. La répétition fait de vous une cible facile.

Alex attendit dans le couloir près du bureau de
Günter. Dès qu'il entendit le déclic de la porte, il
avança et arriva juste au moment où Günter en émergeait. Cela lui permit de jeter un coup d'œil à l'intérieur
avant que la porte se referme. La serrure se verrouilla
automatiquement.

— Tanner ! s'exclama le chef de la sécurité, visiblement surpris. Qu'est-ce que tu fais ici ?

— Je voulais vous voir.

— Pourquoi ?

— J'ai trouvé ça, répondit Alex.

Il sortit un iPhone de sa poche et le lui tendit.
Günter prit l'appareil.

— Et alors ?

— Quelqu'un l'a oublié en classe. J'ai essayé de le faire marcher pour savoir à qui il appartient mais il est bloqué.

Günter fronça les sourcils. Avec son crâne rasé et son regard hostile, il n'avait aucune peine à exprimer sa colère.

— Les objets perdus, ce n'est pas mon affaire. Tu n'as qu'à le déposer à l'entrée principale. Ils mettront une affichette et le propriétaire pourra le réclamer à l'accueil demain.

Günter lui rendit l'iPhone et commença à s'éloigner, de cette étrange démarche qui donnait l'impression que ses muscles et son squelette ne fonctionnaient pas ensemble.

Il fit deux pas, puis se retourna.

— Et pour toi, Tanner, comment ça se passe ?

— Très bien, monsieur.

— Tes copains de Londres ne te manquent pas trop ?

— Si, mais je me suis fait de nouveaux amis.

— Ravi de l'entendre.

Günter s'éloigna clopin-clopant dans le couloir, laissant Alex perplexe. Comment savait-il qu'il venait de Londres ? Évidemment, Günter avait pu lire son dossier. Mais pourquoi avait-il pris la peine d'aller le consulter à l'administration ? Intéressant.

Le couloir était désert. Il était trois heures cinq. Alex avait toujours l'iPhone dans le creux de la main, mais prenait soin de ne pas mettre ses doigts sur l'écran. Bien entendu, il ne l'avait pas trouvé. L'iPhone lui était parvenu pendant le week-end, envoyé par Smithers dans une enveloppe rembourrée avec une notice d'instructions. Alex inclina l'iPhone pour examiner l'écran. Gagné. Günter y avait laissé une empreinte parfaite. Il chercha le petit bouton sur le côté et le pressa. Il y eut un léger bourdonnement et l'appareil se mit à vibrer dans sa main, à mesure que l'image du pouce était inversée, puis reproduite. Après une vingtaine de secondes, une fine pellicule de latex rose sortit d'une fente, à l'endroit où aurait dû normalement se ficher le câble d'alimentation. Alex plaça son pouce dessus et l'enveloppa avec le latex. Si l'appareil avait bien fonctionné, il devait maintenant « porter » l'empreinte du pouce de Günter. Il n'avait pas de crainte à avoir. Jusqu'à présent, Smithers n'avait jamais rien raté.

Alex plaça son pouce recouvert de latex sur l'écran du système d'ouverture de la porte. Le scanner lut l'empreinte, en même temps qu'il enregistrait la température sanguine. La porte s'ouvrit immédiatement. Quelque part, non loin de là, quelqu'un lança un appel. Alex ne bougea pas. C'était un des gardiens. S'il approchait et découvrait la porte ouverte, c'en était fini. Mais les pas montèrent l'escalier et s'éloignèrent. Alex regarda à gauche et à droite. Il savait qu'il n'y avait pas de caméras dans cette section du couloir, mais quelqu'un pouvait surgir d'une minute à l'autre. Et Günter serait de retour dans vingt minutes. Il devait agir vite.

Il entra et ferma la porte derrière lui.

La pièce était telle qu'il l'avait imaginée. Propre, rangée, nue. Il y avait un bureau, deux sièges, un classeur en métal, des étagères, et c'était à peu près tout. Une large fenêtre, protégée par des barreaux à l'extérieur, donnait sur le portail du collège. C'était probablement à cette fenêtre que se tenait le garçon qu'Alex avait entrevu. Par chance, Günter avait baissé les stores avant de sortir. Il pouvait donc se déplacer librement sans crainte d'attirer l'attention.

Il commença par le dessus du bureau. Il ouvrit un agenda et parcourut les quelques notes griffonnées en anglais. Toutes se référaient à des rendez-vous en rapport avec le collège. Il n'y avait aucun numéro de téléphone ni adresse présentant le moindre intérêt. Parmi la dizaine de lettres reçues par Günter et posées en tas, il vit plusieurs demandes de travail, une proposition d'une société de surveillance électronique qui sollicitait un entretien, et une plainte adressée par l'épouse de l'ambassadeur d'Italie qui accusait les gardiens égyptiens postés aux portes de l'école de lancer des sifflements admiratifs au passage de sa fille. Rien de suspect. Mais, évidemment, Günter était un homme prudent. Même s'il verrouillait son bureau, il n'allait pas laisser traîner des preuves.

Alex examina les étagères. Günter appréciait visiblement les romans policiers. Il y avait des romans d'Agatha Christie et Andy McNab. Un guide de l'Égypte figurait à côté d'un épais volume intitulé *Apprenez l'arabe par vous-même*. Ni l'un ni l'autre ne semblait avoir été ouvert. À part ces livres, les étagères étaient vides. Aucun tableau ni gravure n'ornait les murs. La pièce donnait l'impression que son occupant venait d'arriver ou allait en partir. Günter ne comptait peut-être pas rester longtemps au Cairo College.

Alex s'intéressa ensuite au classeur métallique. Celui-ci était fermé à clé et il regrettait de n'avoir pas pensé à demander à Smithers un moyen de forcer la serrure. Il se souvenait de cette pommade contre l'acné dont il s'était servi lors de sa première mission et dont quelques gouttes auraient suffi à percer le métal. Tant pis, il reviendrait une autre fois, puisque maintenant il avait le pouce en latex.

Il revint au bureau pour fouiller les tiroirs. Le premier contenait des stylos, des enveloppes, une torche électrique et une pile de formulaires de rapports journaliers, que Günter était sans doute censé remplir chaque soir. Le deuxième tiroir était une véritable armoire à pharmacie. Il était rempli de toutes sortes de pilules, et d'un flacon contenant un liquide qui sentait la menthe. Günter était un homme malade, un soldat blessé, et cela se voyait. Un bref instant, Alex fut tenté de s'en aller, un peu honteux de fouiner dans sa vie privée. Mais il était trop tard pour avoir des remords. Il avait un travail à faire. Autant en finir le plus vite possible.

On frappa à la porte.

Alex se figea. Une voix, dans le couloir, dit quelque chose en arabe. Peut-être le gardien qu'il avait aperçu un peu plus tôt. Appelait-il Günter ou avait-il découvert qu'on s'était introduit dans le bureau ? Alex ne pouvait rien faire. Si la porte s'ouvrait, il n'avait aucun endroit où se cacher. Dix secondes s'écoulèrent. Il guettait les battements de son propre cœur. Personne n'entra. Le gardien avait dû s'éloigner.

Craignant d'être surpris en flagrant délit, Alex ouvrit le troisième tiroir. Il était vide, à l'exception d'une ou deux brochures sur le Cairo College. Il le ferma. Puis le rouvrit. Était-ce son imagination, ou avait-il entendu quelque chose cliqueter à l'intérieur ? Il écarta les brochures. Rien. À moins que…

Il posa sa main à plat sur le fond du tiroir et poussa. La planche s'inclina. Un faux fond cachait un compartiment secret. Seul le hasard lui avait permis de le découvrir. Günter y avait laissé tomber un stylofeutre fluo, et celui-ci avait roulé d'un bord à l'autre avec le mouvement du tiroir.

Que cachait ce compartiment secret ? Alex y glissa la main et en sortit un revolver, de fabrication russe, avec une étoile gravée sur la crosse. Une arme que Günter gardait pour son travail de chef de la sécurité ? Si c'était le cas, pourquoi le cacher ici ? Le revolver reposait sur une carte géographique. On y voyait le désert, et une oasis du nom de Siwa. Ça n'avait rien d'une destination de vacances, même si le Cairo College organisait parfois des excursions dans le désert. À côté se trouvait un journal : un exemplaire du *Washington Post* vieux d'une semaine. Sur la première page, un long article traitait des sondages en baisse pour le président américain. Dessous, un article plus court évoquait la pollution dans le golfe du Mexique. Le journal contenait peut-être des choses intéressantes, mais Alex n'avait pas le temps de le lire. Il suffirait au MI6 d'acheter la même édition et de l'analyser. Il mémorisa la date et remit le journal en place.

Il n'y avait rien d'autre dans le tiroir, sinon une liasse de photographies. Alex les étala pour les examiner. La plupart montraient un grand édifice surmonté d'un dôme, qui rappelait un peu le théâtre du Royal Albert Hall à Londres. Mais les palmiers qui l'entouraient le situaient plus vraisemblablement au Caire. Les photos avaient été prises de tous les angles possibles. Des voitures stationnaient alentour, et des piétons – pour la plupart jeunes et portant des livres – traversaient les pelouses. Une université ? Quelques jeunes filles étaient en jean, et très peu portaient un foulard ou un voile.

Il y avait aussi la photo d'une pièce. Plus exactement une réserve ou un débarras. On y voyait, épars, des tuiles, de vieux pots de peinture, un balai-serpillière dans un seau appuyé dans un coin. Quel intérêt cette photo pouvait-elle avoir pour Günter ? La suivante était encore plus étrange. Elle représentait un portemanteau pris en gros plan, probablement dans cette même pièce de débarras. Le crochet en forme de cou de cygne était au milieu d'un mur de brique. Le bord métallique avait capté l'éclat du flash, ce qui rendait flou presque tout le reste de l'image. La photo ne risquait pas de gagner le concours de la plus belle vue du Caire.

Il en restait une dernière. Alex la retourna et se figea. C'était une photo de lui, sans doute une quinzaine de jours plus tôt. On le voyait en uniforme de collégien, franchissant le portail à la fin de la journée. Le photographe avait dû se trouver dans le bureau même de Günter. Le cliché était pris de loin mais la définition était assez nette pour qu'il se reconnaisse. Pourtant, quelque chose l'intriguait. Il se pencha pour examiner la photo plus attentivement. Il ne savait pas quoi, mais quelque chose clochait.

Alex sortit son iPhone – un vrai, avec un appareil photo de trois mégapixels –, et il photographia toutes les photos. Ensuite il les rangea avec la carte dans le tiroir secret, dans le même ordre où il les avait trouvées, et posa le revolver dessus. Il se demandait si le MI6 pourrait tirer quelque chose de ces clichés. À eux de se débrouiller maintenant. Il avait fait son travail et réussi à dénicher quelque chose. Avec un peu de chance, ça lui permettrait de rentrer plus vite chez lui.

Pour terminer, il sortit de sa poche un cafard mort, aux pattes recroquevillées. C'était un mouchard. Un micro miniature était caché à l'intérieur de l'insecte. Une facétie de Smithers. Alex le déposa sur le tapis, juste dans l'angle, en espérant que les femmes de ménage ne l'aspireraient pas trop vite. À partir de maintenant, Smithers entendrait tout ce qui se dirait dans le bureau.

Alex s'assura qu'il n'avait rien laissé derrière lui, puis il s'approcha de la porte sur la pointe des pieds et tendit l'oreille. Personne. Il se glissa dans le couloir et s'éloigna rapidement.

Bientôt quatre heures. C'était très tard pour quitter l'école. Si quelqu'un lui posait des questions, il dirait qu'il avait oublié ses devoirs et était retourné les chercher. Il passa devant le bureau de la secrétaire, qui était vide, et sortit dans la chaleur accablante de la cour. Devant le portail, deux gardiens fumaient une cigarette, croyant leur travail terminé.

C'est alors que, de l'autre côté de la cour, Alex aperçut Günter en train de téléphoner. Il tournait légèrement le dos à l'école, comme s'il craignait d'être vu. L'occasion était trop belle. Alex avait déjà mis ses lunettes de soleil. Il recula dans l'ombre, sortit son bidon d'eau et le pointa en direction de Günter. La voix du chef de la sécurité lui parvint aussitôt, aussi claire et nette que s'il s'était trouvé à côté de lui.

— La Maison de l'Or. Bien sûr que je la connais… Cinq heures demain. Je viendrai seul… Vous me prenez pour un imbécile ? Si je suis satisfait, j'autoriserai le dernier versement.

Günter coupa la communication, puis il s'éloigna et disparut derrière l'angle du bâtiment. Alex attendit une minute avant de foncer vers le portail. Tout à coup, les choses se précipitaient. Le chef de la sécurité projetait un rendez-vous secret. Un versement d'argent était prévu. Cela devait avoir un lien avec le complot sur lequel enquêtait le MI6.

Alex franchit le portail et, soudain, il prit conscience qu'il se tenait exactement au même endroit que lorsque la photo avait été prise. Il comprit alors ce qui l'avait intrigué.

Sur la photo, il se trouvait seul. Comme maintenant. Or il ne quittait jamais le collège seul. Simon et Craig l'attendaient pour rentrer avec lui. Ou bien c'était Andrew, ou un autre Écossais. Il y avait toujours des gens autour de lui.

Pourquoi ne voyait-on personne d'autre sur la photo ? Le cliché avait-il été retouché ? Ou bien se trompait-il et y avait-il eu un jour où l'on avait pu le photographier tout seul ?

C'était sans importance. La Maison de l'Or, le lendemain, à cinq heures. Il était bien décidé à s'y rendre. Dans sa hâte de rentrer à l'appartement, il ne regarda pas derrière lui et ne vit pas Günter qui émergeait d'une porte de service et l'observait de loin, un léger sourire aux lèvres. Pas plus qu'il ne l'entendit passer un second coup de téléphone.

— Il a écouté la conversation. Il a mordu à l'hameçon. Il est beaucoup moins futé qu'on le raconte. Il sera là demain. Je sais quoi faire.

13. LA MAISON DE L'OR

Alex trouva facilement l'adresse sur Internet. La Maison de l'Or était une sorte de centre commercial, spécialisé dans la bijouterie. *PIERRES PRÉCIEUSES – OR & ARGENT – TOUS LES BIJOUX DE VOS RÊVES – LES MEILLEURS PRIX DU CAIRE.* L'enseigne était explicite, mais ça n'en était pas moins une destination surprenante pour un homme comme Erik Günter.

— Il cherche peut-être une bague pour sa petite amie. Ou sa femme, s'il en a une, suggéra Jack.

— Il a dit qu'il autoriserait le versement final. C'est plutôt bizarre pour une bague qu'on offre à sa fiancée ou à sa femme.

— Et on n'a pas besoin de prendre rendez-vous avec le joaillier. Günter compte peut-être rencontrer une autre personne.

— Drôle d'endroit pour une rencontre...

Jack et Alex étaient assis dans le salon de leur appartement. Jack avait préparé deux verres de citronnade glacée et un plateau de sandwichs. En général, Alex était affamé quand il rentrait de l'école. Dehors, la piscine était bondée. Une partie de water-polo sauvage s'y déroulait. Craig et Jodie avaient crié à Alex de les rejoindre, mais il avait filé dans sa chambre pour se connecter : « maisondelor.com ». Ensuite, il avait raconté à Jack ce qu'il avait découvert dans le bureau de Günter. Un butin assez maigre après deux semaines.

— Günter ne donnait pas l'impression d'acheter un bijou, dit Alex. Il avait l'air... je ne sais pas... plutôt mystérieux. Comme s'il ne voulait pas être entendu.

— Tu es certain qu'il ne cherchait pas à t'appâter pour que tu le suives ?

Alex secoua la tête.

— Il ne pouvait pas savoir que je l'entendais. J'étais à l'autre bout de la cour.

— Et les photos ? dit Jack en les visionnant sur l'iPhone d'Alex.

— Je ne sais pas à quoi ça correspond. Je vais les transmettre à Smithers. Il les enverra au MI6. Pourquoi photographier un crochet dans un mur ? Et ce bâtiment moderne ? Je ne sais pas ce que c'est ni où il se trouve. Peut-être au Caire.

Jack regarda la dernière photo.

— Il s'intéresse à toi, on dirait.

— Si Günter l'a prise, c'est qu'il sait qui je suis.

— Pas forcément.

— Pourquoi, sinon ? Tu crois qu'il photographie tous les nouveaux élèves ?

Ils se turent un instant.

— Que comptes-tu faire pour Günter ? demanda Jack.

— Le suivre. Mais ne t'inquiète pas. Je m'arrangerai pour ne pas me faire voir. Je sais que la Maison de l'Or a un lien avec ce qui se passe. Cinq heures. J'irai après les cours.

— Tu veux dire que NOUS irons. C'est pour ça que je suis ici, Alex. Je ne te quitte pas de l'œil.

— Merci, Jack, dit Alex en buvant une gorgée de citronnade délicieusement fraîche. Tu sais, je suis très heureux que tu sois venue.

— Vraiment ?

— Je ne sais pas ce que je ferais sans toi. Tu es toujours là pour moi. Et tu es la reine des sandwichs !

Jack sourit.

— Tu devrais aller réviser tes cours. N'oublie pas Miss Watson !

Une heure et demie de grammaire française. Alex était sans doute le seul agent secret qu'on envoyait faire ses devoirs ! Mais il ne protesta pas. Au contraire, il fut presque heureux de se plonger dans le passé simple des verbes *avoir* et *être*. Cela lui permit de chasser le reste de ses pensées.

Le lendemain était un mercredi. Ce jour-là, Alex comprit que son séjour au Cairo College touchait à son terme.

Il déjeunait en compagnie d'Andrew et de quelques autres Écossais lorsqu'un garçon d'une classe supérieure s'approcha de leur table. Les élèves plus âgés se mêlaient rarement aux plus jeunes. Alex sentit que le garçon le dévisageait. Il leva les yeux et le reconnut. Cheveux noirs en épis, yeux bleus, joues marquées par l'acné.

— Alex ? Tu ne te souviens pas de moi ?

Alex se souvenait de lui, mais feignit le contraire.

— Je suis Graham Barnes. J'étais à Brookland jusqu'à l'année dernière. Tu es bien Alex Rider, non ?

C'était la pire des coïncidences. Lors de leur premier trimestre à Brookland, les nouveaux élèves étaient confiés à des plus anciens qui leur servaient de chaperons, un peu comme cela se pratiquait ici. Graham avait été le chaperon d'Alex.

— Oui, c'est moi, admit Alex.

— Rider ? intervint Andrew. Je croyais que tu t'appelais Tanner.

— Ma mère s'est remariée... Peu de temps avant de mourir.

C'est la première réponse qui lui vint à l'esprit.

— Content de te revoir, dit Graham en saluant les autres d'un hochement de tête. À bientôt.

La conversation reprit son cours, mais Alex remarqua les regards appuyés d'Andrew et comprit qu'il n'était pas dupe. Andrew ne savait pas pourquoi Alex avait menti, mais il le savait. C'était comme la graine d'une plante vénéneuse. Très vite, elle se mettrait à pousser.

La journée lui parut interminable. Enfin la cloche sonna trois heures trente. Le défilé habituel des bus commença, chacun manœuvrant maladroitement devant le parvis du collège. La plupart des élèves s'en allaient à pied. Alex se trouvait parmi eux. Il remarqua qu'Andrew l'évitait. Peut-être avait-il parlé avec Craig et Simon, car eux aussi se tenaient à l'écart.

Il fut heureux de retrouver Jack, qui l'attendait plus loin dans un taxi noir et blanc.

— Tu es toujours décidé ? demanda-t-elle.

Alex acquiesça. Il l'était plus que jamais.

— En route, dit-il.

Jack se pencha pour donner ses instructions au chauffeur. Elle avait imprimé la page d'accueil de la Maison de l'Or, où l'adresse figurait en arabe et en anglais. Elle s'assura aussi que le chauffeur avait mis son compteur en marche. C'était une ruse fréquente dans les taxis du Caire : ils « oubliaient » de brancher leur compteur afin de compter double le prix de la course.

La circulation était aussi infernale que d'habitude, l'atmosphère saturée de vapeurs de pots d'échappement et de klaxons rageurs. Quand le taxi les déposa devant un hôtel de luxe, près du fleuve, ils furent heureux de redevenir piétons. Jack avait apporté des vêtements de rechange à Alex. Il les avait enfilés en se tortillant sur le siège arrière du taxi. Il portait maintenant un T-shirt kaki, un short long et des sandales. Il serait moins voyant ainsi qu'avec son uniforme bleu du collège, que Jack avait soigneusement rangé dans un sac.

Une surprise les attendait. La Maison de l'Or n'était pas une maison, mais un vieux bateau à roue peint en blanc, amarré en permanence sur les eaux brunes et sales du Nil. On l'aurait dit sorti d'un autre âge. Il avait trois ponts, deux énormes roues à l'arrière et une seule cheminée située vers l'avant. À une certaine époque, il avait été transformé en une sorte de marché flottant de bijouteries, installées dans les anciennes cabines et les suites de luxe. Une passerelle le reliait au quai. Le nom brillait en lettres d'or au-dessus de l'entrée du pont principal.

— Et maintenant ? demanda Jack.

— On attend.

Ils trouvèrent un petit jardin public et s'assirent à l'ombre des arbres, sur un banc en bois, à l'abri des regards. De là, ils pouvaient surveiller les gens qui montaient à bord ou descendaient du bateau. Alex jeta un coup d'œil à sa montre. Cinq heures moins cinq.

— Je préférerais venir avec toi, dit Jack.

— Non. Mieux vaut que tu restes ici. En cas d'urgence, tu pourras appeler des secours.

En cas d'urgence. Trois petits mots. Mais qui pouvaient faire voler sa vie en éclats.

Un taxi s'arrêta le long du quai. Erik Günter en descendit. Il portait le même costume noir qu'à l'école, avec un petit sac à dos sur l'épaule. Il régla la course du taxi, puis s'engagea sur la passerelle du bateau. Sans hésiter, Alex se leva pour le suivre. Son attention était tellement concentrée sur le chef de la sécurité qu'il ne remarqua pas la Chevrolet grise garée dans la rue. Il ne vit pas non plus les deux hommes assis à l'intérieur, qui, comme lui, surveillaient la Maison de l'Or. Mais eux le virent.

— Vite, dit l'un. Prends le garçon en photo.

L'homme parlait avec un accent américain.

— Pourquoi ? demanda l'autre. Qui est ce…

— Fais ce que je te dis.

Le deuxième homme brandit un Nikon D3 et prit une photo d'Alex au moment où celui-ci posait le pied sur la passerelle.

— Pourquoi tu t'intéresses à ce gamin ?

— Je sais qui il est. Et tu ferais bien de te tenir prêt. On ne va pas tarder à avoir des ennuis.

Erik Günter pénétra dans la Maison de l'Or et se fraya un passage au milieu de la cohue des touristes et des Égyptiens qui encombraient les couloirs étroits. Des échoppes et des magasins s'alignaient de part et d'autre. Les bijoutiers se tenaient sur le seuil, certains coiffés du fez égyptien, tels des magiciens prêts à faire des tours de cartes. Il y avait des bijoux partout : les mêmes colliers et les mêmes broches que ceux proposés dans tous les souks du Caire. Des petites pyramides suspendues à des chaînes, des hiéroglyphes égyptiens, des chats porte-bonheur, des scarabées, des portraits de la reine Néfertiti et de Toutankhamon… Des milliers et des milliers d'articles, certains hors de prix, la plupart de pacotille.

Günter s'arrêta devant une échoppe. Aussitôt le marchand, un petit homme corpulent, bondit vers lui. « Que cherchez-vous, monsieur ? J'ai des pièces superbes et je fais les meilleurs prix. » Günter l'ignora. Avisant un petit miroir derrière le comptoir, il tendit la main pour l'orienter, comme s'il se regardait. En fait, il regardait par-dessus son épaule. Et il vit ce qu'il cherchait. Alex Rider était là, dans le renfoncement d'une boutique d'antiquités, à une quinzaine de mètres. Günter réprima un sourire. Ce qu'il pensait se vérifiait. Ce petit génie de quinze ans de l'Intelligence Service n'était pas si intelligent que ça.

Le piège était tendu. Tout était en place. Il suffisait de conclure.

Günter continua d'avancer dans l'allée, jusqu'à une porte où une petite pancarte annonçait « Fermé ». Le seul endroit du bateau momentanément non ouvert au commerce. Günter actionna une sonnette et attendit. Après un bourdonnement, la porte s'ouvrit. Il marqua un temps d'arrêt, puis il entra.

La boutique vendait des armes anciennes. Il y en avait des centaines, exposées sur des étagères, dans des vitrines, accrochées aux murs. Günter balaya du regard des épées et des sabres, des pistolets à silex, de vieux fusils de l'armée et des mousquets, des dagues à la crosse incrustée de pierres précieuses. « Un mélange intéressant », songea-t-il. Mort et beauté réunies dans un même objet. Toutes ces armes avaient autrefois servi à des soldats ou à des tribus nomades. Les lames avaient tranché de la chair et des os. Les pistolets avaient abattu des hommes, des femmes, des enfants. Et maintenant, ces petits bijoux étaient vendus comme objets d'art pour orner les maisons des collectionneurs. Günter aurait été incapable de vivre avec ces armes pour décor. Il connaissait trop bien la souffrance qu'elles pouvaient engendrer.

Un vieil Égyptien apparut derrière le comptoir. Lunettes rondes, visage mince, col cassé et cravate. Il n'était pas rasé. Des poils gris avaient envahi la moitié de son visage, comme si son menton et ses joues étaient malades. Des lèvres pincées et de vilaines dents. Des doigts longs et précis, comme ceux d'un pianiste. Cet homme avait passé sa vie à travailler de ses mains.

— M. Habib ? demanda Günter.

— C'est bien mon nom, répondit le vieil homme dans un anglais parfait.

— Je suis Erik Günter. Je crois que vous m'attendiez.

Le vieil homme ne fit pas un geste. Günter plongea une main dans sa poche et en tira un petit objet en métal qu'il posa sur le comptoir. Un scorpion en argent.

Le vieil homme hocha lentement la tête.

— En effet, je vous attendais.

— Vous l'avez ?

— Bien sûr.

Le vieil Habib se baissa derrière le comptoir et en sortit une arme. Mais celle-ci n'avait rien d'une antiquité. C'était un fusil à lunette L96A1 destiné aux combats en zone arctique, luisant et redoutable. Une merveille de précision et d'équilibre. Il le déposa sur le comptoir pour que Günter puisse l'examiner.

— J'ai fait tous les réglages, dit-il. Notamment sur la détente et la visée.

— Les munitions ?

— Cinquante balles de 8,59 mm. Le fusil possède un chargeur amovible de dix coups.

— On peut retrouver sa trace ?

Habib prit un air peiné.

— Je ne vous pose pas de questions stupides, M. Günter. Je ne vous demande pas pourquoi vous avez besoin d'un fusil de précision aussi sophistiqué que celui-ci. Alors je vous suggère de ne pas m'en poser non plus.

— Excusez-moi, M. Habib.

Günter passa un bras derrière son dos, tira de sa ceinture un pistolet, et abattit le vieil Égyptien d'une balle en plein front. Cela ne fit pratiquement aucun bruit. L'automatique avait un silencieux. L'Égyptien avait le regard fixe, hébété. Il s'affaissa en avant sur le comptoir. Günter écarta le fusil pour éviter qu'il ne soit taché par la flaque de sang qui s'étalait rapidement.

Avec des mouvements vifs, il passa derrière le comptoir et trouva ce qu'il cherchait : un sac de golf assez grand pour contenir le fusil. Il sortit ensuite un chiffon de son sac à dos pour essuyer le canon. C'était le seul endroit qu'il avait touché et il ne voulait pas y laisser ses empreintes. Il se servit aussi du chiffon pour glisser le L96A1 dans le sac de golf et remonta la fermeture à glissière. Enfin, il sortit de son sac à dos un objet lourd, muni de plusieurs fils et d'un interrupteur. Il actionna l'interrupteur, ferma le sac à dos et le fourra derrière le comptoir. Il jeta un dernier coup d'œil autour de lui et sortit.

Dans sa hâte, il ne ferma pas la porte.

Alex le vit passer. Il remarqua que Günter avait troqué son sac à dos contre un sac de golf. Pendant un bref instant, ils se trouvèrent tout près l'un de l'autre. Alex était à l'intérieur d'une des boutiques et feignait de s'intéresser à un coffret en nacre. Il attendit que Günter eût disparu, puis il sortit dans l'allée. La chose évidente à faire était de le suivre. Le chef de la sécurité semblait l'y inviter. Mais Alex remarqua que la porte du marchand d'armes anciennes était restée entrouverte.

Il sortit son iPhone et envoya un texto à Jack. « Günter s'en va. Suis-le. On se retrouve plus tard. » De son côté, il allait chercher à savoir qui Günter avait rencontré et, peut-être, ce qu'on lui avait donné.

Alex se fraya un passage dans la foule. Malgré l'air conditionné, il régnait une chaleur poisseuse. Il ignora deux marchands qui agitaient devant lui des colliers en or et arriva devant la porte entrouverte par laquelle était sorti Günter. Il la poussa doucement. Son regard balaya la collection d'armes exposées. La boutique ressemblait à un arsenal du Moyen Âge. Puis il vit le corps d'un homme affaissé sur le comptoir, les bras écartés. On aurait pu croire qu'il somnolait, mais Alex comprit tout de suite qu'il était mort. Le rouge sous sa tête n'était pas un coussin mais du sang. L'odeur imprégnait l'air vicié.

Il ressortit sans attendre. Il savait qu'il était enfin arrivé au cœur du complot. Günter venait de tuer cet homme, et il était facile de deviner ce que contenait le sac de golf. Pourtant ça n'avait aucun sens. Günter agissait-il seul ou pour une organisation ? Quel était le lien avec le Cairo College ? Sa découverte ne le menait nulle part. Il était toujours dans le flou le plus total.

Ce qu'il venait de voir lui donnait envie de vomir. Il avait besoin d'air frais. Il regrettait le SMS qu'il avait envoyé à Jack. Günter était un tueur. Si Jack s'approchait trop près, elle courait un danger. Il la rappellerait une fois dehors. Pour l'instant, il affrontait la cohue pour gagner la sortie. La profusion de bijoux d'or et d'argent l'oppressait, l'agressait.

Soudain, tout explosa. Alex se sentit soulevé du sol. Le grand bateau à roue s'inclina brutalement sur un flanc. Les gens se mirent à hurler. Les bijoux, les objets décoratifs, les plateaux de cuivre pleuvaient. Puis une fumée noire s'engouffra dans l'allée et effaça tout. Alex respirait avec peine. Les lumières s'étaient éteintes.

Quelqu'un tomba sur lui. Il le repoussa et se dégagea en marchant à quatre pattes. Le bateau tangua de l'autre côté. C'était comme un monstrueux manège. La foule continuait de hurler. Puis il se produisit une sorte d'immense bouillonnement, et Alex sentit l'eau, tiède et nauséabonde, jaillir sous ses mains et ses genoux. La bombe placée par Erik Günter, ou un complice, avait perforé la coque du bateau qui commençait à sombrer. S'il ne sortait pas tout de suite, c'était la noyade assurée.

Tout le monde eut la même pensée. Les bijoutiers fourraient dans leurs poches tout ce qu'ils pouvaient sauver. Ils oubliaient que, une fois dans l'eau, le poids les ferait couler. Le plancher s'inclina à nouveau, en arrière cette fois, et Alex eut l'impression de gravir une colline. C'était le chaos. Il se retrouva à côté d'une petite fille de six ans à peine qui sanglotait. Elle était toute seule. Il passa un bras autour d'elle et la serra contre lui. Derrière eux, retentit un fracas de verre. Un comptoir vitré s'était détaché et avait percuté un mur. Des pièces en or et des médailles giclèrent comme un feu d'artifice.

La petite fille lui fut arrachée. Son père l'avait retrouvée et l'emporta sans un mot. Alex aperçut la sortie, en face : un rectangle de lumière fortement incliné. Il se hissa vers lui. Une minute plus tard, il était sur le pont, aspirant l'air à grandes goulées, l'odeur de fumée encore dans les narines et la bouche. La passerelle était tombée. Le bateau s'était encastré dans le quai. Les gros cordages qui l'amarraient l'empêchaient de couler, mais leur tension montrait qu'ils allaient bientôt céder. Les gens sautaient par-dessus bord, préférant la rivière à une chute brutale sur le ciment. Alex les imita. Inutile de risquer de se casser une jambe.

Il se laissa glisser le long de la coque et sauta dans l'eau infecte du Nil, sans oser penser aux microbes auxquels il s'exposait. Il remonta à la surface et nagea vers le quai au milieu des débris qui flottaient. De jeunes garçons à demi nus se jetaient à l'eau. Non pas pour porter secours aux victimes, mais pour récupérer les objets de valeur.

Jack, bien étendu, était partie. Comment allait-il pouvoir la contacter ? Son iPhone n'aurait pas survécu au plongeon dans le Nil. Il atteignit le quai et se hissa sur le bord. Un rapide coup d'œil le rassura. Il n'était pas blessé. Mais il était affreusement sale, trempé, et moulu par l'explosion. Il avait sur les lèvres le goût du Nil. Si la bombe l'avait épargné, le fleuve lui serait peut-être fatal.

Il traversa le quai et gagna le jardin public où Jack et lui avaient attendu. Il était sûr que, dès qu'elle apprendrait la nouvelle de l'explosion, elle reviendrait ici. Il s'assit lourdement sur le banc, épuisé. Le quai grouillait de gens dégoulinants d'eau et affolés. Des policiers en uniforme blanc avaient pris les choses en main, criaient des ordres, s'époumonaient dans leurs sifflets. La police s'affairait déjà dans toute la ville. Le

221

pays était en état d'alerte permanent à cause du terrorisme. L'armée et la police étaient entraînées pour des événements tels que celui-ci. Alex, lui, était déconcerté. C'était la dernière chose à laquelle il s'était attendu.

Soudain, il vit un homme s'approcher et s'arrêter devant le banc. Il leva les yeux.

— Suis-moi, ordonna l'homme.

— Mais…

L'inconnu écarta sa veste pour lui montrer le revolver qu'il portait dans un étui.

— Tu as bien entendu. Suis-moi.

Un deuxième homme s'était approché. Il força Alex à se lever. Tous les deux avaient une trentaine d'années. Ils étaient rasés de près et portaient des lunettes noires.

— Nous avons une voiture. Tu vas nous accompagner. Si tu tentes quoi que ce soit, on n'hésitera pas à tirer.

Alex les crut sur parole. Ils avaient un air sérieux et déterminé. Le premier homme se plaça devant lui, le second derrière. Ainsi encadré, il marcha jusqu'à leur voiture, une Chevrolet grise garée juste devant. Pendant un bref instant, Alex envisagea de s'échapper avant qu'il ne soit trop tard. Mais le deuxième homme avait prévu cette éventualité. Il lui saisit le bras et le lui tordit derrière le dos.

— N'y pense même pas, gronda-t-il.

Alex fut poussé dans la voiture, le nez sur le siège arrière. La portière claqua derrière lui. Les deux hommes prirent place à l'avant.

Devant, la rue était bloquée. La Chevrolet fit demi-tour et s'éloigna rapidement.

14. LA SALLE CLOCHE

Ils roulèrent pendant vingt minutes en direction d'un des nombreux faubourgs qui se distinguent à peine de la ville elle-même. Au Caire, on ne sait jamais où finit une banlieue et où commence la suivante. S'il existe au monde une ville tentaculaire, c'est bien celle-là.

Alex renonça assez vite à essayer de repérer l'itinéraire. Allongé sur la banquette arrière, la tête tournée vers le sol comme les deux hommes le lui avaient ordonné, il se faisait l'impression d'un rat dans une cage. Du moins pendant la première partie du trajet. Peu à peu, à mesure qu'ils s'éloignaient de la Maison de l'Or, il sentit que les deux hommes commençaient à se relaxer. Il osa tourner légèrement la tête pour essayer d'apercevoir un coin du paysage par la fenêtre. Pas de ciel, mais des édifices dont certains servaient de repères : la vilaine tour du Caire, l'Université américaine, le minaret d'une des plus grandes mosquées. Alex les enregistra mentalement en pensant que cela pourrait lui servir plus tard.

Entre la chaleur et l'air conditionné de la voiture, ses vêtements commençaient à sécher un peu. Enfin le conducteur mit son clignotant et la voiture ralentit. Ils arrivaient à destination et Alex se redressa, décidé à voir où ils étaient.

Le passager le força aussitôt à se baisser mais, l'espace d'une brève seconde, il put entrevoir un immeuble de bureaux vétuste, probablement abandonné, avec une enseigne qui indiquait : CAIRO ISLAMIC AUTHORITY. La voiture quitta la rue pour descendre une rampe qui s'enfonçait sous l'immeuble.

Cairo Islamic Authority ? Les autorités islamiques du Caire. Alex se demanda dans quoi il s'était fourré. Pourquoi un groupe religieux s'intéressait-il à lui ?

La voiture s'arrêta. Un troisième homme les attendait. Il ouvrit la portière arrière et fit sortir Alex. Ils se trouvaient dans un parking souterrain glauque, éclairé par des tubes de néon qui jetaient une lumière crue sur les parois et le sol en ciment. L'un des tubes fonctionnait mal et clignotait avec un grésillement, renforçant l'ambiance cauchemardesque. Une douzaine de véhicules stationnaient dans le parking, mais il n'y avait personne. Alex était seul avec les trois hommes. Leur hostilité rendait l'atmosphère électrique.

Pendant un moment, personne ne dit mot. Alex les examina. Ils se ressemblaient : même âge, même costume sombre, même cravate claire. Ils faisaient penser à ces gens qui arpentent les villes et sonnent aux portes pour essayer de vous convertir à leur religion. Celui qui avait abordé Alex, et qui semblait le chef, avait la carrure d'un joueur de football américain, avec des épaules immenses et un cou épais, un petit nez retroussé, des cheveux blonds coupés comme une brosse à ongles, et des yeux bleus délavés. Son acolyte, tout aussi athlétique, avait une allure d'ancien soldat, des cheveux noirs et le teint cuivré. Sans doute un Indien d'Amérique. Le troisième homme était noir, petit, et moins massif que les autres. Il avait l'air furieux et regardait Alex d'un air incrédule.

— C'est lui ?

— Ouais, répondit le colosse blond.

— Et Habib ?

— Probablement mort. Le bateau a explosé.

— Quoi ?

— Tu as bien entendu, Franklin. En ce moment, le bateau est au fond du Nil. Et ce gosse était là-bas…

— Je n'ai rien à voir là-dedans ! protesta Alex.

— Tais-toi ! aboya le blond.

— Qu'est-ce qu'on va faire de lui, Lewinsky ? demanda le dénommé Franklin.

— Le conduire à la salle cloche.

— Non ! s'écria le chauffeur, visiblement mécontent. On ne peut pas faire ça !

— Pas le temps de discuter, grommela Lewinsky. Et sûrement pas devant lui. Il nous faut des réponses, et tout de suite. Alors finissons-en vite. On descend.

Descendre ? Ils étaient déjà au sous-sol. Alex n'aimait pas la tournure que prenaient les choses.

— Vous faites une erreur, commença-t-il.

— Épargne ta salive, coupa Lewinsky. Tu vas en avoir besoin.

Alex sentit une main dans son dos et fut propulsé vers un ascenseur. Franklin pressa le bouton et la porte s'ouvrit aussitôt. La cabine était une boîte en fer. Alex eut l'impression d'entrer dans un réfrigérateur. Ils s'y entassèrent tous les quatre et la cabine entama sa descente. Alex s'efforça de réprimer la panique qui le gagnait. Trop d'événements s'étaient succédé en seulement une heure. La découverte d'un cadavre, l'explosion, son kidnapping en plein jour. Il n'avait pas la moindre idée de ce que ces types lui voulaient. Ni où ils l'emmenaient.

Mais, surtout, il s'inquiétait pour Jack. Il lui avait demandé de filer Erik Günter et n'avait pas eu le temps de la prévenir de ce qui s'était passé sur le bateau. Il fallait absolument qu'elle sache le danger auquel elle s'exposait. Et si elle avait appris la nouvelle de l'explosion, ce qui était probable, elle devait être morte d'angoisse. Il devait au moins lui dire qu'il était vivant.

— Je veux parler à Jack, dit-il.

— Qui est Jack ?

— Une amie. La femme qui s'occupe de moi.

— Tu veux dire ta nounou ?

Alex ignora l'ironie.

— J'ai son numéro de portable. Je veux juste lui dire que je vais bien.

— Qu'est-ce qui te fait croire que tu vas bien ? grogna Lewinsky avec un sourire mauvais.

La descente dura plusieurs minutes. Ils s'enfonçaient sous terre. Alex se sentait de plus en plus oppressé. La porte de l'ascenseur s'ouvrit sur un petit couloir aveugle menant à une unique porte en bois. Alex pressentait qu'il n'allait pas aimer ce qui l'attendait derrière. Franklin et le troisième homme avaient déjà quitté l'ascenseur. Lewinsky posa une main lourde sur son épaule et le poussa en avant.

Alex avança avec appréhension. Son ombre s'allongeait devant lui dans le couloir. Franklin ouvrit la porte. Celle-ci donnait dans une pièce assez grande et très haute, qui avait une curieuse forme de cloche. Les murs arrondis en brique nue rétrécissaient en s'élevant sur une hauteur équivalente à deux étages. Ça n'avait rien d'accueillant. Il n'y avait aucune ouverture et l'éclairage se résumait à une simple ampoule suspendue à un fil. La porte était insonorisée, le sol recouvert d'un épais tapis de caoutchouc. Au milieu, il y avait une chaise en bois et, plus loin, une table étroite dont le plateau était incliné et muni de trois sangles en cuir. Alex comprit que la table lui était destinée. Une sangle pour les chevilles, une pour le torse, la troisième pour les épaules. Il y avait aussi un seau et un robinet. La pièce avait été conçue dans un but bien précis.

— Assieds-toi, ordonna Lewinsky en désignant la chaise.

— Je suis bien debout.

— Arrête de faire le malin et obéis. Je peux rendre la situation beaucoup, beaucoup plus désagréable pour toi.

— Pourquoi ne me dites-vous pas qui vous êtes ?

Franklin et le troisième homme échangèrent un regard mais Lewinsky ne cilla pas.

— C'est à toi de répondre aux questions.

Alex s'assit sur la chaise. Ses vêtements mouillés lui collaient à la peau. Lewinsky s'accroupit devant lui pour lui ôter ses sandales. Pendant ce temps, Franklin ferma la porte. Lewinsky se redressa.

— Commençons par le commencement, dit Lewinsky. Que faisais-tu à la Maison de l'Or ?

— À votre avis ? Je suis au Cairo College. Appelez-les si vous ne me croyez pas. J'étais à la Maison de l'Or pour acheter un cadeau pour un professeur.

— Très bien. Allons droit au but. Je sais exactement qui tu es. Tu n'es pas un collégien. Ou du moins pas seulement. Tu es un espion des services secrets britanniques. Ton nom est Alex Rider. Alors je te repose la question. Que faisais-tu à la Maison de l'Or ? Pourquoi étais-tu sur ce bateau ?

Alex fut désarçonné. Ces gens savaient qui il était. Mais comment ? Qui était CAIRO ISLAMIC AUTHORITY ?

— Écoutez… j'ignore qui vous êtes et ce que vous voulez. Je n'ai rien à vous dire.

Mais, au fond, à quoi bon se taire ? De toute façon, ils lui arracheraient l'information par la force. Pourquoi souffrir en silence ? Pour protéger le MI6, qui l'avait expédié ici sans lui laisser le choix ?

— Je filais quelqu'un, admit-il enfin. Un certain Erik Günter. C'est le chef de la sécurité du collège.

— Pourquoi le suivais-tu ?

— Pour voir où il allait !

Il regretta aussitôt son insolence en voyant le visage de Lewinsky s'assombrir, et s'empressa d'ajouter :

— On a appris que le collège était menacé. Je pensais que Günter était dans le coup. J'ai surpris une conversation téléphonique et je l'ai suivi à la Maison de l'Or.

— Et ensuite ?

— Il est entré dans une boutique d'armes anciennes. Après son départ, j'ai voulu jeter un coup d'œil et j'ai découvert un homme mort. Je pense que Günter l'a assassiné.

— Décris-moi l'homme qui a été tué.

— Un vieil homme. Pour être franc, je ne l'ai pas regardé de près. Il y avait beaucoup de sang.

— Habib, murmura Franklin. Habib est mort ?

— J'ai quitté la boutique en vitesse, poursuivit Alex. Dix secondes plus tard, tout a explosé. C'est tout ce que je sais. Si vous voulez en apprendre plus, c'est Günter qu'il faut interroger. Je peux même vous donner son adresse. Ça vous éviterait de perdre votre temps avec moi.

Lewinsky réfléchit un moment. Alex le voyait reconstituer le fil des événements. Il parut aboutir à une conclusion, et Alex devina que c'était la mauvaise.

— Tu travailles pour le MI6, reprit Lewinsky.

— Oui.

— Pourquoi es-tu au Caire ?

— Je vous l'ai déjà dit.

— Je ne te crois pas.

Soudain, Alex en eut assez.

— Allez vous faire voir ! lança-t-il d'un ton excédé. Pourquoi me poser des questions si vous ne me croyez pas ?

— Arrange-toi pour qu'on te croie.

— Comment ?

Lewinsky avait dû donner un signal car ses deux comparses empoignèrent Alex et le mirent debout. Il ne pouvait rien faire. Ils étaient beaucoup plus forts que lui. Ils le hissèrent sur la table et le forcèrent à s'allonger sur le dos. Puis, tandis que Franklin le maintenait, le troisième homme lui attacha les chevilles, les épaules et le torse avec les sangles. Quand ils s'écartèrent, Alex ne pouvait plus bouger. Il gisait sur la table inclinée, ses pieds nus plus hauts que sa tête. Pendant ce temps, Lewinsky avait rempli le seau d'eau au robinet. Ce fut la dernière vision d'Alex. Une seconde plus tard, on lui recouvrit la tête d'une cagoule noire. Il ne voyait plus rien et respirait à peine.

La panique le saisit quand il comprit ce qu'ils allaient faire. Le supplice de l'eau, employé par l'armée américaine à Guantánamo, disait-on. Une méthode de torture très appréciée car elle était terriblement efficace et ne laissait pas de marques sur le corps. Alex avait lu dans un journal qu'un adulte ne résistait pas plus de quatorze secondes avant d'avouer tout ce que voulaient savoir ses bourreaux.

Ils allaient le noyer.

— Je veux savoir pourquoi tu es ici et ce qui s'est réellement passé sur le bateau, dit la voix étouffée de Lewinsky.

— Je vous l'ai dit !

— Non. Mais ça ne va pas tarder...

Alex sentit le poids d'une serviette sur son visage. Il secoua désespérément la tête pour s'en débarrasser mais deux mains l'immobilisèrent. Il serra les poings. Tous les muscles de ses jambes et de son abdomen se relâchèrent sous l'effet de la terreur incontrôlable qui le submergea. Les premières gouttes d'eau tombèrent sur la serviette. Il sentit l'humidité se répandre et, aussitôt après, les premiers symptômes de la suffocation. Il ne pouvait pas respirer. Pire, il avait l'impression que ses poumons se déchiraient, que son corps tout entier essayait de se résorber. Il devenait fou.

— Qu'est-ce qui vous prend ? Vous avez perdu la tête !

La voix d'un quatrième homme parvint à Alex de très loin. Il voulut crier. Aucun son ne franchit ses lèvres. Il crut qu'il allait mourir.

— Enlevez-lui ça tout de suite !

Une main ôta la serviette, puis la cagoule. L'air et la lumière l'assaillirent d'un coup. Alex hoqueta, la bouche grande ouverte. Il savait qu'il n'aurait pas survécu une seconde de plus.

Un homme se pencha sur lui. Alex le reconnut et comprit qui étaient ces gens. Il en aurait presque ri s'il n'avait pas été en état de choc. L'enseigne sur l'immeuble aurait dû l'alerter. À Miami, ils s'appelaient Centurion International Advertising. À New York, Creative Ideas Animation. Ici, Cairo Islamic Authority. Toujours les mêmes initiales. CIA. L'homme s'appelait Joe Byrne. Noir, âgé d'une soixantaine d'années, des cheveux blancs, il avait le visage grave et compatissant d'un médecin de famille sur le point de vous annoncer une mauvaise nouvelle. Alex l'avait rencontré deux fois par le passé et, en dépit de tout, il savait que c'était un homme honnête. Et un allié.

— Alex, je ne sais vraiment pas quoi dire…, soupira Byrne tandis que ses hommes le détachaient. Je viens juste d'apprendre ce qui se passait…

— Monsieur…, bredouilla Lewinsky.

— Réservez vos arguments pour la cour martiale, Lewinsky, coupa sèchement Byrne. Bon sang ! Vous avez perdu la raison ! C'est un enfant !

— Un espion britannique ! se défendit Lewinsky.

— Il est de notre côté, imbécile. Il nous a aidés à deux reprises. Sans Alex Rider, la ville de Washington n'existerait plus. Sortez d'ici, tous les trois ! Je ne veux plus vous voir. Nous en reparlerons plus tard.

Byrne se tourna vers Alex.

— Tu te sens en état de marcher, ou veux-tu un peu de temps pour te reposer ?

— Non, ça ira, répondit Alex en descendant de la table.

Il remit ses sandales.

— Allons boire un café dans mon bureau, dit Byrne.

Ils sortirent de la salle cloche et regagnèrent l'ascenseur. Cette fois, ils remontèrent au rez-de-chaussée. Aussi silencieux l'un que l'autre. Byrne lui laissait sans doute le temps de se remettre. Ou alors il ruminait sa colère. La porte de l'ascenseur s'ouvrit sur un espace beaucoup plus accueillant, avec un guichet de réception, des plantes vertes, des miroirs et des lustres.

— Nous louons cet immeuble au gouvernement égyptien, expliqua Byrne. La moitié est délabrée, mais le reste convient parfaitement à nos besoins. Par ici...

Le bureau de Byrne se trouvait au même niveau. Des vitres teintées empêchaient de voir à l'extérieur. La pièce ressemblait beaucoup au bureau de Byrne à Miami. Même mobilier passe-partout, même moquette épaisse, même photo du président américain au mur. La CIA possédait des bureaux dans le monde entier, tous probablement identiques. Byrne invita Alex à s'asseoir, puis il décrocha le téléphone pour demander deux cafés et s'assit à son tour.

— Pour commencer, Alex, je te présente mes excuses. Lewinsky n'est pas un mauvais agent, mais... la nouvelle génération n'a pas le sens de la mesure. Depuis le 11 Septembre, au seul mot de terrorisme, tout le monde se conduit comme les nazis. Cette fois, il est vraiment allé trop loin. Je te promets que je vais le renvoyer au siège, à Langley, et qu'il finira à la cantine !

— Oubliez ça, monsieur. Je suis indemne.

— Tu ne le serais pas si je n'étais pas arrivé à temps. Néanmoins, j'ai quand même quelques questions à te poser.

— Je n'ai pas grand-chose à vous apprendre. Mais d'abord, il faut que j'appelle Jack Starbright, si ça ne vous dérange pas.

— Je t'en prie.

Byrne poussa le téléphone vers Alex, qui composa le numéro de portable de Jack. La sonnerie retentit plusieurs fois, puis il entendit l'annonce de la boîte vocale. Il y avait de nombreux endroits au Caire où il était impossible d'obtenir un signal, mais c'était inquiétant et il ne se sentirait rassuré qu'après avoir parlé à Jack. Il laissa un message. « Jack, c'est moi. Je vais bien. Je te retrouve à l'appartement. » Il ne voulait pas en dire davantage devant Byrne.

La porte s'ouvrit et une jeune femme entra avec deux cafés et une soucoupe de biscuits. Elle posa le plateau et sortit.

— Tu sais, Alex, reprit Byrne, je n'arrive pas à croire que tu sois au Caire. Ne me dis pas qu'Alan Blunt t'a convaincu de retravailler pour lui ?

Alex préféra ne pas répondre. Il avait confiance en Byrne, mais se trouver coincé entre deux services secrets le mettait mal à l'aise. Il fallait se montrer prudent.

— Alors, Alex, que fais-tu au Caire ?

— Si vous commenciez par me dire ce que vous, vous y faites ? Pourquoi vos hommes surveillaient-ils la Maison de l'Or ? Et qui est Habib ?

— Tu l'as rencontré ?

— Non. Vos hommes m'ont déjà questionné sur lui. La seule fois où je l'ai vu, il était mort.

— Ce n'est pas toi qui l'as tué ?

Impossible de dire si Byrne plaisantait ou non.

— Bien sûr que non.

— Je te crois, dit Byrne. Cette affaire est un vrai sac de nœuds. C'est un miracle que l'explosion n'ait fait aucune victime. Hormis Habib, je veux dire. Très bien, Alex, je vais te raconter ce qui se passe. Je te dois bien ça. Mais si tu es dans le coup avec le MI6, je veux le savoir. D'accord ?

— D'accord, dit Alex en prenant sa tasse de café.

— Bien. Nous sommes ici parce que notre secrétaire d'État arrive ce week-end. Je ne sais pas si tu te tiens au courant de la politique américaine, mais chez nous, le secrétaire d'État est le ministre des Affaires étrangères. C'est le numéro deux du gouvernement, après le Président. Des tas de gens disent qu'elle pourrait devenir la prochaine présidente. Elle est franche, intransigeante, mais très populaire. Et elle doit prononcer un discours au Caire.

Byrne but une gorgée de café. Il avait l'air mal à l'aise, sans doute parce qu'il n'était pas très sûr de pouvoir dire ce qu'il s'apprêtait à révéler. Mais il prit sa décision et poursuivit.

— Pour le moment, personne n'en parle. Mais ce sera un discours très politique concernant le pouvoir. Quels sont les grands décideurs dans le monde moderne. Qui devrait s'asseoir aux tables des négociations pour débattre des grands sujets tels que les armes nucléaires, la guerre, le terrorisme. Jusqu'à aujourd'hui, ce sont toujours les Américains, les Britanniques, les Européens, qui ont fixé les règles. Mais de nouvelles puissances ont émergé. La Chine, l'Inde. Notre ministre pense qu'il est temps d'apporter quelques changements. Et… ça ne va pas te faire plaisir, Alex, elle trouve que les Britanniques n'ont plus leur place.

— Personnellement, ça m'est égal, dit Alex.

— Oui, bien sûr. C'est normal. Néanmoins, dans ton pays, ça énerve un grand nombre de vos responsables politiques. À mon avis, pour notre secrétaire d'État, c'est de la stratégie purement politicienne. On approche des élections et il y a un fort mouvement antibritannique aux États-Unis depuis quelque temps. Notamment à cause de la marée noire provoquée dans le golfe du Mexique par la compagnie pétrolière anglaise BP. Il y a eu aussi ce marché secret passé avec la Libye. Un discours comme celui qu'elle prépare va faire la une de tous les journaux… À son profit. Elle fait cavalier seul. Même le président a essayé de la dissuader. Mais elle s'obstine.

— Quel rapport avec Habib ?

— J'y viens. Notre travail consiste à protéger la secrétaire d'État pendant son séjour au Caire. Peu importe ce qu'elle fait ou dit. Ça ne nous concerne pas. Nous sommes ici, depuis deux semaines maintenant, uniquement pour veiller sur sa sécurité. Or, il y a quelques jours, on nous a prévenus que quelqu'un voulait l'abattre pour l'empêcher de prononcer son discours.

— Habib…

— C'est l'un des nombreux noms qu'il utilisait. En général, il se faisait appeler l'Ingénieur. Il vendait des armes, Alex. Des armes de précision et de gros calibre, notamment pour les tueurs à gages. En fait, il était capable de fournir à peu près n'importe quoi, depuis le sabre de samouraï jusqu'à la grenade à main. Dans son genre c'était un artiste. Toutes les armes qu'il fournissait étaient d'une précision mortelle. Tu commences à comprendre ? On nous prévient que l'Ingénieur est en ville et nous commençons à le rechercher. Or, brusquement, quatre jours avant l'arrivée de la secrétaire d'État, un agent secret britannique apparaît dans le tableau et… boum ! Une bombe explose et Habib est tué.

Byrne s'affaissa sur son siège. Peut-être à cause de la chaleur. Peut-être la fatigue de l'âge.

— Je ne cherche pas à défendre Lewinsky, mais à t'expliquer sa brutalité. Habib était mort et il voulait savoir pourquoi.

Alex réfléchissait à toute vitesse. C'était beaucoup d'informations à absorber d'un coup. La question essentielle était de savoir ce qu'il devait ou non dévoiler à Joe Byrne.

Tout d'abord, Erik Günter. En quittant le bateau, celui-ci avait un sac de golf et il était facile de deviner ce qu'il contenait. Günter était-il au Caire pour assassiner la secrétaire d'État américaine ? Si oui, pour qui travaillait-il ? Ensuite, il y avait les photos découvertes dans le tiroir secret de son bureau. Alex ne pouvait pas les montrer à Byrne puisque son iPhone n'avait pas résisté à son plongeon dans le Nil. L'immeuble moderne, le débarras, le *Washington Post*... tout avait un lien. Mais que venait faire le Cairo College dans tout cela ? C'était pour surveiller le collège que le MI6 l'avait envoyé ici. La cible était une école et non une personnalité politique américaine.

Alex devait absolument voir Smithers pour en discuter. Smithers transmettrait à Blunt, et Blunt jugerait s'il devait en parler à Byrne. Une envie folle de quitter Le Caire le saisit. Il n'aimait pas du tout la tournure des événements. Il sentait la présence de forces invisibles...

Le garçon à la fenêtre.

Julius G vous invite à rejoindre son groupe d'amis.

... des rouages actionnant des rouages. Quelque chose se préparait en Égypte que personne ne comprenait.

— J'ai peur de ne pas pouvoir vous aider beaucoup, M. Byrne, dit-il enfin, sans trop savoir où il allait. La raison de ma présence au Caire n'a rien à voir avec votre secrétaire d'État. On m'a envoyé ici pour surveiller le Cairo College. Apparemment, certains élèves seraient menacés. C'est à peu près tout ce que je sais. Je suivais le chef de la sécurité du collège, un certain Erik Günter, et c'est lui qui m'a conduit à la Maison de l'Or. J'ai expliqué tout ça à Lewinsky mais il a refusé de me croire. Günter est la dernière personne à avoir vu Habib vivant. Je pense qu'il l'a tué. À votre place, c'est lui que j'attacherais sur votre table d'interrogatoire pour le faire parler.

Alex se leva.

— Maintenant, j'aimerais rentrer chez moi. Je m'inquiète pour Jack.

— Je crois que je vais passer un coup de fil à ton cher M. Blunt, dit Byrne. Au fait, j'ai entendu dire qu'il était sur le départ.

— Il prend sa retraite ? demanda Alex, étonné.

— Pas par choix, répondit Byrne en décrochant le téléphone. Je vais te faire raccompagner en voiture. Encore toutes mes excuses pour la brutalité de mes hommes, Alex.

Un instant plus tard, la jeune femme qui leur avait apporté le café escorta Alex dehors. Byrne resta dans son bureau, plongé dans ses réflexions. Malgré les nombreux indices, il n'avait jamais vraiment cru à un complot des Britanniques pour assassiner la secrétaire d'État. Après ce que venait de lui apprendre Alex, il se demandait s'il devait changer d'avis. Pour commencer, il allait mettre ce Günter sous étroite surveillance. Il hausserait le niveau d'alerte et demanderait une nouvelle fouille de l'auditorium où le discours était prévu. Les lieux avaient déjà été passés au peigne fin à deux reprises, et le samedi soir, vingt-quatre heures avant l'arrivée de la secrétaire d'État, toutes les entrées seraient bouclées.

Le grand auditorium. Un gigantesque édifice surmonté d'un dôme et entouré de palmiers, au milieu de l'Université américaine du Caire. Comment espérer assurer la sécurité totale d'une salle de cette taille ?

Quant à Alex Rider, avec un peu de chance il serait dans le prochain avion pour Londres. En sécurité loin du Caire. Si ce garçon avait eu un peu de bon sens, jamais il ne serait venu en Égypte.

15. PLAN A... PLAN B

Jack attendait Alex à Golden Palm Heights. Plus exactement elle le guettait à l'entrée de la résidence, et elle bondit à sa rencontre avant même que la voiture de la CIA s'arrête devant la porte. Elle le tira quasiment hors de la voiture et le serra dans ses bras.

— Alex ! Que t'est-il arrivé ? J'étais morte d'inquiétude ! Mais tu es tout mouillé !

— J'ai pris un bain dans le Nil.

— Alors tu étais sur le bateau... (L'émotion l'empêchait de parler.) Quand j'ai appris la nouvelle, pendant une minute j'ai cru... Je ne savais plus quoi penser. Et puis j'ai eu ton message.

Le chauffeur de la CIA redémarra.

Jack reprit ses esprits.

— Mais... qui était-ce ?

— C'est une longue histoire, répondit Alex. Si ça ne t'ennuie pas, je vais d'abord aller prendre une douche et me changer. J'empeste. Et puis j'ai une faim de loup.

Peu après, Jack et Alex se retrouvèrent sur le balcon pour dîner. Le soleil n'était pas encore couché mais il déclinait derrière les immeubles, jetant des ombres allongées sur la résidence. La chaleur du soir les enveloppait. La piscine était désertée. Craig, Simon et les autres étaient rentrés pour faire leurs devoirs. Alex aurait aimé n'avoir pas plus de soucis qu'eux.

Il avait enfilé un grand T-shirt et un short. Ses cheveux étaient encore mouillés de la douche, et il avait un sparadrap sur un genou. Il ne savait pas quand il s'était écorché, mais Jack avait insisté pour enduire la plaie de pommade antiseptique. Certaines choses ne changeaient pas. Elle s'occupait de lui comme quand il était petit.

Jack avait préparé un assortiment de mets orientaux : houmous, olives, feuilles de vigne farcies, boulettes de viande frites et aubergines grillées, le tout accompagné de pain égyptien tiède : *aish baladi*. Elle buvait du vin rosé bien frais, Alex restait à l'eau.

— J'étais assise dans le jardin quand j'ai reçu ton texto, expliqua Jack. Je n'aimais pas l'idée de te laisser là, mais j'ai attendu que Günter sorte et je l'ai suivi. Il avait l'air d'aller jouer au golf, à en juger par le sac qu'il portait.

— Oui, je sais.

— Il a hélé un taxi et j'ai réussi à en attraper un juste après lui. C'était comme dans un film. On a traversé Le Caire, et je pensais qu'il me conduirait dans un endroit un peu excitant, mais nous avons atterri à deux rues d'ici. Il est entré dans un immeuble. J'ai noté l'adresse. Je pense qu'il habite là. Ensuite, je ne savais plus quoi faire, mais je m'inquiétais pour toi et je suis retournée à la Maison de l'Or. Sauf qu'il n'y avait plus de Maison de l'Or. Tout le secteur grouillait de policiers et les gens parlaient d'une attaque terroriste. Ma première idée a été d'appeler Smithers, et quand j'ai pris mon portable, j'ai vu que tu m'avais appelée. J'ai eu ton message en arrivant ici.

Jack se servit un autre verre de vin et ajouta :

— Maintenant, à toi. Que s'est-il passé sur le bateau ? Comment as-tu réussi à t'échapper ? Et qui était cet homme dans la voiture qui t'a ramené ?

Alex raconta rapidement ses mésaventures, mais en omettant le supplice de l'eau. Il n'avait pas envie de revivre ce sale moment ni d'alarmer Jack.

— C'était une voiture de la CIA. Ils ont au moins eu la politesse de me raccompagner.

— C'est vraiment typique de Blunt, soupira Jack en secouant la tête. Il nous assure qu'il n'y a aucun danger, mais on a déjà un cadavre, une explosion, et un complot d'assassinat politique. Qu'est-ce qu'on fait, maintenant ?

La question planait dans l'air depuis qu'il était rentré, et Alex avait déjà envisagé une réponse.

— Je pense qu'il est temps de suivre le conseil de M. Byrne. Partir.

— Rentrer en Angleterre ?

— Je suppose, oui.

Repu, Alex posa ses couverts et se renversa contre le dossier de sa chaise. Au loin, les cigales avaient commencé leur concert nocturne.

— De toute façon, ma couverture est fichue. Je suis tombé sur un ancien élève de Brookland qui m'a reconnu. Les gens ne vont pas tarder à se poser des questions. On n'a aucun contrôle sur la situation et je ne tiens à pas y être mêlé.

— Tu penses que l'école est menacée ?

— Si je le pensais, je resterais. Je me plais beaucoup au Cairo College… Même avec Miss Watson ! Mais j'y suis depuis près de trois semaines et tout paraît normal. Il n'y a que Blunt pour croire à une menace. Et, tu as raison, on ne peut pas se fier à sa parole. D'ailleurs, ce qui s'est passé aujourd'hui montre qu'il a probablement tort.

Alex avait beau se repasser mentalement le film des événements, il n'entrevoyait pas d'autre possibilité.

— Erik Günter est sûrement impliqué dans le complot d'assassinat contre la secrétaire d'État américaine. Il a rencontré le marchand d'armes et il est ressorti de sa boutique avec un grand sac de golf…

— Qui ne contenait pas de clubs de golf, dit Jack.

— Exact. Günter est peut-être un tueur à gages, qui utilise son emploi au collège comme couverture. Maintenant, il va être surveillé de près par la CIA. Cette affaire n'a rien à voir avec le collège ni avec moi. Donc, je ferais aussi bien de partir.

— Tu comptes en discuter avec Smithers ?

— Oui. J'irai le voir demain pendant que tu prépares les bagages. Tu pourras aussi appeler le collège pour leur dire que je suis malade, ou ce que tu voudras.

Cette idée l'attristait un peu. Il aurait préféré dire au revoir à ses camarades, mais il savait qu'il valait mieux éviter certaines explications.

— On pourrait prendre un avion demain après-midi.

— Je suis d'accord avec toi, dit Jack en levant son verre. Mais il y a un problème. Tu n'es pas en sécurité en Angleterre. Souviens-toi comment tout ceci a commencé. Je te rappelle que quelqu'un a essayé de te tuer.

— Tu as raison. Mais où veux-tu aller ?

— J'ai réfléchi. C'est probablement idiot, et tu n'es pas obligé de prendre ta décision maintenant. Mais je me demandais si tu ne serais pas plus heureux en Amérique.

— Aux États-Unis ?

— C'est une suggestion, dit Jack. Tu serais plus à l'abri là-bas. Dans tous les sens du terme. Loin de M. Blunt et de Mme Jones. Tu pourrais commencer une nouvelle vie. À Washington, par exemple. Ma famille est là-bas, comme tu sais. Le plus drôle c'est que j'avais l'intention de t'en parler avant même que cette affaire n'éclate.

— Tu veux retourner dans ton pays, Jack ?

— Pas sans toi.

— Je ne sais pas. Vraiment je ne sais pas, dit Alex.

Il essaya de s'imaginer quittant Brookland, tous ses amis, sa maison de Chelsea. Et puis… est-ce que le MI6 accepterait de le laisser tranquille s'il partait de l'autre côté de l'Atlantique ? Pas si sûr.

— Écoute, Jack. Je pense que Londres est quand même moins dangereux que Le Caire en ce moment. Rentrons chez nous et voyons comment ça se présente.

— D'accord. Deux tickets en classe affaires pour Londres ! Autant voyager dans le luxe puisque c'est le MI6 qui paie. Le plus important est de quitter l'Égypte. Tu ne veux vraiment pas que je t'accompagne voir Smithers, demain ?

— Non, ça ira.

— Tu ne le laisseras pas te persuader de rester ?

— Je ne pense pas qu'il cherchera à me faire changer d'avis. Smithers a toujours été de mon côté.

— Au moins, on a un plan ! s'exclama Jack. Portons un toast. À notre retour à la maison !

Ils trinquèrent devant le soleil couchant.

La nuit tombait sur le désert du Sahara.

Vers huit heures, le sable brûlait d'un jaune profond et les ombres des oliviers s'étiraient, comme si elles cherchaient à s'échapper des troncs qui les retenaient. Mais le soleil était encore là, posé sur l'horizon, et la chaleur de la journée commençait à peine à diminuer. Les lacs salés étaient comme des feuilles d'acier, parfaitement immobiles. Il semblait n'y avoir pas un souffle de vent.

La détonation creva le silence. L'air même parut voler en éclats. À soixante-dix mètres de la gueule du fusil, une photo en noir et blanc d'Alex Rider frémit brièvement, épinglée sur un piquet de bois planté dans le sable. Un tir parfait. Un petit trou rond apparut à l'emplacement de l'œil droit, dernier d'une rangée qui avait perforé tout le front. Allongé sur le ventre, Julius Grief abaissa le canon du fusil de précision, un L96A1 pour le combat arctique, qui lui avait été apporté du Caire. Une arme superbe. Il brûlait d'impatience de l'utiliser pour de bon.

Un applaudissement lui parvint de loin. Razim se tenait sur le rempart de l'ancien fort français, vêtu d'une *dishdasha* d'un blanc immaculé.

— Rentre, Julius ! cria-t-il. Nous allons brancher le système de défense pour la nuit et je ne tiens pas à ce que tu sois pulvérisé.

Julius se leva et brossa le sable de ses vêtements. Il portait un short large et une chemise rayée aux manches retroussées. Ses cheveux étaient plus courts que lors de son évasion de la prison de Gibraltar. Il s'était enduit le visage d'une épaisse couche de crème solaire car il avait la peau fragile, et il était important de garder son teint naturel.

Il était arrivé en Égypte par bateau. Il avait débarqué dans la ville balnéaire de Marsa Matruth, à l'ouest d'Alexandrie, avant d'être conduit à Siwa, vers le sud. Cela faisait deux semaines qu'il était au fort, soit à peu près le même temps qu'Alex au Caire. Razim prenait soin de le tenir caché. Tout le monde le croyait mort et il était vital que cela continue. Bien sûr, Julius s'en était plaint. Il avait l'impression d'avoir été transféré d'une prison dans une autre. Razim avait fini par lui accorder une visite au Caire, à condition qu'il se dissimule sous une casquette de base-ball et des lunettes noires, et qu'il se tienne à l'écart d'Alex Rider. En apprenant qu'il avait désobéi à ses ordres, Razim s'était mis en colère. Mais il n'avait pas encore abordé le sujet.

Julius franchit la porte principale et entendit le bourdonnement de la machinerie actionnant la fermeture du lourd portail. Il savait que des mines miniatures, enfouies dans le sable, seraient activées tout autour du fort. Quelques nuits plus tôt, un renard du désert en quête de nourriture avait tenté d'approcher. Le malheureux animal avait explosé sur une mine, réveillant tout le monde en sursaut.

Des boissons avaient été servies sur la terrasse de la maison où logeait Razim : un cube à deux niveaux qui semblait avoir été dessiné par un enfant. Une porte d'entrée, cinq fenêtres à volets, dont deux de part et d'autre de la porte et trois à l'étage, dans une symétrie parfaite. Des madriers ronds, taillés dans des troncs de palmiers, sortaient juste au-dessous du toit, selon la tradition locale. Autrefois, les tribus du désert suspendaient à ces poutres des ossements animaux et humains afin de repousser les démons. Mais s'ils avaient vu les deux personnages qui admiraient en ce moment le coucher du soleil, les Bédouins auraient compris qu'il était déjà trop tard.

Razim avait un grand verre de gin tonic devant lui, avec du citron et des glaçons. Comme à son habitude, il fumait une Black Devil. Julius Grief s'assit en face de lui, appuya le fusil contre la table et leva une main. Aussitôt, un domestique accourut avec une bière.

— Excellent tir, le félicita Razim.

— C'est mon père qui m'a appris à tirer. Il nous a tous entraînés. Chaque fois que nous manquions la cible, nous recevions trois coups de badine. Nous sommes devenus d'excellents tireurs.

— Un homme remarquable, ton père.

— Un génie, dit Julius en buvant une gorgée de bière. Les gens pensent qu'il est impossible de cloner un être humain, mais mon père a réussi. Seize fois de suite.

— Et la chirurgie plastique, qui s'en est chargé ?

— Un médecin engagé par mon père. Un certain Baxter.

— Tu as dû être très déçu en découvrant qu'on ne t'avait pas donné le bon visage.

— Vous n'imaginez pas à quel point, gronda Julius en serrant son verre. Et il n'y avait pas que ça. J'ai passé des mois à tout apprendre de la vie de David et Caroline Friend. Des gens puants de fric. Ils possédaient des supermarchés, des galeries d'art et je ne sais quoi encore. Je devais prendre la place de leur fils et hériter de toute leur fortune. Mais un jour mon père est venu m'apprendre qu'Alex Friend n'existait pas. Son véritable nom était Alex Rider. Tous mes efforts n'avaient servi à rien !

Razim avait déjà remarqué que, lorsque Julius s'énervait, il parlait avec un accent sud-africain. En ce moment, il était en colère.

— Un espion anglais, vous vous rendez compte ! J'avais du mal à le croire. Ensuite, tout est allé de travers. Rider a réussi à s'enfuir, il a tué mon père, et ça a été la fin de tout.

— J'imagine combien tu dois le haïr. Mais tu as eu tort de me désobéir. (Une sécheresse perçait sous la douceur de la voix de Razim.) C'était stupide d'aller au collège. Si quelqu'un t'avait vu, tu faisais tout rater.

— On m'a vu ! s'écria Julius en riant. J'ai mis l'uniforme que vous m'aviez donné et je suis entré tranquillement dans l'école. Pour la sécurité, ils ne sont pas très forts ! Ils m'ont regardé et ils m'ont pris pour lui. Je suis allé dans le bureau d'Erik Günter et j'ai vu Rider partir. Il s'est même retourné.

— Il t'a vu ?

— Non, ne vous inquiétez pas. Mais je crois qu'il a senti ma présence. C'était très intéressant. Une sorte de télépathie.

— Et quel effet cela t'a fait ?

— Excusez-moi de vous dire ça, Razim, mais vous parlez comme ma psy. Qu'est-ce que j'ai ressenti à votre avis ? Si j'avais eu une arme, j'aurais descendu Rider tout de suite. J'ai dû me retenir de courir pour le rattraper et l'étrangler de mes mains nues. J'aurais adoré ça. Vraiment.

Dans la cour du fort, deux gardes étaient apparus avec des pelles et une brouette. Ils s'approchèrent du tas de sel, de l'autre côté du puits, juste sous la passerelle suspendue. Le sel avait été pilé jusqu'à ce qu'il eût l'aspect voulu. Julius avait l'impression qu'il avait sa vie propre : il ondulait et tournoyait sous la brise. Un troisième garde, posté au-dessus, observait ses deux collègues.

— Que font-ils ? demanda Julius en regardant les deux gardes charger des pelletées de sel dans la brouette.

— Le sel vient du lac asséché. On le mélange avec de l'argile pour construire les murs, expliqua Razim en désignant une bâtisse inachevée. Un jour, ce sera la bibliothèque. Je projette aussi de construire une petite salle de concert.

— Vous ne craignez pas que tout se dissolve sous la pluie ?

— Il n'a pas plu ici depuis cent dix ans.

— Ça fait beaucoup de sel. On pourrait écorcher vif Alex Rider et le rouler dedans. Ça doit faire très mal, gloussa Julius. Vous me laisserez le torturer, n'est-ce pas, Razim ?

Julius avait déjà assisté à plusieurs expériences de Razim. Le matin même, ils avaient « travaillé » sur un marchand ambulant enlevé dans les rues d'Alexandrie. Julius avait observé avec fascination Razim noter ses découvertes. Malheureusement, le cobaye n'avait pas vécu assez longtemps.

— Mes expériences te plaisent, Julius ?

— Beaucoup. Pas vous ?

— Je n'en tire pas de plaisir. Je n'ai d'ailleurs jamais compris ce qu'était le plaisir. Pour moi, cela répond à des exigences scientifiques. Ni plus, ni moins.

— Moi, ça me plaît énormément.

— Pour répondre à ta question, je te permettrai de t'amuser un peu avec le jeune Rider. Et je te promets que tu lui causeras plus de souffrances qu'il n'en a jamais connues. Tu auras ta revanche, mon ami. Mais uniquement si tu m'obéis. Je ne te laisserai plus mettre cette opération en péril. Tu as bien compris ?

— Oui, acquiesça Julius d'un air renfrogné.

— Très bien. Scorpia a commis de nombreuses erreurs par le passé. Je n'ai pas l'intention d'en commettre à mon tour. Alex Rider sera avec nous très bientôt. Dès qu'il arrivera, nous devrons faire très attention.

Julius termina sa bière. Sans attendre, le domestique lui en apporta une autre.

— Il faudra décontaminer le fusil ce soir, poursuivit Razim. Assure-toi de ne pas y toucher jusqu'à ce qu'il soit en place. D'ici là, il y a un petit problème que nous allons devoir régler.

— Lequel ?

— Ce matin, j'ai reçu une transmission codée de Zeljan Kurst à Paris. Le MI6 a pris une précaution que nous aurions dû prévoir. Ils ont envoyé un de leurs agents en Égypte pour veiller sur Alex Rider. C'est un gros homme du nom de Smithers.

— C'est grave ?

— Non. Au contraire. Il a rendu visite à Alex le jour de son arrivée et nous avons une preuve photographique que nous pourrons ajouter au dossier « Cavalier ». Toutefois, puisque nous approchons du moment critique, nous ne pouvons plus nous permettre de le laisser en liberté. C'est trop dangereux.

— Alors ?

Avant de répondre, Razim tira une longue bouffée sur sa cigarette, dont le bout incandescent brilla du même feu que le soleil.

— Smithers doit mourir, dit-il. Je le ferai éliminer dès demain. D'après mes informations, en dépit de sa forte corpulence, c'est un agent secret extrêmement efficace. Donc je vais envoyer une douzaine d'hommes s'occuper de lui.

— C'est un peu exagéré, non ?

— Retiens bien mes conseils, Julius. Un jour, peut-être, quand cette opération sera terminée, tu rejoindras les rangs de Scorpia…

— Vraiment ? Vous pensez qu'ils m'accepteront ? J'adorerais ça !

Razim sourit. Il avait déjà décidé de tuer Julius dès qu'il n'aurait plus besoin de lui. Cette idée qu'il avait suggérée… écorcher vivant quelqu'un et le rouler dans le sel… était très intéressante…

— Quand on ne prend pas de risques, on ne commet pas d'erreurs. Demain matin, nous élimi-nerons Smithers, et demain soir…

— Alex Rider !

— Ensuite, tout commencera…

16. À L'INTÉRIEUR DE CHAQUE OBÈSE...

La rue n'était qu'à cinq minutes du souk, pourtant elle était étonnamment paisible. Seuls quelques enfants jouaient au ballon. Il n'y avait pas un seul touriste en vue. Le taxi déposa Alex un peu avant onze heures. Il avait déjà contacté Smithers en se servant du calepin électronique relié à son ordinateur. Smithers avait répondu dans la seconde pour confirmer le rendez-vous.

La maison où il logeait n'était pas difficile à trouver.

En se promenant dans Le Caire avec Jack, Alex avait remarqué ici et là quelques anciennes maisons de style européen, élégantes et incongrues. On aurait dit que les Égyptiens avaient oublié de les démolir. Elles dataient du XIXᵉ siècle, époque de la construction du canal de Suez, et avaient jadis abrité des ingénieurs ou de riches Français. Smithers avait élu domicile dans l'une de ces maisons et y avait ajouté quelques touches personnelles.

C'était une haute bâtisse étroite de trois étages, en pierre grise, avec des persiennes marron et un petit balcon au-dessus de la porte d'entrée. Ce qui la rendait presque unique dans cette ville surpeuplée était qu'elle était isolée et en retrait de la rue. Une grille ouvrait sur une allée au milieu d'une pelouse mitée, rongée par le sable. À mi-chemin de l'allée, deux lions de pierre se faisaient face. Sur un côté se dressait une haute fontaine, d'où l'eau jaillissait en boucles gracieuses et mélodieuses. Il était évident que la maison était occupée par un Anglais. Sur le seuil, un tapis accueillait les visiteurs par un visible « WELCOME », et un petit drapeau de l'Union Jack flottait sur le toit.

Alex avait déjà revêtu sa tenue de voyage : jean et chemise polo Hollister rouge foncé. C'était un peu chaud pour ici, mais Jack faisait les bagages et elle avait vu sur Internet qu'il pleuvait à Londres. Il remonta l'allée de graviers et sonna à la porte. En attendant, il se regarda dans les deux petits miroirs qui encadraient l'entrée. Une minute plus tard, la porte s'ouvrit devant Smithers.

— Entre, Alex. Ravi de te voir. J'étais en train de faire chauffer de l'eau. Une tasse de thé et une tranche de gâteau maison, ça te dit ?

Smithers était habillé de façon beaucoup moins formelle qu'à leur précédente rencontre. Il portait un pantalon clair et une chemisette bariolée. Avec un chapeau de paille et un appareil photo, on l'aurait cru descendu d'un paquebot de croisière. Il s'écarta pour laisser entrer Alex dans un vestibule hexagonal, dallé de marbre et éclairé par un lustre. Les murs étaient bizarrement ornés de portraits de la famille royale dans des cadres dorés. La reine et le duc d'Édimbourg se regardaient, côte à côte, face à la porte. Sur une petite table sculptée était posée une télécommande de télévision. Mais il n'y avait pas de télévision.

— Par ici !

Smithers guida Alex jusqu'à la cuisine où dominait un imposant réfrigérateur en inox. Il ouvrit la porte du réfrigérateur, dont les étagères regorgeaient de denrées alimentaires, pour la plupart importées d'Angleterre. Un gros gâteau trônait au milieu.

— C'est un baba, expliqua Smithers. Ça te tente ?

— Non merci, M. Smithers. Je prendrai juste un Coca.

— Tu resteras déjeuner avec moi ?

— Je n'ai pas le temps.

— Une visite éclair, alors ! Bien. Voyons voir…

Smithers remit le gâteau en place, puis il emporta deux Coca et un bol de chips dans le salon. Une pièce spacieuse et démodée, avec des canapés rebondis, une bibliothèque, et un splendide tapis venant probablement du souk. Cette maison révélait très peu de choses sur son locataire. D'ailleurs, que savait réellement Alex sur Smithers ? Était-il marié ? Homosexuel ? Où vivait-il en Angleterre ? Que faisait-il pendant ses loisirs, hormis de la pâtisserie ? Comme les autres agents, il vivait immergé dans l'univers du MI6. Le secret entourait leur vie entière.

Smithers prit une poignée de chips.

— Tu as donc suivi mon avis et décidé de partir, dit-il.

— Comment le savez-vous ?

— Je l'ai appris quand Miss Starbright a réservé vos tickets d'avion sur Internet. Tu sais, Alex, nous sommes très attentifs aux mouvements de nos agents. Vous décollez à quinze heures trente cet après-midi, c'est bien ça ? Tu as raison, ça ne nous laisse pas assez de temps pour déjeuner.

— Je suis venu vous dire au revoir.

— C'est très poli de ta part.

Alex se sentit soudain un peu coupable.

— Vous ne pensez pas que je vous abandonne, j'espère, M. Smithers ?

— Pas du tout, mon cher petit. Je me demande simplement si ton départ a un rapport avec l'explosion qui s'est produite hier après-midi à la Maison de l'Or. Cela a provoqué de sérieux remous. Et pas seulement à Londres. Est-ce que... par hasard, tu y étais mêlé ?

Alex mit rapidement Smithers au courant, à commencer par son intrusion dans le bureau du chef de la sécurité et les découvertes qu'il y avait faites, l'appel téléphonique passé par Günter et les événements sur le bateau à roue. Cette fois, il n'omit aucun détail, et lorsqu'il eut terminé de décrire le supplice de l'eau dans les locaux de la CIA, Smithers abattit son poing sur la table, faisant voler le restant de chips.

— J'aime bien les Américains, dit Smithers, mais parfois ils sont insupportables. Je transmettrai une plainte officielle, Alex. Ils n'avaient pas le droit de te faire ça.

— Tout va bien, maintenant, M. Smithers, dit Alex en haussant les épaules. Et puis Günter va peut-être vraiment tenter d'assassiner la secrétaire d'État. En ce qui concerne le Cairo College, je n'ai rien découvert. Rester là-bas ne sert à rien. Je préfère rentrer.

Il sortit son iPhone et le posa sur la table.

— Mon plongeon dans le Nil l'a détraqué. Mais vous pourrez peut-être en tirer quelque chose. J'ai photographié tout ce que j'ai trouvé dans le bureau d'Erik Günter. Je n'arrive toujours pas à comprendre pourquoi il avait la photo d'un portemanteau. Il y avait aussi une brochure sur un endroit appelé Siwa... Ah oui... autre chose. J'ai laissé un micro caché dans son bureau.

— Je sais, dit Smithers. J'ai écouté mais je n'ai rien entendu d'intéressant. En fait, cet homme ne parle quasiment pas.

— Je suis désolé, M. Smithers. Je ne vous ai pas été très utile.

— Ne t'excuse pas, dit Smithers d'un air soudain très sérieux qui ne lui ressemblait pas.

Alex eut l'étrange impression que cette voix n'appartenait pas à l'homme qu'il fréquentait depuis plus d'un an. C'était comme s'il rencontrait le véritable Smithers pour la première fois.

— Et je ne pense pas que tu nous laisses tomber en partant. Au contraire, j'en suis heureux. Pour être franc, j'ai toujours été opposé à l'idée de te recruter comme agent.

Smithers se tut un instant, avant de poursuivre plus lentement :

— Je ne dis jamais mon avis car ce n'est pas mon boulot. J'obéis aux ordres, comme tout le monde. Mais c'était une erreur, une grave erreur de faire appel à toi. Les gens imaginent que c'est amusant d'être un espion. Ton oncle était un peu comme ça. Pour lui, c'était la grande aventure. Et regarde comment il a fini. La vérité, c'est que le métier d'espion est une sale besogne, un travail dangereux. Ce n'est pas fait pour un adolescent. Tu nous as été très utile, Alex. Je ne le nie pas. Mais à quel prix ? Tu as failli être tué devant nos bureaux de Liverpool Street. C'est impardonnable. Depuis plus d'un an, tu baignes dans une ambiance de mort et de violence. Jamais personne n'aurait dû t'imposer cela.

» Donc, tu as parfaitement le droit de t'en aller aujourd'hui. Je ne sais pas ce qui se mijote au Caire, mais ça sent très mauvais. Pars, Alex. Rentre chez toi. Et la prochaine fois que tu reçois un coup de téléphone de M. Blunt ou de Mme Jones, ne réponds pas. Oublie-nous.

Smithers se leva. Alex comprit que, à sa façon, il venait de lui dire adieu. Alex se leva à son tour et ils se serrèrent la main.

À cet instant, la sonnerie de la porte tinta.

— C'est étrange, dit Smithers. Je n'attends personne.

Alex le suivit dans le vestibule. Smithers prit la télécommande sur la table et pressa un bouton. Aussitôt, la famille royale disparut. Chaque cadre doré recelait un poste de télévision, avec plusieurs vues de la maison prises sous des angles différents. Le jardin était désert, mais un livreur portant l'uniforme de FedEx se tenait devant la porte, un petit colis dans les mains.

Smithers se déplaça pour parler dans un micro placé près de la porte.

— Qu'est-ce que vous voulez ? demanda-t-il.

— J'ai un paquet pour M. Derk Smithers, répondit le livreur.

— Je suis occupé. Laissez-le sur le paillasson.

— Désolé, monsieur. Il me faut une signature.

— Une minute…

Smithers éteignit l'interphone et se tourna vers Alex.

— Je crois qu'on a un problème. La maison appartient au MI6. Elle est sécurisée. J'en ai conçu les plans moi-même. Personne ne sait que je suis ici. Surtout pas une compagnie de livraison de colis.

— Qui est-ce, à votre avis ? demanda Alex en examinant le livreur sur l'écran de contrôle.

— Essayons de le voir d'un peu plus près.

Les boutons de la télécommande étaient presque trop petits pour ses doigts boudinés. Smithers en pressa un autre et tourna la télécommande vers l'écran. L'image se brouilla et céda la place à une autre. Le livreur de FedEx était devenu un fantôme gris et blanc. Alex se rappela les deux miroirs qui encadraient la porte. Sans doute des caméras à rayon X. Elles révélaient deux choses : le paquet était vide, et le livreur était armé. La forme de son automatique, glissé dans la ceinture de son pantalon, ne laissait aucun doute.

— Très intéressant, murmura Smithers. Tu crois que ce type t'a suivi ici ? Ou vient-il pour moi ?

— Dans un cas comme dans l'autre, j'espère que vous n'allez pas le laisser entrer.

— Je ne crois pas, sourit Smithers, en pointant de nouveau la télécommande vers la porte. J'ai installé un joli paillasson censé souhaiter la bienvenue aux visiteurs, mais parfois il leur réserve un accueil très désagréable. Tu vas voir.

Smithers pressa un bouton. Le tapis se déroba. Il dissimulait une trappe. Le faux livreur disparut brusquement de leur vue en poussant un cri.

— Où va-t-il tomber ?

— Dans les égouts du Caire, une dizaine de mètres plus bas, répondit Smithers. Il atterrira en douceur, mais pas dans un endroit agréable.

— M. Smithers…

Alex indiqua un autre des écrans. À la place du prince de Galles, on voyait à présent le portail extérieur. Deux véhicules venaient de se garer devant. Une demi-douzaine d'hommes en descendit, tous égyptiens, tous vêtus de noir. Peut-être étaient-ils en contact radio, en tout cas ils semblaient au courant de ce qui venait de se passer. Ils s'engagèrent sur l'allée de graviers avec méfiance. Deux d'entre eux tenaient un pistolet-mitrailleur en travers de la poitrine. Les autres avaient un automatique.

— Combien de gadgets avez-vous dans cette maison, M. Smithers ? demanda Alex.

— Pas assez, répondit Smithers en désignant un troisième écran.

Quatre autres hommes avaient rejoint les précédents, ce qui portait leur total à dix. Ils se déployaient autour de la maison comme une armée autour d'une place forte.

— À quelle heure est ton avion, déjà ? dit Smithers.

— Trois heures et demie.

Les hommes se rapprochaient.

— Alors nous ferions bien de bouger. Je ne voudrais pas que tu le rates.

Smithers tenait toujours la télécommande. Alex se demandait ce qu'elle pouvait bien actionner d'autre. Le paillasson-trappe était simple mais efficace. Il avait permis d'éliminer un des assaillants, mais ceux-ci étaient encore très nombreux à traverser le jardin. Ils étaient déterminés, armés et ne prenaient aucun risque, progressant pas à pas comme sur un terrain miné. Smithers observait les écrans de contrôle l'un après l'autre. Alex ne l'avait jamais vu dans cet état. Comme beaucoup de gens corpulents, Smithers avait souvent l'air désinvolte et enjoué. Mais, en ce moment, il arborait un air farouche.

Un des écrans montrait les deux lions de pierre. Deux hommes passaient entre eux, armés d'un pistolet-mitrailleur miniature. Oseraient-ils s'en servir en plein jour, dans une ville en d'état d'alerte permanent ? La détermination qui se lisait dans leurs regards et dans leurs gestes ne laissait aucun doute. Ils étaient venus ici pour tuer et la police ne les inquiétait pas. À son arrivée, ils seraient déjà loin.

Smithers attendit le moment propice pour presser le bouton de la télécommande. Brusquement, les deux hommes disparurent dans un nuage de poussière blanche qui avait giclé de la gueule des lions. Quand la poussière se dissipa, ils étaient toujours là, figés, hébétés. Alex n'avait pas compris plus qu'eux ce qui s'était passé. Smithers restait silencieux. Soudain, l'un des hommes jeta son arme et se mit à rouler sur l'herbe. Une seconde après, son équipier l'imita. On aurait dit deux petits enfants qui gigotaient sur le dos et agitaient leurs jambes en braillant. Ils avaient totalement oublié où ils étaient et pourquoi ils étaient là.

— De la poudre à gratter, murmura Smithers. Hyperpuissante. En fait, elle a été mise au point pendant la dernière guerre, mais j'y ai apporté quelques améliorations. Pour être franc... ça me démangeait de l'essayer !

Les autres assaillants assistaient au spectacle, incrédules. L'un d'eux lança un ordre et ils reprirent leur progression vers la maison, plus menaçants que jamais. Alex en compta huit sur les différents écrans. Il regarda la porte. Serait-elle assez solide pour les retenir ?

Comme pour répondre à sa question, les assaillants ouvrirent le feu. Les détonations étaient étouffées par des silencieux, mais le martellement des balles dans les murs, les fenêtres et la porte était assourdissant. Alex avait l'impression d'être dans une boîte de conserve sous une averse de grêle. Pourtant la porte ne se fendilla même pas. Ni les vitres des fenêtres.

— La porte est blindée ! cria Smithers pour couvrir le vacarme. Et les vitres sont à l'épreuve des balles. Ils ne pourront pas entrer de cette façon !

— Et autrement ?

— Oui, mais ils auraient besoin de...

Smithers se tut. Sur les écrans, ils virent deux hommes avancer en courant, revêtus d'une sorte d'armure, la tête protégée par un masque de soudeur. Ils portaient un chalumeau oxyacétylénique, muni d'une tête capable d'atteindre une température de 3 500 degrés. Leurs complices reculèrent et les deux hommes s'agenouillèrent devant la porte. Aussitôt, une flamme bleue jaillit, accompagnée d'une forte odeur de roussi. Sous l'effet de la chaleur, l'intérieur de la porte commença à changer de couleur, puis une petite langue de feu passa au travers et entreprit de dessiner un cercle autour de la serrure.

— Ils sont très bien équipés, murmura Smithers, plus irrité qu'effrayé.

— Vous pouvez les retenir ? demanda Alex.

— Malheureusement non. La sécurité de la maison est seulement de niveau trois. À Jérusalem ou à Bagdad, ce serait différent…

Sur un écran, Alex vit un homme, au milieu du jardin, balancer son bras en arrière. Ce n'était pas une balle qu'il s'apprêtait à lancer, mais une grenade. Celle-ci atterrit sur le toit et explosa. Toute la maison vibra, le lustre se mit à danser une gigue furieuse. Du plâtre et de la fumée s'engouffrèrent dans l'escalier. Pendant ce temps, le chalumeau continuait de progresser. La flamme sifflante accomplissait peu à peu un tour complet.

— On ferait mieux de filer au pas de course, dit Smithers.

Alex n'avait jamais imaginé Smithers, avec sa pesante démarche de canard, capable de courir. D'ailleurs, par où comptait-il fuir ?

— Il y a une sortie de secours, le rassura Smithers, devinant ses pensées. Et ne t'inquiète pas pour moi, Alex. L'essentiel est que toi, tu t'en tires indemne.

Smithers pressa un autre bouton sur la télécommande. Dehors, la fontaine s'arrêta de couler. À la place de l'eau, les gicleurs soufflèrent un nuage de fumée jaune. Les assaillants se mirent à tousser, à tituber, les mains pressées sur leurs yeux.

— Gaz lacrymogène, expliqua Smithers. Dommage qu'on ne soit pas en Angleterre. Sinon, ils auraient eu droit à mes nains de jardin explosifs…

Malgré les résistances, les hommes qui s'attaquaient à la porte avaient presque réussi à la transpercer. Le cercle tracé par le chalumeau comme un cadran de montre arrivait maintenant à dix heures. Smithers battit rapidement en retraite dans la cuisine et, à la surprise d'Alex, alla droit vers le réfrigérateur. Ce n'était pourtant pas le moment de goûter ! Mais quand Smithers ouvrit la porte, les étagères du réfrigérateur avaient disparu, avec tous les aliments. À la place, Alex découvrit une sorte de tunnel en acier, qui menait dans la rue. Derrière eux, la porte d'entrée s'ouvrit avec fracas.

— Après toi ! cria Smithers.

Alex entra dans le tunnel. C'était un peu étroit pour Smithers, mais il lui emboîta le pas. Quelques secondes plus tard, ils débouchèrent dans la rue. Smithers n'avait pas lâché sa télécommande. Il pressa un dernier bouton et se mit à courir aussi vite que ses jambes le lui permettaient.

Une explosion retentit dans la maison. Puis une autre. Alex entendit des cris et se demanda où Smithers avait caché les explosifs. Dans les canapés anciens ? Dans la cuvette des toilettes ? Avec lui, on ne pouvait jamais prévoir.

Le mieux pour eux était de disparaître dans la foule aussi vite que possible, mais ça n'allait pas être facile. Tout d'abord, les rues étaient trop paisibles. D'ailleurs, ils étaient déjà repérés. Alex entendit un crissement de pneus. Une camionnette venait de freiner brutalement. Les portes s'ouvrirent et cinq hommes en surgirent. Il n'eut pas le temps de voir s'ils étaient armés, mais il eut tout de suite la réponse. Une balle perfora le mur juste à côté de sa tête. Les enfants qui jouaient au ballon dans la rue détalèrent. Un vieil homme avec une charrette à âne restait pétrifié au milieu de la rue. Des sirènes de police hurlaient déjà dans la ville. L'explosion de la première grenade les avait alertés, mais il était impossible de savoir à quelle distance étaient les voitures de police ni, compte tenu des embouteillages, combien de temps elles mettraient à arriver.

Alex et Smithers tournèrent un angle de rue, passèrent devant l'entrée d'une mosquée, puis s'engagèrent dans une ruelle. Du linge séchait sur des cordes au-dessus de leurs têtes. Il était près de midi. Le soleil était au zénith, la chaleur accablante. Alex s'inquiétait pour Smithers. Combien de temps le gros homme pourrait-il courir avant que son cœur ne lâche ? Alex avait déjà pris sa décision : quoi qu'il arrive, il ne l'abandonnerait pas.

À l'extrémité de la ruelle, Smithers s'arrêta pour reprendre son souffle et regarda à droite et à gauche, hésitant.

— Le souk, décida-t-il. On a une chance de les perdre dans le souk.

— Qui sont ces gens, M. Smithers ?

— Scorpia.

Ce seul mot apprit à Alex tout ce qu'il avait besoin de savoir. Il n'y avait que Scorpia pour oser monter une attaque armée au milieu d'une ville surpeuplée du Moyen-Orient. Et pour mettre autant de détermination à tuer. Depuis le début, dès la fusillade de Brookland, Alex avait conscience d'une présence invisible, d'un vieil ennemi ressurgissant du passé. À présent c'était une certitude. Il était reconnaissant à Smithers de lui avoir dit la vérité. Mais cette vérité le mettait dans une colère noire. Blunt ne pouvait pas ignorer que Scorpia était actif en Égypte. Et il l'avait envoyé comme appât.

Un court instant, il se trouva seul avec Smithers. Les tueurs de Scorpia avaient probablement décidé de se regrouper.

— Alex, as-tu dit à quelqu'un que tu venais me voir ? demanda Smithers.

— Uniquement à Jack.

— Tu as été suivi ?

— Non, je ne crois pas.

— Donc, ils ignoraient que tu venais. C'est juste la malchance que tu te sois trouvé là. C'est à moi qu'ils en veulent.

Une silhouette apparut au bout de la ruelle. Alex et Smithers se remirent en route. Ils traversèrent une courette jonchée de détritus, passèrent devant quelques échoppes, si sombres qu'il était impossible de distinguer ce qu'on y vendait. La grande avenue se trouvait devant eux, divisée en deux par d'horribles piliers en ciment qui soutenaient une seconde route surélevée. La circulation s'était transformée en une sorte de muraille immobile. Les explosions et les voitures de police qui affluaient de toutes parts avaient figé la ville entière. Des flots de piétons se déversaient dans toutes les directions. Les trottoirs n'étaient pas assez larges pour les contenir, et une partie de l'espace disponible était encombrée par les petits marchands ambulants, qui vendaient des sandales, des briquets, des foulards et autres babioles.

Smithers pointa le doigt. Un pont métallique pour piétons enjambait le chaos. Alex ruisselait de sueur. Il n'avait pas prévu de courir habillé en tenue de voyage dans la chaleur égyptienne. Il ne jeta pas un regard en arrière. Il se disait que s'il parvenait de l'autre côté de la passerelle, il serait hors de danger.

Il se trompait. À mi-parcours, Smithers s'arrêta, sans doute pour reprendre son souffle. Alex se retourna et vit les cinq hommes de la camionnette surgir au bout du pont. Deux ou trois autres les suivaient. Probablement des survivants de la maison. Smithers et lui offraient une cible parfaite au milieu du pont. Mais les agents de Scorpia oseraient-ils les abattre en plein jour, devant autant de témoins ? Question inutile. Une volée de balles percuta la structure métallique du pont en guise de réponse. Alex plongea pour se mettre à l'abri. Les balles ricochaient tout autour de lui. Dans le vacarme ambiant, les détonations passèrent inaperçues. Smithers et lui auraient pu se faire tuer sans que personne s'en aperçoive.

Alex croisa le regard de Smithers. Encombré par son corps massif, celui-ci s'était maladroitement accroupi près de lui.

— Vous pouvez appeler des secours ? lui demanda Alex.

— Je crains que non, mon cher Alex…

— Mais il vous reste bien quelques gadgets ?

— Un seul.

Smithers s'assura que la voie était libre avant de se relever. Alex n'avait pas d'autre choix que de le suivre. Ils atteignirent l'extrémité du petit pont métallique et descendirent de l'autre côté de la route.

Les tueurs de Scorpia s'élancèrent à leur poursuite, bien décidés à les rattraper dans le souk.

Car ils avaient atteint le grand souk, à présent. Alex avait parcouru tant de ruelles et de cours, couvertes et découvertes, qu'il ne savait plus s'il était à l'intérieur ou à l'extérieur. Le souk Khan al-Khalili était le plus vaste du Caire. Un véritable labyrinthe de venelles et de passages, reliés par des marches, des voûtes, des cours, où s'agglutinaient des échoppes minuscules regorgeant de toutes sortes d'articles, empilés, suspendus, étalés jusque dans les allées. Alex y était déjà venu avec Jack et il avait trouvé la visite éprouvante.

— Tu veux de l'or ? Je te fais un bon prix.

— Entre, mon ami !

— Juste pour le plaisir des yeux !

Chaque boutique avait son rabatteur chargé d'attirer les clients. Toutes semblaient vendre les mêmes choses : mêmes boucles d'oreilles, mêmes tapis, mêmes épices, mêmes boîtes décorées et bâtons d'encens. Tout était fait pour rendre les marchandises désirables. Pourtant, personne n'avait vraiment besoin des articles proposés ici.

Alex et Smithers se faufilaient au milieu de la foule. Au mieux, ils avaient trente secondes d'avance sur leurs huit poursuivants armés.

— Par ici ! ordonna Smithers.

Il avait déjà bifurqué dans une ruelle spécialisée dans les *chichas*, les pipes à eau que les Égyptiens utilisent pour fumer du tabac parfumé aux essences de fruits. En passant, il en renversa une. Résultat : un effet de dominos. Toutes les *chichas* s'écroulèrent l'une après l'autre dans un fracas de verre et un concert de cris outragés. Alex sentit une main qui tentait de le retenir. Il se libéra et continua de courir.

Ils passèrent sous la voûte d'une tour en pierre, qui avait peut-être abrité jadis une princesse. La tour avait des colonnes et d'étroites fenêtres protégées par des barreaux. Le passage voûté conduisait à une petite place carrée, bordée d'échoppes de tous côtés. Les touristes commençaient déjà à évacuer le secteur, alarmés par les hurlements, les sirènes de police qui se rapprochaient, et inquiets de voir des gens courir. Car jamais personne ne courait dans les souks. Ici, la vie s'écoulait lentement. Lorsque Smithers et Alex s'arrêtèrent pour évaluer les issues possibles, ils étaient quasiment seuls. Quelques rares commerçants étonnés les observaient derrière les portes entrebâillées.

La petite place avait trois sorties. Mais toutes étaient bloquées. Des renforts de Scorpia avaient resserré l'étau autour d'eux. Ceux-là, au moins, n'avaient pas d'armes à feu. Ils portaient des poignards, à la lame longue et luisante. Alex et Smithers étaient les mains nues.

— M. Smithers ! cria Alex en voyant un des tueurs de Scorpia s'apprêter à bondir, son poignard brandi.

Il plongea sur le côté et saisit une pyramide en cuivre, comme on en vendait des milliers dans le souk. C'était un objet hideux, mais qui avait l'avantage d'être lourd et d'avoir une pointe acérée. Alex la lança de toutes ses forces et la vit avec satisfaction filer au-dessus de l'épaule de Smithers et se planter dans le front de son assaillant. L'homme s'effondra comme une masse et lâcha son poignard. Smithers, avec une agilité étonnante, s'empara du poignard et le lança à travers la petite place, derrière Alex. Celui-ci fit volte-face. Un homme venait de surgir juste derrière lui, armé d'un pistolet-mitrailleur. Le poignard se ficha dans son torse. L'homme tomba à la renverse. Son index se crispa sur la détente et arrosa la place d'une volée de balles. Une dizaine de lampes en verre explosèrent, des plateaux en cuivre dégringolèrent de leurs crochets et roulèrent avec fracas. Les vitrines d'une boutique volèrent en éclats. Puis la fusillade se tut, d'un coup, laissant place à de nouvelles sirènes de police et à aux hurlements hystériques des gens qui cherchaient à fuir.

Il restait deux hommes armés de poignards. Avant qu'il ait le temps de réagir, Alex fut empoigné par-derrière et entraîné de force. Il avait beau se débattre, l'homme était trop fort pour lui. Il gigotait désespérément, s'attendant à sentir la pointe de la lame s'enfoncer dans son dos. Du coin de l'œil, il vit le deuxième homme s'approcher de Smithers, debout face à lui, son énorme bedaine se soulevant sous l'effort qu'il faisait pour respirer.

Toujours entraîné par son assaillant, Alex passa devant une échoppe d'épices, dont les sacs s'empilaient le long de l'allée. Il tendit le bras et prit une poignée de poudre rouge. Il parvint à se retourner et jeta la poudre au visage de son agresseur. Du piment rouge. L'homme poussa un cri. Aveuglé, suffoquant, il desserra son étreinte. Alex pivota et lui décocha un coup de pied de côté, appelé *yoko-geri* au karaté, qui percuta le plexus solaire de son adversaire. Celui-ci fut projeté en arrière dans une vitrine remplie de bijoux en argent. La vitre céda sous le choc. La tête et les épaules de l'homme disparurent, ses jambes furent agitées de soubresauts pendant un bref instant avant de retomber, inertes.

Alex n'eut pas le temps de reprendre haleine. Le dernier tueur, bien calé sur ses jambes, menaçait Smithers de son couteau. Alex ramassa la première arme à sa portée : un plateau en cuivre, et le lança comme un disque de frisbee. Le plateau était plus lourd, mais il avait la même forme et à peu près le même aérodynamisme. Il décrivit une courbe et frappa l'homme en pleine gorge. Les yeux de celui-ci se révulsèrent et il s'effondra. Alex et Smithers étaient seuls.

La situation semblait amuser Smithers.

— Bien joué, Alex. J'ai toujours rêvé de te voir à l'œuvre, et je constate que tu es aussi doué qu'on le dit !

— On ferait bien de filer en vitesse, M. Smithers.

273

Ils avaient mis quatre hommes hors de combat, mais d'autres allaient venir.

— Tu as raison. Il est temps que je disparaisse.

— Comment ?

— On n'a pas le temps de discuter. C'est à moi qu'ils en veulent. Dieu sait pourquoi. M. Blunt le découvrira sûrement. L'important est que tu prennes ton avion.

— Et vous ?

— Ils ne pourront pas me trouver s'ils ne savent pas ce qu'ils cherchent, répondit Smithers en se baissant en avant.

Alex le vit passer une main entre ses jambes.

— Désolé, Alex, mais tu vas avoir un choc.

Alex crut que Smithers allait ouvrir son pantalon. En tout cas, il ouvrait une fermeture Éclair. Quand il se redressa, il y eut un bruit de déchirure et la ceinture de son pantalon s'ouvrit en deux. La chemise fit de même. Et devant les yeux horrifiés d'Alex, la bedaine de Smithers s'ouvrit elle aussi en deux. On aurait dit un serpent en train de muer. La chemise bariolée et les gros bras de Smithers tombèrent, laissant apparaître une seconde paire de bras, minces et bronzés. Puis ce fut le tour des épaules, et enfin la tête chauve, avec ses grosses joues et son triple menton. Une tête plus jeune apparut. Alex en avait le souffle coupé.

Un costume d'obèse ! Le plus ingénieux gadget de Smithers. Le véritable Smithers était un homme d'une trentaine d'années, mince et musclé, avec des cheveux courts et bruns. Il regardait Alex d'un air malicieux et, quand il reprit la parole, même son intonation d'universitaire avait changé. On devinait un léger accent irlandais.

— Je n'avais pas l'intention de te tromper, Alex. J'ai mis au point ce déguisement pour mes missions sur le terrain, et j'ai fini par m'y habituer. C'était un peu comme une tenue… de travail. Tu comprends ?

Smithers fourra rapidement le déguisement de latex et de caoutchouc derrière le comptoir d'une échoppe. Il portait maintenant un jean délavé et un T-shirt. Alex était trop abasourdi pour parler.

— À vrai dire, reprit Smithers, je me sens tout nu sans mon costume. Mais je suis bien obligé de m'en passer si je veux sortir d'ici vivant. Il vaut mieux nous séparer. Va retrouver Jack. Fais-lui mes amitiés. Mais évite de parler de ma métamorphose, si tu peux.

Smithers s'éloigna d'un pas alerte, descendit quelques marches et disparut. Alex se souvint d'une publicité à propos de pilules pour maigrir. « À l'intérieur de chaque obèse se cache un homme qui cherche à fuir son corps. » Smithers venait de lui en fournir une démonstration vivante. S'il ne l'avait pas vu de ses propres yeux, jamais il ne l'aurait cru.

Alex revint sur ses pas et mit autant de distance que possible entre lui et la petite place. Smithers pouvait se tromper. Les gens de Scorpia le recherchaient peut-être aussi. Alors qu'il s'éloignait en courant, il croisa un groupe de policiers en uniforme blanc. Après la Maison de l'Or, une rixe dans le souk ! Les autorités du Caire devaient se demander ce qui se passait. Tous les commerçants avaient fermé leurs boutiques. Alex se fondit dans la foule des touristes affolés et quitta le souk.

Il parvint à retrouver le pont de fer et tenta de héler un taxi. Mais il comprit vite que c'était sans espoir.

Les taxis avaient été pris d'assaut par les touristes qui cherchaient à regagner leurs hôtels, et la police avait probablement bloqué toutes les routes.

Alex regarda sa montre. Bientôt une heure et demie. Il avait encore le temps d'attraper son avion. Il se servit du téléphone portable que Jack lui avait prêté pour appeler l'appartement. Pas de réponse. Bizarre. Il refit le numéro, pensant s'être trompé. Il laissa sonner dix fois. Toujours pas de réponse. Où était Jack ?

Un mauvais pressentiment l'étreignit. Jamais Jack n'aurait quitté l'appartement. Elle avait peut-être appris par la radio l'agitation qui secouait Le Caire, mais jamais elle ne serait partie à sa recherche. Mais si elle ne répondait pas au téléphone, où était-elle ?

Alex se sentit très seul. Smithers s'était évanoui dans la nature et il n'avait personne d'autre à qui faire appel. Il se mêla à la foule compacte et suivit l'avenue qui reliait le souk au centre-ville, cherchant un taxi ou un bus qui le rapprocherait de l'appartement, angoissé à l'idée de ce qui l'attendait là-bas.

17. LA CITÉ DES MORTS[1]

Alex réussit enfin par héler un taxi sur la place de l'Opéra, une vaste esplanade bordée de magasins modernes et de bureaux hideux, coupée en deux par un pont routier. Il lui fallut une heure pour arriver à Golden Palm Heights, dont la moitié au point mort dans les embouteillages. Trois fois il tenta de rappeler l'appartement. En vain. Il s'efforçait de contenir son imagination pour ne pas penser au pire. Si Jack avait dû sortir, pour une raison ou une autre, elle lui aurait d'abord téléphoné. Ce silence avait quelque chose de

---

1. Ensemble de cimetières intégrés à la ville, où se sont installées des familles de sans-logis depuis l'explosion démographique à la fin de la Seconde Guerre mondiale.

terrible. Alex tenait le portable si serré dans sa main qu'il en avait des crampes.

Il s'inquiétait aussi pour Smithers. La façon dont celui-ci s'était extrait de son déguisement le laissait encore abasourdi. Ses vêtements de travail ! Il fallait quand même avoir l'esprit un peu tordu pour porter cet accoutrement tous les jours. Cela signifiait qu'on ne pouvait absolument pas se fier à quiconque dans le monde de l'espionnage.

Pendant l'interminable trajet en taxi, Alex se surprit à maudire Blunt et Mme Jones. Et lui-même, pour les avoir écoutés. Ils l'avaient envoyé affronter Scorpia sans même le prévenir. Et il était certain maintenant que les récents événements n'avaient rien à voir avec le Cairo College. L'école avait juste servi d'appât pour l'attirer ici, dans le puzzle infernal monté par Scorpia. Qu'ils aillent tous au diable ! Il ne voulait plus jouer.

Après ce qui lui parut une éternité, le taxi s'arrêta devant la résidence, tranquille et silencieuse pendant les heures où les enfants étaient à l'école. Alex remit au chauffeur une poignée de billets sans même les compter, descendit de la voiture et courut vers l'appartement. La porte était ouverte. Bon, ou mauvais signe ?

— Jack !

Il cria son nom en entrant dans le salon, espérant contre tout espoir qu'elle allait lui répondre. Rien. Le silence qui régnait était angoissant. Il fit le tour de l'appartement. Personne. Jack avait presque terminé les bagages : deux valises remplies étaient ouvertes sur le sol. À côté, quelques livres et objets personnels étaient rangés en deux piles bien nettes, avec leurs passeports et de l'argent liquide. Un verre de Coca à moitié vide traînait sur la table de la cuisine. Alex l'examina. Les glaçons avaient fondu et la boisson était tiède. Jack était quasiment prête à partir. Quelque chose, ou quelqu'un, l'avait interrompue.

C'est alors qu'Alex vit la lettre épinglée au dos de la porte d'entrée. Une enveloppe blanche avec son nom écrit dessus. Ce n'était pas l'écriture de Jack. Une boule d'angoisse lui serrait la gorge quand il l'ouvrit. En la lisant, son angoisse décupla.

« NOUS DÉTENONS JACK STARBRIGHT. SI TU VEUX LA REVOIR, VIENS À LA CITÉ DES MORTS CET APRÈS-MIDI À TROIS HEURES. TOMBE DE LA LUNE BRISÉE. NE SOIS PAS EN RETARD. NE PARLE À PERSONNE. SI TU PRÉVIENS LE MI6, ELLE MOURRA. SI TU APPELLES L'ÉCOLE, ELLE MOURRA. NOUS TE SURVEILLONS. NOUS T'ÉCOUTONS. OBÉIS À CES INSTRUCTIONS, SINON TU NE REVERRAS JAMAIS TON AMIE. »

Alex eut l'impression de recevoir un coup dans l'estomac. Le sol de marbre tangua sous ses pieds. Trois heures ! Il regarda sa montre. Déjà deux heures. Ils lui laissaient très peu de temps. De façon délibérée, sans doute. Il se força au calme. Il devait réfléchir. Une mauvaise décision pouvait leur être fatale à tous les deux.

Il avait entendu parler de la Cité des Morts quelques jours auparavant, à l'école. C'était un vaste cimetière, au nord de la ville, non loin de la Citadelle. Quant à la Tombe de la Lune Brisée, il la trouverait une fois là-bas. Mais devait-il y aller ? S'il se faisait capturer, il ne serait plus d'aucune aide à Jack. Il risquait même pire. Après tout, c'était à Scorpia qu'il avait affaire, et il leur avait donné suffisamment de raisons de l'éliminer.

Pourtant ça ne tenait pas debout. S'ils avaient voulu le tuer, ce serait déjà fait. Il suffisait qu'un tueur l'attende dans l'appartement avec une arme. Donc, ils avaient besoin de lui. Pourquoi ? Peut-être pour la même raison qui les avait conduits à l'attirer au Caire. La cible n'était pas le Cairo College. C'était lui. S'il tombait dans leur piège, qui pouvait prévoir les conséquences ? Mais s'il n'allait pas là-bas, Jack mourrait.

Il pouvait toujours envoyer un message à Smithers en se servant du calepin électronique. Mais cela en valait-il le risque ? D'abord, Smithers n'avait plus de maison, ni peut-être accès à son ordinateur. Téléphoner en Angleterre ? Laisser une note écrite dans l'appartement ? Mauvaise idée. L'appartement serait très certainement fouillé. Et Scorpia y avait peut-être placé des micros et des caméras pour l'espionner.

Il lui fallut une quinzaine de secondes pour envisager toutes les hypothèses, et pour aboutir à la seule conclusion possible. Il devait obéir. Se livrer lui-même à Scorpia et espérer avoir une occasion de leur fausser compagnie plus tard. La seule chose qu'il s'interdisait était de mettre la vie de Jack en danger. Il se souvint de son insistance à vouloir l'accompagner en Égypte. Comme il regrettait à présent de ne pas l'avoir dissuadée de venir.

Alex ramassa l'argent liquide et sortit. Il descendit les marches quatre à quatre et s'aperçut que le taxi qui l'avait amené était toujours là. Le chauffeur discutait au téléphone. Un coup de chance. Il tambourina contre la vitre et lui montra la liasse de billets.

— À la Cité des Morts, dit-il.

Le chauffeur acquiesça de la tête.

— Vous connaissez la Tombe de la Lune Brisée ?

— Je connais, dit le chauffeur sans quitter l'argent des yeux.

— Vous aurez tous ces billets si vous me conduisez là-bas en une demi-heure.

Le chauffeur connaissait assez d'anglais pour comprendre car, à peine Alex eut-il terminé sa phrase que le taxi démarra en trombe. Alex essaya de se concentrer. Pourquoi le faire venir dans un cimetière ? Ce choix était-il de mauvais augure ? Finalement, il était peut-être plus malin d'appeler quelqu'un avec le téléphone de Jack. Mais cela aussi était dangereux. Il était possible qu'une voiture de Scorpia le suive. Et que le téléphone de Jack ait été mis sur écoute.

La Cité des Morts, également connue sous le nom de cimetière du nord, s'étendait à proximité de l'autoroute Salah Salem, où défilait un flot de véhicules incessant, qui empestait l'atmosphère de gaz d'échappement et d'odeur de caoutchouc chaud. La Cité des Morts était véritablement une ville, poussiéreuse, délabrée, martelée par le soleil. Depuis le XIVe siècle, les Égyptiens venaient y enterrer leurs morts. Ils avaient construit non seulement des tombes mais des édifices miniatures, avec des mosquées, des mausolées, et même des salons pour accueillir les visiteurs. Plus la famille était riche, plus la construction était sophistiquée, avec de hauts murs en brique, des arcades menant dans des cours, et aurait pu servir de maison. D'ailleurs, un grand nombre des habitants les plus pauvres du Caire y avait élu domicile. De nombreux édifices funéraires étaient maintenant occupés, avec des antennes de télévision sur les toits, du linge qui séchait sur des cordes tendues entre les tombes. On y trouvait même quelques bars et des supérettes, dans lesquelles les boîtes de conserve et les bouteilles s'alignaient sur des étagères de bois qui avaient peut-être autrefois renfermé des défunts.

Le taxi ralentit dès qu'il pénétra dans le cimetière. Il était impossible de rouler vite dans les allées. Le chauffeur semblait chercher quelque chose. Soudain, il s'arrêta devant une porte en bois. Sur une plaque, Alex déchiffra un nom : « TORUN », écrit en arabe et en anglais. Le chauffeur tendit le bras et Alex leva les yeux. Il vit un dôme et un minaret surmonté d'un croissant de lune sur lequel quelqu'un avait tiré. La balle avait arraché la pointe du croissant de lune. La lune était un symbole turc. Et Torun était probablement un nom turc. Peut-être une famille turque, émigrée au Caire, avait-elle choisi de se faire enterrer ici. En tout cas, c'était bien l'endroit indiqué.

Alex donna au chauffeur de taxi tout l'argent qu'il avait. Les nerfs à fleur de peau, il descendit de la voiture et franchit la porte. Il entendit le taxi qui redémarrait. Sa montre indiquait trois heures moins cinq. Il avait accompli sa part du marché. Et maintenant ?

Trois murs l'entouraient. Le quatrième s'était écroulé, dévoilant d'autres tombes éparpillées çà et là, quelques buissons et des arbres. Apparemment, aucun squatter n'était venu s'installer dans ce secteur. Alex était seul. Pris au piège. À première vue, la Cité des Morts s'étalait au moins sur un kilomètre et demi, et à cette heure de la journée, au plus fort de la chaleur, visiteurs et touristes étaient rares.

Il entendit des pas. Quelqu'un approchait. Alex se redressa, tous ses muscles tendus, ne sachant à quoi s'attendre. Une silhouette apparut.

Alex resta figé, en état de choc, face à lui-même marchant entre les tombes.

C'était lui. Un adolescent avec son visage, ses cheveux, ses vêtements. La seule différence était la cruauté de son regard. Et de son sourire. Alex n'avait jamais souri avec cette malveillance. Tout à coup, il comprit qui était ce double. Un des fils Grief.

— Surpris ? lança Grief en souriant.

Alex ne répondit pas. Il était furieux contre lui-même. Il se souvint du visage entrevu derrière la fenêtre de Günter. Il aurait dû le reconnaître. Et cette photo de lui dans le tiroir du bureau de Günter. Sur le moment, ça l'avait intrigué. Quand avait-elle été prise ? La réponse était simple. Ce n'était pas lui qui était sur la photo. Mais l'autre.

— Tu sais qui je suis ? demanda Grief.

— Oui. Où est Jack ?

— Ce n'est pas toi qui poses les questions, dit Grief avec un plaisir évident. À partir de maintenant, tu vas faire exactement ce que je te dis, sinon ton amie mourra. Tu comprends ? Nous allons faire un petit voyage ensemble, toi et moi. Si tu me joues un sale tour, c'est Jack qui paiera.

— Je ne vais nulle part tant que je n'ai pas parlé à Jack, dit Alex.

Le visage de Grief s'assombrit.

— Je crois que tu n'as pas bien compris les règles. Tu n'es plus rien, Alex Rider. Tu n'es plus un superespion. Tu n'as aucune idée de ce qui t'attend. C'est moi qui décide. C'est moi qui te dis ce que tu dois faire.

Soudain, comme s'il venait de changer d'avis, Grieg sortit son téléphone portable, pressa une touche et dit quelques mots avant de s'adresser à nouveau à Alex :

— Tu veux parler à Jack ? D'accord. Mais seulement si tu me le demandes gentiment. Dis-moi « s'il te plaît ».

— S'il te plaît, est-ce que je peux parler à Jack ?

— Mets-toi à genoux.

Grief le narguait avec le téléphone. Il se comportait comme n'importe quelle brute dans les cours de récréation. Pourtant Alex devait absolument savoir si Jack était en vie. Il s'agenouilla sur le sol. Grief sourit, satisfait de lui-même. Il s'avança, dominant Alex de toute sa hauteur, et lui tendit le portable.

— Jack ? murmura Alex.

— Alex… ne leur obéis pas. Va chercher du sec…

C'était bien la voix de Jack, mais le téléphone lui fut arraché avant qu'elle puisse terminer sa phrase. La communication fut coupée.

— Tu es content ? demanda Grief en lui prenant le téléphone.

Alex se demandait comment ce dingue avait réussi à s'échapper de l'endroit où le MI6 l'avait expédié. Est-ce que son évasion faisait partie de toute l'affaire ? Quelqu'un savait-il qu'il était en liberté ? En tout cas, une chose était certaine. Grief était encore plus fou qu'à leur dernière rencontre, sur le toit de Brookland.

— À partir de maintenant, tu m'appelles Monsieur et tu me vouvoies. C'est compris ?

— Oui.

Grief lui frappa violemment le crâne avec son portable. Alex faillit perdre l'équilibre. Il se raccrocha à une tombe.

— C'est compris ?

— Oui, monsieur.

Grief avait toutes les cartes en main. Il ne servait à rien de le provoquer pour le moment.

— Très bien. Maintenant, lève-toi et avance. Une voiture nous attend.

Grief fit un geste. Alex se leva. Une douleur lancinante battait dans sa tête. Il savait qu'il n'aurait pas trop de mal à prendre le dessus sur Grief, avec quelques coups de karaté bien placés. Mais il ne pourrait rien tenter tant qu'ils détiendraient Jack.

Ils rebroussèrent chemin. C'était sans doute la pire des situations auxquelles Alex ait jamais été confronté. Scorpia poursuivait un but dont il ignorait tout. Grief, au contraire, avait une seule idée en tête. Il voulait se venger de lui et le plus cruellement possible. Alex marchait lentement. Il ne céderait pas. La chance finirait par tourner en sa faveur. Il ne voulait pas la manquer.

Une limousine noire était garée non loin de l'endroit où le taxi l'avait déposé. À côté se tenait un homme. Alex le reconnut immédiatement. Erik Günter portait le même costume sombre qu'au collège. À cette différence que, maintenant, il tenait un pistolet. Il avait dû quitter le Cairo College plus tôt pour être là. Grief lui adressa un signe de tête et Günter rangea son arme en voyant qu'il contrôlait la situation.

— Salut, Tanner ! lança-t-il d'un ton enjoué. À moins que tu ne préfères que je t'appelle par ton vrai nom. Rider ! Tu es arrivé au bout de la route, on dirait.

— Vous aussi, Günter. Le MI6 a un dossier sur vous. Malgré votre passé de héros de guerre, ils savent que vous avez changé de camp et que vous travaillez pour Scorpia. Quand cette affaire sera terminée, ils vous rechercheront et ils vous trouveront. Il n'existe aucun endroit au monde où vous pourrez vous cacher.

Günter sourit mais son regard se troubla.

— Je ferais peut-être bien de changer de visage, alors. Comme Julius.

Julius ! C'était donc son prénom. Alex l'entendait pour la première fois.

Günter remarqua l'ecchymose sur le côté de la tête d'Alex et il se tourna vers Julius, l'air contrarié.

— Tu n'étais pas censé le toucher.

— Il a été insolent.

— Razim ne sera pas content.

Alex enregistra l'information. Qui était Razim ? Probablement leur chef. Et ce chef, pour une raison inconnue, avait besoin de lui non seulement vivant mais intact.

Günter fit le tour de la voiture et ouvrit le coffre. Il se pencha à l'intérieur et en sortit une arme sophistiquée, un fusil de précision muni d'une lunette. Alex se souvint du sac de golf de la Maison de l'Or. Il y avait de fortes chances qu'il ait servi à transporter ce fusil. Günter avait enfilé un gant à sa main droite, et il tenait le fusil par le canon, en prenant soin de ne pas y laisser d'empreintes.

— Avant que nous partions, je veux que tu prennes ce fusil, Rider. Ne rêve pas. Il n'est pas chargé.

— Que voulez-vous que j'en fasse ?

À peine avait-il posé sa question qu'il sentit un coup violent dans ses côtes. Julius l'avait frappé par-derrière.

— Je t'ai déjà dit que ce n'est pas à toi de poser les questions.

Alex prit le fusil. Il le trouva plus lourd qu'il ne le pensait. Il le tenait de façon un peu gauche, ne sachant pas ce qu'on attendait de lui.

— Pointe-le sur moi, ordonna Günter. Vas-y. Je suis sûr que tu adorerais me descendre. Vise ma tête.

Alex obéit.

— Maintenant, presse la détente.

Alex obéit. Il y eut un déclic, mais pas de détonation. Le fusil n'était pas chargé.

— C'est agréable, hein ? se moqua Günter. Maintenant, ne bouge plus.

Günter sortit un appareil photo et prit plusieurs clichés. Alex avec le fusil, un mur de brique derrière lui, sans personne d'autre.

— Parfait, Rider. Ça complète la collection du dossier Cavalier. Rends-moi le fusil.

Günter tendit sa main gantée. Alex obéit. Il avait maintenant une idée précise de ce qui se passait. Il savait aussi qu'il ne pouvait rien faire. Günter rangea le fusil dans le coffre de la voiture, puis il ouvrit la porte arrière.

— Monte, ordonna-t-il.

— Où allons-nous ? demanda Alex.

— Contente-toi de faire ce que je dis. Sinon Julius va encore te frapper.

Alex s'assit sur la banquette arrière. Günter ferma la portière et alla s'asseoir au volant. Julius prit place à côté de lui, renfrogné et furieux. Une vraie boule de nerfs. Il détestait recevoir des ordres.

Ils regagnèrent l'autoroute et se dirigèrent vers les faubourgs. Le soleil commençait juste à décliner lorsqu'ils bifurquèrent sur une route de terre, jusqu'à un terrain vague. Encore un chantier inachevé. Un gros hélicoptère démodé attendait là. Le pilote procédait déjà aux vérifications de décollage. L'hélicoptère était un Sikorsky H-34, très apprécié autrefois par l'armée américaine mais qui n'était plus fabriqué, doté d'un moteur à l'avant et d'un cockpit assez grand pour une douzaine d'hommes. Il était beaucoup plus gros que celui qu'Alex avait fait sombrer dans la Tamise.

— Je ne vais pas plus loin, annonça Günter. Je dois rapporter le fusil. Mais je te revois après-demain, Alex. Profite bien de la balade en hélico. Si tu veux un conseil, profite de tout tant que tu le peux. Il ne te reste plus beaucoup de temps…

Alex descendit de la limousine. Julius Grief le poussa en avant. Alex grimpa dans le Sikorsky. La cabine avait été conçue pour transporter un escadron entier. On aurait même pu y loger une voiture. Il y avait des sangles et du matériel accrochés sur les parois. La porte coulissait largement, de façon à permettre à des parachutistes de sauter facilement. Deux bancs se faisaient face. Alex se demanda si Jack s'était assise ici avant lui.

— Assieds-toi là, ordonna Julius en désignant l'un des bancs.

Alex s'exécuta. Les pales de l'hélicoptère commencèrent à tourner, le vrombissement du moteur monta en puissance. Quand tout fut prêt, le pilote tira sur le manche et l'hélicoptère s'éleva d'un coup. Il resta un moment en suspens, puis il pivota et prit de l'altitude.

18. L'ENFER T'ATTEND

Le scorpion mesurait environ deux centimètres et demi de long. La queue recourbée au-dessus de la tête, il était juché sur le rebord de la fenêtre, comme s'il essayait de capter les premiers rayons du soleil. Il était d'une couleur déplaisante, jaunâtre, presque transparente devant la lumière. Depuis dix minutes, il avait à peine bougé. C'était un bébé scorpion. L'*Androctonus australis* – ou scorpion égyptien à grosse queue – peut mesurer jusqu'à quatre centimètres de long. Le spécimen adulte est l'un des insectes les plus meurtriers au monde. Sa piqûre est le plus souvent mortelle.

Allongé sur un lit de camp, Alex observait le scorpion. C'était le deuxième qu'il voyait depuis son réveil grimper sur le mur de l'autre côté des barreaux. Il supposa qu'il y avait un nid quelque part. Par chance, aucun n'était entré dans la cellule.

Alex n'avait qu'une idée vague de l'endroit où il se trouvait. Une forteresse quelque part au milieu du désert. À son arrivée, le soleil se couchait. L'hélicoptère s'était posé sur une aire spécialement aménagée pour que le sable ne tournoie pas dans les rotors. En descendant de l'appareil, la première chose qu'il avait vue était un petit fort, à environ deux cents mètres, qui semblait sorti d'un vieux film ou d'une bande dessinée de Tintin. Il n'y avait aucun autre signe de vie alentour. Plus loin, le sable devenait gris argent. Alex comprit qu'il s'agissait d'un lac. Mais l'eau paraissait bizarre. Morte.

La chaleur intense lui giflait le visage. L'odeur de kérosène de l'hélicoptère l'enveloppait. Il savait déjà que, même s'il parvenait à s'échapper, il ne pourrait aller nulle part. Où était Siwa ? C'était le nom sur la brochure qu'il avait trouvée dans le bureau de Günter. Si l'oasis était dans les parages, elle était hors de vue.

— Monte dans la Jeep, Alex, dit Julius Grief en descendant à son tour de l'hélicoptère. Quelqu'un t'attend.

Alex obéit sans un mot. La Jeep stationnait à côté de l'aire d'atterrissage, conduite par un Bédouin en costume traditionnel. Un autre homme, armé d'un fusil, se tenait à côté. Alex monta à l'arrière de la Jeep, avec Julius. Ils démarrèrent et parcoururent la courte distance qui les séparait d'un porche voûté, muni d'une double porte massive. Sitôt qu'ils furent entrés, les portes se refermèrent derrière eux avec un bruit lourd, définitif.

L'activité qui régnait dans l'enceinte du fort contrastait avec l'immobilité extérieure. Alex enregistra tout d'un regard circulaire : les gardes arabes armés de pistolets-mitrailleurs, la tour radio, les antennes paraboliques, les Jeep, les tours de guet, les projecteurs. Un homme puisait de l'eau au puits, un autre pelletait un gros tas de sel. En l'air, une passerelle de corde suspendue reliait deux ailes du fort. Il compta une dizaine de bâtiments de différentes tailles, parmi lesquels une sorte de maison de poupée ressemblant à une chapelle.

Aucun signe de Jack.

— Par ici, indiqua Julius.

Alex suivit son sosie à l'intérieur d'une longue bâtisse étroite qui longeait une des murailles, et entra dans une pièce fraîche, nue, avec un ventilateur qui tournait au plafond et un plancher en bois. Il y avait un bureau et une chaise, sur le dossier de laquelle un uniforme du Cairo College était soigneusement plié. Deux gardes, silencieux et impassibles, l'attendaient.

Il y eut un mouvement sur le seuil et quelqu'un entra à pas lents. Aussitôt, l'atmosphère de la pièce changea. Alex se retourna et se trouva face à un homme de petite taille, fluet, avec des cheveux gris coupés court et des lunettes rondes. Le nouveau venu paraissait trop frêle pour être dangereux, mais son autorité ne faisait aucun doute.

Il s'arrêta devant Alex et l'examina.

— Qu'est-il arrivé à son visage ? questionna-t-il d'un ton sec.

— Je l'ai frappé, répondit Julius.

— C'est très contrariant, Julius. Je t'avais pourtant demandé de ne pas le toucher.

— Il m'a énervé.

— Bienvenue à Siwa, reprit l'homme à l'adresse d'Alex. Je m'appelle Abdul Aziz al-Razim. J'étais très impatient de te connaître. Je dois avouer que ta ressemblance avec Julius est remarquable. C'est un chef-d'œuvre de chirurgie plastique. J'espère que le voyage n'a pas été trop stressant ?

— Où est Jack ? demanda Alex.

— Ici. Et en parfaite santé... Pour le moment.

— Je veux la voir.

— J'en suis sûr. Malheureusement, ce n'est pas possible. En vérité, une expérience assez désagréable t'attend. Il faut me croire quand je dis que je n'y prends aucun plaisir. Mais je sais que tu as bénéficié par le passé de gadgets très ingénieux, et je sais aussi que ton cher M. Smithers se trouvait au Caire. Donc, nous allons te déshabiller pour te fouiller des pieds à la tête. Je n'assisterai pas à la fouille, rassure-toi. Cela t'épargnera de rougir devant moi. Mais je te conseille de te montrer coopératif avec les gardes, sinon ils risquent de devenir brutaux.

» Ensuite, poursuivit Razim, tu prendras une douche et tu changeras de vêtements. Il y a un uniforme du Cairo College à ta taille sur cette chaise. Je préfère éviter les boutons explosifs ou je ne sais quelle invention de Smithers. Comme tu vois, Alex, je ne commets aucune erreur. Tu es maintenant en mon pouvoir et tu le resteras jusqu'à la fin de tes jours.

— Ce qui ne sera pas très long, ajouta Julius.

— En effet, acquiesça Razim d'un ton presque attristé. Nous en parlerons demain matin. Une fois la fouille terminée, les gardes te conduiront dans ta cellule. Cela t'intéressera peut-être d'apprendre que ce fort date du XVIIIe siècle. Il a été construit par les Français et servait de prison. On te donnera à dîner et tu dormiras. Je te conseille de tirer le plus grand profit de ton sommeil. Tu auras besoin de toutes tes forces.

Julius ricana. Razim fit un signe aux gardes, qui s'avancèrent.

— Bonne nuit, Alex, reprit Razim. À demain matin.

— Fais de beaux rêves ! ironisa Julius.

Les gardiens se mirent au travail sitôt Razim et Julius sortis. Deux heures plus tard, vêtu de l'uniforme du Cairo College, Alex se retrouva seul dans une cellule qui mesurait environ dix mètres carrés, avec un lit de camp, une table, et un seau pour la nuit. L'unique fenêtre, condamnée par des barreaux, donnait sur le mur d'enceinte dont elle était séparée par un long passage où s'étiraient les ombres du soir. Une vingtaine de minutes plus tard, la porte s'ouvrit et un autre gardien lui apporta un plateau, avec du pain, un bol de soupe et une bouteille d'eau. C'était tout son dîner.

Alex mangea tout et but la moitié de l'eau. Après quoi il se roula en boule sur le lit de camp et, contre toute attente, s'endormit assez vite.

Le jour s'était maintenant levé et le scorpion, alarmé par quelque chose, détala et disparut derrière le rebord de la fenêtre. Alex jeta un coup d'œil à sa montre. Huit heures. Un court instant après, le gardien de la veille au soir réapparut. Il portait un pantalon bouffant, un foulard noué autour de la tête, et un pistolet-mitrailleur en travers du dos. Il fit un signe de la main. Le message était clair. Suis-moi…

Alex le suivit vers la salle où il avait été reçu la veille. En approchant, il reconnut une voix familière.

— Ôtez vos sales pattes de moi, espèce de vicieux ! Pour qui vous prenez-vous ? Vous vous croyez tout permis parce que vous avez une arme ?

Jack. Alex se précipita. Elle était là, debout devant le bureau, l'index enfoncé dans le torse d'un homme deux fois plus grand qu'elle. Elle portait les vêtements qu'elle avait sans doute prévus pour le voyage. Un jean délavé, une chemise aux pans noués autour de la taille. Elle avait les cheveux un peu en bataille et les traits tirés par la fatigue, mais à part cela elle semblait en forme.

— Jack !

Ignorant le garde placé juste derrière lui, Alex courut vers elle.

— Alex !

Ils se jetèrent dans les bras l'un de l'autre.

— Ça va, Jack ?

— Oui, très bien. Je t'avais pourtant dit de ne pas les suivre.

— Je n'avais pas le choix. Je ne pouvais pas te laisser.

— Je sais, dit-elle en le serrant contre elle, avant d'ajouter dans un murmure : Ne t'inquiète pas. Je crois que j'ai trouvé un moyen de sortir d'ici. (Puis elle poursuivit, plus fort :) Qui sont ces gens, Alex ? Et où sommes-nous ?

— Je ne sais pas. Mais je pense que nous allons bientôt le savoir.

— Venez, intervint un garde. Maintenant.

Il avait réussi à articuler deux mots en anglais. Il désigna la porte. Alex et Jack furent conduits hors du bloc de la prison.

Il était tôt, pourtant le soleil brûlait déjà. Escortés par leurs gardiens, Alex et Jack passèrent devant le portail d'entrée et gagnèrent l'endroit où vivait Razim. Alex avait déjà compté une douzaine de gardes, et il y en avait probablement plus. Le propriétaire des lieux aimait se sentir protégé. Razim les attendait sur une petite terrasse qu'il avait fait construire devant la maison. Il y avait une table en pierre, entourée de palmiers nains dans des pots en terre cuite. Un lion de pierre crachait de l'eau dans un bassin, et le murmure de l'eau donnait une illusion de fraîcheur dans la chaleur du désert. Razim prenait son petit déjeuner : figues fraîches, yaourt, pâtisseries et thé. Comme à son habitude, il portait une *dishdasha* d'un blanc éclatant. Un paquet de Black Devil était posé à côté de lui. Alex fut ravi de voir que la table avait été dressée pour trois. Cela signifiait que Julius Grief ne se joindrait pas à eux.

Razim se leva pour les accueillir.

— Je vous en prie, prenez place. J'espère que vous ne m'en voudrez pas d'avoir commencé sans vous. Je me réveille toujours vers cinq heures, et je meurs de faim quand vient le petit déjeuner. Mais il vous reste largement de quoi vous rassasier.

Jack jeta un coup d'œil à Alex comme pour lui demander son avis. Alex hocha la tête et ils s'assirent.

Razim paraissait ravi. Il était attentionné, leur présentait les plats, leur servait du thé, comme s'ils étaient des invités surprises et non des prisonniers. Pendant ce temps, Alex observait les lieux. Il était évident qu'il était quasiment impossible de s'évader du fort, mais les paroles de Jack l'avaient intrigué. Elle disait avoir trouvé un moyen de fuir. Comme elle était arrivée au fort avant lui, peut-être avait-elle remarqué une chose qui lui avait échappé.

— Un peu de thé, Alex ? proposa Razim en lui tendant la théière.

— Merci, oui.

Cette fausse politesse, cette hypocrisie, horripilait Alex. Il avait déjà connu ce genre de situation absurde. Le thé dans le jardin avec Damian Cray, un dîner chic avec Julia Rothman. Ces gens éprouvaient le besoin de faire comme s'ils étaient humains et civilisés. De déguiser le fait qu'ils étaient tout le contraire.

Jack ne se laissa pas abuser.

— Qu'est-ce que vous nous voulez ? demanda-t-elle d'un ton cassant. Alex devrait être en classe en ce moment. Vous n'avez pas le droit de le retenir ici.

Razim posa la théière, puis il plongea sa cuiller dans un yaourt.

— Cessons de feindre qu'Alex est un collégien ordinaire, Miss Starbright. Nous savons tous qui il est et ce qu'il est. D'ailleurs, je vous conseille de ne pas me considérer non plus comme un homme ordinaire. Vous avez raison, je n'ai aucun droit de vous retenir ici. Mais je suis un criminel. La loi ne signifie rien pour moi. Je fais exactement ce que je veux.

— Mais qu'est-ce que vous voulez ?

— Au moins, vous êtes directe ! Je vous en prie, profitez de ce petit déjeuner. Il faut manger et boire, surtout par cette chaleur.

Alex se servit un fruit. Jack hésita, puis l'imita. Un homme passa non loin d'eux avec une brouette chargée de cristaux de sel.

Razim avala une cuillerée de yaourt avant de poursuivre.

— Voilà qui est mieux. Je suis certain que vous avez une foule de questions à me poser, tous les deux. Aussi je vais répondre à quelques-unes. Ça vous tranquillisera.

— Inutile de nous dire quoi que ce soit, l'interrompit Alex. Je sais déjà que vous êtes un membre de Scorpia et que vous projetez d'assassiner la secrétaire d'État américaine pendant son discours au Caire, ce week-end. Je sais aussi où nous sommes. Près d'un village appelé Siwa.

Alex avait lancé cela un peu au hasard, mais il vit avec plaisir une lueur de surprise briller derrière les lunettes rondes de Razim.

— Je le sais, reprit Alex. Et le MI6 aussi le sait. Ils ont dû s'apercevoir de notre disparition et se lancer à notre recherche. Si vous nous relâchez, vous avez une petite chance de vous sauver. Sinon, vous êtes fini.

Il y eut un long silence, que Razim finit par rompre avec un petit rire forcé.

— Bravo, Alex. Mes amis de Scorpia m'ont prévenu que tu es un garçon avec qui il faut compter, et ils avaient raison. Je reconnais que tu as réussi à découvrir une partie de nos plans. Tu as vu le fusil. Et tout le monde sait que la secrétaire d'État américaine arrive au Caire demain. Mais il est trop tard pour nous empêcher d'agir et je t'assure que tu n'as aucune idée de nos véritables objectifs.

» Quant à l'arrivée de tes amis du MI6 ici – dont je doute –, ils auront plus de mal que tu ne penses à approcher. Ce fort date de deux siècles, mais j'y ai apporté quelques modifications. Nous sommes au milieu d'un champ de mines. Il y a tout autour du fort ce qu'on pourrait appeler un chapelet d'engins explosifs, semblables à ceux utilisés en Afghanistan. Nous pouvons les activer au moindre signe d'attaque extérieure, depuis la salle de contrôle.

Razim esquissa un geste vers l'ancien four à pain, avec sa cheminée de briques, et poursuivit :

— Sache aussi que les tours sont équipées de radars et d'antennes militaires électroniques. Nous avons assez de puissance de feu pour détruire une flotte entière d'avions. Les Iraniens nous ont gentiment fourni plusieurs de leurs SA-2 de moyenne portée. Des missiles sol-air de haute altitude. Pour un prix élevé, évidemment. Mais je suis un homme qui aime se sentir en sécurité et, si des forces ennemies devaient se montrer, sur terre ou dans les airs, je peux t'affirmer que nous les réduirions en miettes sans aucun problème.

Razim sourit et posa sa cuiller bien alignée près de son assiette.

— Même si des commandos du MI6, par quelque miracle, parvenaient à nous trouver et à entrer dans le fort, ils arriveraient quand même trop tard, reprit Razim. Je quitte l'Égypte demain soir. Une nouvelle identité et une nouvelle vie m'attendent dans une autre partie du monde. Quant à toi, Alex... eh bien, voilà ce dont je voulais te parler, et la raison pour laquelle je t'ai invité à me rejoindre.

Il se tut. Alex regarda Jack. Il espérait qu'elle allait se tenir tranquille, ne pas se mettre en danger. Il savait que ni l'un ni l'autre n'allait aimer ce qu'ils allaient entendre.

— Je ne te cache pas, Alex, que tu as causé beaucoup de torts à mes amis de Scorpia, reprit Razim. En vérité, l'une des raisons qui les a poussés à accepter cette opération est que tu en faisais partie. Personnellement, la revanche ne m'intéresse pas. Je n'ai rien contre toi. Tu me sembles un garçon assez sympathique. Malheureusement pour toi, tu es totalement en mon pouvoir et il se trouve que je suis un savant. Je mène des recherches approfondies sur la douleur. Ce soir, après le coucher du soleil, je compte procéder à une expérience sur toi. Mon but est de te causer plus de souffrances que tu n'en as jamais connu. Ou que tu peux en imaginer.

— Vous êtes fou, dit Jack d'une voix faible.

Razim l'ignora.

— C'est étrange, mais le seul fait d'imaginer la douleur l'augmente quand elle se produit. J'ai découvert cela au cours de mes recherches. Je vois que vous serrez votre couteau à fruit, Miss Starbright, et que peut-être vous envisagez de m'attaquer avec. Mais je vous promets qu'un de mes gardes vous abattra avant même que vous ayez eu le temps de vous lever.

En effet, la main de Jack était crispée sur le manche du couteau. Elle haletait, ses yeux lançaient des éclairs. Alex posa une main sur son bras et elle lâcha le couteau.

— Merci, dit Razim. Voyons… où en étais-je ? Ah oui. C'est un peu comme avant d'entrer dans une piscine. L'enfant qui imagine que l'eau est froide et qui se mouille centimètre par centimètre, trouve cela beaucoup plus désagréable que celui qui court se jeter dedans. La peur que l'on ressent avant d'aller chez le dentiste est souvent plus terrible que la visite elle-même. C'est la raison pour laquelle je t'explique tout cela maintenant, Alex. Je veux que tu imagines ce qui t'attend ce soir. Tu vois cette bâtisse, là-bas ? (Il montra la petite maison en forme de chapelle, de l'autre côté.) C'est là qu'on te conduira. C'est là que l'enfer t'attend.

— Vous ne pouvez pas faire ça ! s'écria Jack. Vous êtes un monstre ! Alex n'a que quinze ans !

— C'est justement parce qu'il a quinze ans qu'il m'intéresse. Et il est inutile de me traiter de monstre. Je vous répète qu'Alex ne signifie rien pour moi. Je ne suis pas comme Julius, qui lui voue une haine féroce. Je ne ressens pas ce genre d'émotions. Pour moi, la haine est une perte de temps. Comme l'amour. Alex a été un outil très utile dans le plan que j'ai concocté pour Scorpia. Ce soir, c'est à moi qu'il va être utile. C'est tout. Je veux seulement vous mettre en condition.

Razim ouvrit son paquet de cigarettes. Il n'en restait qu'une. Il la sortit et l'alluma.

— Vous avez toute la journée devant vous. Vous êtes libres de vous promener dans le désert. Le lac salé est assez beau et vous aimerez peut-être vous y baigner. Je peux même vous prêter des maillots de bain. Ne prenez pas cela comme un signe de faiblesse de ma part. Vous n'avez pas d'eau et, sans eau, il est impossible de parcourir les quinze kilomètres de désert jusqu'à Siwa en pleine journée. D'ailleurs, vous serez surveillé en permanence. Comme tu l'as peut-être remarqué à ton arrivée, Alex, je ne tiens pas à ce qu'on t'abîme. Mais si tu t'éloignes trop du fort, si tu tentes quoi que ce soit, je n'hésiterai pas à tirer sur ton amie. Tu as bien compris ?

— Parfaitement, répondit Alex, sans chercher à masquer son mépris.

— Très bien, dit Razim en se levant. J'ai quelques préparatifs de dernière minute à effectuer. Mais mangez tout ce que vous voudrez. Le déjeuner sera également servi ici. Les gardes vous reconduiront à vos cellules à quatre heures cet après-midi. Tu auras besoin de repos avant la séance de ce soir, Alex. Profitez bien du temps qui vous reste.

Razim se leva et les laissa seuls à la table. Jack attendit qu'il ait disparu dans la maison pour réagir. C'est à peine si elle pouvait parler.

— Oh, Alex…

— Ne discutons pas ici, l'interrompit Alex. On pourrait nous entendre.

Il jeta un bref coup d'œil vers le porche. La grande porte était ouverte. Il avait du mal à croire que Razim les laisse sortir librement. Mais le Sahara était une prison aussi sûre qu'un bâtiment clos.

— Puisqu'il nous a suggéré d'aller nous baigner, allons-y. Personne ne pourra nous écouter au milieu d'un lac.

Mais ils ne se baignèrent pas. Deux des gardiens les surveillaient, une vingtaine de pas en arrière. Ils préférèrent marcher le long de la rive d'un des lacs les plus extraordinaires qui aient jailli au milieu du désert. L'eau était tellement saturée de sel que d'étranges formations de cristaux se répandaient sur le sable. Le fort était environ à quatre cents mètres. De loin, il ressemblait à un château construit par un enfant de sept ans.

Après avoir entendu Razim, ni Jack ni Alex ne savait quoi dire. Razim l'avait fait exprès, évidemment. Il avait beau se présenter comme un savant et affirmer n'avoir aucun sentiment, au fond de lui il éprouvait quand même du plaisir à les tourmenter.

Ce fut Jack qui rompit le silence.

— Quelle ordure ! Quel sale type ! Je ne le laisserai pas te faire mal, Alex. Je le jure...

Soudain, des larmes inondèrent ses yeux.

— Jamais je n'aurais imaginé une chose pareille, poursuivit Jack. Quand tu partais en mission, je savais que c'était dur, mais je n'aurais jamais cru que ça pouvait être à ce point. Comment le MI6 a-t-il pu te laisser subir des choses pareilles pendant tout ce temps ? Quand je pense que ton oncle voulait que tu deviennes un espion ! Ils se valent tous... Alan Blunt, Mme Jones... et même M. Smithers. Jamais ils n'auraient dû permettre cela.

Alex lui passa un bras autour des épaules et se força à sourire.

— Ne t'inquiète pas, Jack. Je m'en sortirai. Je m'en sors toujours.

Jack hocha la tête et s'essuya les yeux d'un revers de la main.

— Si on pouvait voler une des voitures...

— Je n'ai pas mon permis de conduire, plaisanta Alex.

— Moi, oui, dit Jack en s'égayant un peu.

Elle se retourna pour vérifier que les gardiens étaient à bonne distance avant de continuer :

— Écoute. Avant que tu arrives, je suis restée un long moment seule dans ma cellule et j'ai remarqué quelque chose. Les murs sont en briques mais les joints sont un mélange de terre et de sel. Et l'un des barreaux de ma fenêtre est un peu descellé.

— Tu peux l'enlever ?

— Je crois. Regarde !

Jack souleva un pan de sa chemise pour lui montrer le couteau glissé dans sa ceinture.

— Je l'ai volé pendant le petit déjeuner, après le départ de ce salaud. Je peux m'en servir pour creuser le scellement. C'est très friable. Et si j'arrive à enlever le barreau, je pourrai me faufiler dehors.

— Et ensuite ? demanda Alex, intéressé.

— Je m'arrangerai pour te faire sortir de ta cellule et nous filerons. Quand ils m'ont amenée ici, nous avons survolé Siwa. Ce n'est pas à plus de dix minutes en voiture. Si nous réussissons à rejoindre l'oasis et donner l'alarme... Il suffit d'un coup de téléphone. Ce sera la fin de monsieur Abdul Aziz al-Face-de-Rat. Il n'aura pas le temps de nous courir après. Il devra décamper en vitesse.

— Et les clés de la voiture ?

— Là aussi, j'ai remarqué quelque chose. Ils les laissent sur le contact. Tu vois, ils sont moins malins qu'ils ne le croient.

L'idée de Jack était bonne. Peut-être trop. Quelque chose inquiétait Alex. Leurs geôliers commettaient trois erreurs simplistes. Le barreau descellé, les clés de voiture, le couteau subtilisé sans que personne ne s'en aperçoive. C'était presque trop beau pour être vrai. D'un autre côté, Jack pouvait avoir raison. Par excès de confiance, Razim avait pu manquer de vigilance.

— D'accord, dit Alex. Mais écoute-moi. Si tu as une chance de t'évader sans moi, fais-le.

— Jamais je ne te laisserai.

— Tu y seras peut-être obligée. Et je te demande de le faire. Si tu dois choisir entre te sauver seule, ou aucun de nous, n'hésite pas. Et surtout, prends garde à toi. Je connais Scorpia. Crois-moi, ces gens savent ce qu'ils font.

— Tu les as battus déjà deux fois, lui rappela Jack.

— Et jamais deux sans trois. Espérons.

***

Ils passèrent le reste de la journée ensemble, assis à l'ombre, parlant de tout ce qui pouvait leur faire oublier l'horloge qui tournait, le soir qui approchait, et les paroles de Razim.

... plus de souffrances que tu n'en as jamais connu.

Ils parlèrent de Brookland, de Sabina, de la maison de Chelsea. N'importe quoi plutôt que le silence. Julius Grief était invisible et Razim semblait avoir disparu. Peut-être étaient-ils tous les deux à l'intérieur. Le soleil cognait et il n'y avait pratiquement pas un souffle de vent. Puis, peu à peu, la lumière changea. La température commença à descendre. À trois heures et demie, un garde apparut et, dans un anglais haché, leur annonça qu'il était temps de regagner leurs geôles. Ni l'un ni l'autre ne voulait montrer son émotion en public. Ils s'embrassèrent rapidement.

— Bonne chance, murmura Alex.

— Je viendrai te chercher. Je te le promets.

Les gardes les séparèrent.

Alex fut conduit dans sa cellule. Celle de Jack se trouvait un peu plus loin dans le couloir, de l'autre côté. Avant que les portes ne se referment, Alex jeta un coup d'œil derrière lui et il constata, avec un serrement de cœur, que Razim avait dit vrai. Il ne prenait aucun risque. Une chaise en bois avait été placée au milieu du couloir et un gardien l'occupait déjà. Un seul bruit suspect, et il donnerait l'alarme.

Les deux portes claquèrent. Les clés tournèrent.

Le temps parut s'arrêter. Alex sentit chaque minute s'étirer. Il savait que tout cela faisait partie du plan. Razim voulait qu'il pense à ce qui l'attendait. Au contraire, il s'efforça de faire le vide dans son esprit.

... plus de souffrances que tu peux en imaginer.

Bien entendu, il en fut incapable. Qu'allait-on lui faire ? Alex se souvint des scorpions qu'il avait observés le matin même. Non. Stop. N'y pense même pas. Ne laisse pas ton imagination faire le travail à leur place.

Trop vite, le soleil se coucha. Pourquoi ne s'attardait-il pas dans le ciel encore un peu ? Pourquoi était-il si impatient de terminer la journée ?

La nuit tomba. La porte de la cellule s'ouvrit et Julius Grief entra.

Lui aussi avait revêtu l'uniforme du Cairo College, comme s'il tenait à mimer Alex jusqu'à la fin.

— C'est l'heure ! claironna-t-il. Tu n'imagines pas avec quelle impatience j'attendais ce moment !

Deux gardes armés l'escortaient. Alex se leva. Il n'avait pas le choix. Il sortit dans le couloir. Aucun signe de Jack.

Julius en tête, marchant à grands pas, les gardes derrière, encadrant Alex, ils quittèrent la prison.

19. L'ENFER EST ICI

Alex ne pouvait pas bouger.

Il était assis sur une chaise en cuir à haut dossier, les poignets, les chevilles et le cou immobilisés par des lanières souples. Il aurait beau se débattre, les sangles rembourrées ne lui feraient aucune marque. Une série d'électrodes courait sur son torse nu. Chacun avait été soigneusement mis en place par une technicienne austère en blouse blanche, la seule femme qu'Alex ait vue depuis son arrivée au fort. D'autres fils étaient attachés à deux de ses doigts, son pouls, son front, et le côté de son cou.

L'air conditionné était au maximum et il sentait sa sueur refroidir sur sa peau. Avec ses murs arrondis, épais et blancs, la pièce ressemblait à un immense igloo. Alex était connecté à plusieurs machines chargées de mesurer ses réactions. Du coin de l'œil, il entrevoyait un point vert scintillant qui se déplaçait sur un écran. C'étaient les battements de son cœur. Le point vert avançait très vite. Il tenta de le ralentir, mais il avait déjà perdu tout contrôle sur lui-même. La façon dont on l'avait réduit à l'état de rat de laboratoire le mettait en rage. Les préparatifs terminés, on avait poussé devant lui un large écran de télévision dont il ne comprenait pas l'usage. Razim voulait-il lui montrer un film d'horreur ? Rien ne pouvait dépasser l'horreur de ce qui l'entourait. Pour le moment, le téléviseur était éteint. La technicienne et les gardes s'étaient retirés. Alex était seul.

Il pensait à Jack. Même ici, dans cette salle de torture, le sort de Jack l'inquiétait plus que le sien. Il avait déjà connu des situations de ce genre, d'autres vilains personnages l'avaient déjà menacé de choses déplaisantes. Il s'en était toujours tiré. Pour Jack, tout cela était nouveau. En ce moment, elle devait être en train de mettre son plan à exécution pour tenter de s'échapper. Il espérait qu'elle serait prudente. Elle n'avait aucune idée de ce à quoi elle s'attaquait.

Des pas résonnèrent sur le sol en ciment. Julius Grief était revenu, cette fois en compagnie de Razim. Le visage de Julius était rouge d'excitation, et la vision de cette grotesque version de lui-même, s'approchant d'un pas enjoué, donna la nausée à Alex. Razim avait changé de tenue. Il portait un pantalon et une veste sans col de couleur gris pâle, un peu à la manière d'un dentiste chic. Il avait dans l'oreille un écouteur, dont le fil tombait derrière son épaule. Quand il s'arrêta devant la chaise d'Alex, les projecteurs se reflétèrent dans ses lunettes et ses yeux disparurent un instant derrière deux ronds blancs éblouissants.

— Tu as peur, Alex ? demanda-t-il.

Alex préféra ne pas répondre. Il craignait que sa voix ne le trahisse.

— Tu veux un verre d'eau, avant de commencer ? poursuivit Razim.

Silence.

— Un grand nombre de gens se sont assis sur cette chaise, continua Razim. J'ai mené ici toutes sortes d'expériences. Un jour, le monde se félicitera du résultat de mes travaux. Il m'arrive rarement d'avoir des cobayes de ton âge. En temps normal, cela m'aurait ouvert une foule de possibilités.

Razim tendit la main vers un chariot, à côté de lui, et souleva le tissu qui recouvrait une rangée de scalpels et de couteaux parfaitement alignés. Alex savait que Razim faisait tout pour l'impressionner. C'était le numéro d'un mauvais magicien dans un cabaret minable. Il s'efforça de ne pas regarder les lames étincelantes.

— Comme tu le vois, Alex, il existe mille moyens de te faire souffrir. Et mon jeune ami Julius a des idées très originales. Si je lui laissais carte blanche, il emploierait des méthodes inavouables, en commençant par tes orteils, peut-être, avant de remonter lentement. Je suis sûr qu'il y prendrait un immense plaisir. Malheureusement, je ne peux pas le laisser faire. Nous sommes limités. Pour des raisons que je ne t'expliquerai pas maintenant, tu ne dois pas avoir de marques sur le corps. Pas d'ecchymoses, pas de balafres, pas de morceaux manquants ! Donc, nous devons renoncer aux lames et aux seringues. Le sang ne coulera pas ce soir.

Razim recouvrit le chariot et l'écarta.

— Néanmoins, ne crois pas une minute que ce sera plus facile pour toi. Je passe ma vie à étudier la douleur sous toutes ses formes, et celle que je vais t'infliger sera sans doute la pire. Je compte utiliser deux instruments. Ce matin, je t'ai promis l'enfer. Eh bien, mon cher petit, l'enfer est ici.

Razim se baissa et prit deux boîtiers en plastique. L'un était une télécommande, probablement pour le téléviseur placé devant lui. L'autre avait à peu près la taille d'un téléphone portable, avec un bouton rouge au milieu. Razim tendit celui-ci à Julius, qui le prit avec un large sourire.

Razim tapota son écouteur, comme s'il attendait des instructions.

— Tu es prêt, Alex ? dit-il. Je vais te montrer quelque chose.

Il alluma le téléviseur.

Jack s'était attaquée au barreau dès l'instant où elle avait entendu les gardes sortir Alex de sa cellule. En écoutant leurs pas décroître dans le couloir, le choc fut tel qu'une sorte de voile noir s'abattit sur son esprit. Jack avait toujours eu foi dans l'homme. Elle avait toujours refusé de croire qu'une personne pût être foncièrement méchante. Le petit déjeuner en compagnie de Razim lui avait prouvé qu'elle avait tort.

Elle aussi avait remarqué le garde assis dans le couloir et elle ne savait pas s'il était toujours à son poste. Elle espérait que Razim la considérait comme un élément négligeable qui ne méritait pas de surveillance particulière pendant qu'il s'occupait d'Alex. Néanmoins, elle devrait travailler en silence. Et vite. Qu'allait faire Razim à Alex ? Quand commencerait-il ? Jack essuya d'un revers de main rageur les larmes qui lui piquaient les yeux. Pleurer n'aiderait pas Alex.

La fenêtre donnait sur une allée de sable, et, juste en face, sur une autre bâtisse, peut-être un entrepôt. Il n'y avait que deux barreaux verticaux, en acier, côte à côte, comme dans un dessin animé. Il lui suffirait d'en enlever un pour se faufiler à l'extérieur. L'un de ces barreaux, comme elle l'avait découvert, était descellé.

Le couteau à fruit volé à la table du petit déjeuner avait une lame courte et émoussée. Même si elle avait pu poignarder Razim avec, elle ne lui aurait pas fait grand mal. Mais le couteau se révéla étonnamment efficace contre le mortier effrité qui scellait le barreau. Jack l'utilisa comme un ciseau à bois, en enlevant des copeaux, et en évitant que les éclats ne tombent à l'extérieur. Le mortier était tendre, presque comme du mastic humide. Déjà le barreau bougeait. Elle pourrait bientôt le dégager complètement.

Bientôt, mais dans combien de temps exactement ? Alex était déjà parti depuis dix minutes. Jack n'osait imaginer ce qu'on lui faisait subir. Elle devait utiliser toute son énergie mentale à ne pas penser à lui, à le chasser de son esprit. Sinon, elle n'aurait pas la force de continuer. Elle était son seul espoir. Elle allait fuir et ramener des secours. Elle était venue en Égypte spécialement pour veiller sur Alex, ce n'était pas le moment de le laisser tomber.

Elle avait creusé une cavité autour de la base du barreau. Elle tira. Le barreau se libéra d'un coup et lui échappa des mains. Elle tenta de le rattraper au vol mais la pointe heurta le sol avec un son métallique. Elle se figea, terrifiée à l'idée que le bruit ait alerté le garde, s'il se trouvait toujours dans le couloir. Elle attendit une longue minute, le cœur battant. Rien.

Jack se hissa sur la pointe des pieds et passa la tête par l'ouverture.

La prison était située dans un angle du fort, à l'opposé de la maison de Razim. En se penchant, elle pouvait entrevoir la cour principale. La nuit tombait et le ciel avait pris cette étrange couleur propre au désert, une teinte entre le bleu et le mauve au-dessus de l'horizon, comme s'il se reposait de la chaleur de la journée. Il n'y avait personne en vue.

Jack ramassa le barreau de fer et le glissa dans sa ceinture. C'était sa seule arme et elle risquait d'en avoir besoin. Se hisser sur le rebord de la fenêtre n'était pas si facile. Le lit de camp était mal placé et vissé au sol. Il n'y avait pas de chaise. Elle dut se soulever à la seule force de ses bras, puis passer la tête et les épaules dans l'espace entre le barreau restant et le cadre de la fenêtre.

Elle parvint à se faufiler et la moitié de son corps resta suspendue dehors. Elle se tortilla. Le barreau glissé dans sa ceinture s'enfonçait douloureusement dans son estomac. Un instant, elle crut être coincée. Ses hanches, qui étaient la partie la plus large de son corps, refusaient de passer. Jack imagina son humiliation si on la découvrait dans cette posture, et cette pensée lui redonna des forces. Un dernier effort, et elle dégringola dans l'allée.

L'atterrissage fut brutal et lui coupa le souffle. Tout un côté de son corps était meurtri. Pendant au moins cinq secondes, elle resta immobile. Quelqu'un l'avait forcément entendue ! À moins que les gardes ne soient allés dîner. Ou qu'ils n'aient été appelés pour s'occuper d'Alex. *Alex... Alex, qu'est-ce qu'ils te font ? Je ne peux pas attendre. Je dois aller chercher de l'aide.* Toujours personne. Jack prit le barreau dans une main et se leva. Prochaine étape : voler une voiture et filer.

La grande cour était à une quinzaine de mètres sur sa droite. Jack longea le mur de l'entrepôt. Les ombres lui paraissaient plus noires de l'autre côté. Elle savait que les véhicules stationnaient dans la cour. À mi-chemin, elle arriva devant une porte ouverte, autour de laquelle étaient empilés des caisses et des cageots. À l'intérieur, des lumières étaient allumées. Elle y jeta un coup d'œil. C'était une cuisine. Elle vit un réfrigérateur, un four à micro-ondes, quelques étagères, une table et des chaises. Peut-être était-ce la cantine des gardes. Pour l'instant, il n'y avait personne.

Jack continua jusqu'à l'extrémité du mur et s'accroupit, pour le cas où une sentinelle ferait sa ronde sur la passerelle suspendue. Le fort semblait abandonné. Son pouls s'accéléra. Il y avait une voiture, une vieille Land Rover cabossée, garée juste devant elle. Elle pouvait même apercevoir les clés sur le contact. C'était trop facile !

Non. Ça ne l'était pas. Un jeune garde barbu, un fusil sur l'épaule, se tenait appuyé au capot. Il fumait une cigarette. Pour voler la voiture, Jack allait devoir passer devant lui. Ou l'assommer avec le barreau. Mais jamais elle ne réussirait à approcher assez près sans qu'il l'entende. Le son portait loin dans le silence du désert. Elle allait donc devoir faire diversion, l'attirer vers elle.

Et vite. Le temps pressait.

Jack revint vers la cuisine et y entra. Elle ouvrit le réfrigérateur et trouva, soulagée, ce qu'elle cherchait. Une boîte d'œufs. La vue du four à micro-ondes avait réveillé en elle le souvenir d'une expérience ratée par Alex quand il avait dix ans. Comme elle l'avait houspillé, ce jour-là ! Jamais elle n'aurait imaginé que sa bêtise pourrait lui servir.

Elle mit un œuf dans le four, régla le bouton sur cinq minutes, et le mit en marche. Après quoi elle sortit rapidement et se cacha derrière les caisses. Elle s'aperçut qu'elle n'avait même pas songé à s'emparer d'un couteau de cuisine. De toute façon, cette idée même la révoltait. Elle attendit, comptant les secondes. Elle imaginait l'œuf tournant lentement derrière la vitre sur le plateau rotatif. Comme Alex l'avait découvert quelques années plus tôt, on ne peut pas faire cuire un œuf de cette manière. L'œuf explosa et aspergea les parois du four.

Comme Jack l'avait espéré, le garde, alerté par le bruit, accourut aussitôt. Il s'arrêta sur le seuil de la cuisine et jeta un coup d'œil à l'intérieur. Elle profita qu'il lui tournait le dos pour se redresser et l'assommer avec le barreau de fer. L'homme s'effondra en poussant un grognement. Elle s'assura qu'il était inconscient et courut à la voiture.

Toutes sortes d'interrogations lui traversèrent l'esprit. N'aurait-elle pas dû prendre le fusil du garde ? Pouvait-elle aller chercher Alex et fuir avec lui ? Non. Trop dangereux. Pour l'instant, elle bénéficiait de l'effet de surprise. Mais dès qu'elle se montrerait, il faudrait se battre à vingt contre un. C'était perdu d'avance. La pensée d'abandonner Alex lui était insupportable, mais elle n'avait pas oublié ses recommandations. Mieux valait en sauver un qu'aucun des deux. Le village de Siwa ne pouvait pas être très loin. Là-bas, elle trouverait du secours. La police locale, l'armée, n'importe qui. Et dès que Razim entendrait la voiture partir, il comprendrait et cesserait de torturer Alex pour se lancer à sa poursuite.

Jack monta dans la voiture et ferma doucement la portière pour amortir le bruit. Aucun garde ne surveillait le portail, grand ouvert sur le désert. Cela semblait presque trop beau. La voiture allait-elle démarrer ? Jack tourna la clé de contact et le moteur ronronna. Personne ne cria. Personne n'accourut.

Et les mines ? Razim avait parlé d'une zone de défense autour du fort. Mais il avait dit aussi que les explosifs n'étaient activés qu'en cas de menace extérieure. Restait à espérer qu'il avait dit vrai. Il y avait sur la piste des traces de pneus qu'elle pourrait suivre.

Accroche-toi, Alex. Les renforts ne tarderont pas.

Jack enclencha une vitesse et démarra.

L'écran de télévision mit plusieurs secondes à s'allumer. Alex découvrit une image en noir et blanc tellement floue qu'on l'aurait cru filmée de nuit. D'abord, il ne comprit pas ce qu'il regardait. Julius Grief l'observait, guettant sa réaction. Razim se tenait sur le côté, la télécommande en main. Alex avait envie de fermer les yeux, ou de regarder ailleurs. Il appréhendait ce que ces deux fous voulaient lui montrer. Mais quand il prit conscience de ce que c'était, il comprit qu'il était piégé et qu'il était déjà trop tard.

Une caméra avait été installée dans la cellule de Jack, sans doute au plafond. Jack lui tournait le dos mais on la voyait attaquer le scellement du barreau de la fenêtre avec le couteau qu'elle avait dérobé. Alex ne saisissait pas encore où ils voulaient en venir, mais bientôt Razim commenta les images d'un ton ironique.

— Il semble que ta chère amie Jack Starbright ait volé un couteau à fruit sur la table, ce matin. C'est très vilain de sa part. Mais je vais te confier un petit secret. Je me doutais qu'elle le ferait. En fait, je l'espérais. Elle ne m'a pas déçu.

Sur l'écran, Alex vit le barreau tomber, et Jack tenter de le rattraper au vol.

— Nous y voici, poursuivit Razim. Qui aurait cru qu'un homme aussi prudent que moi enfermerait ton amie dans une cellule dont un barreau est descellé ? Et quelle folie de ma part d'avoir congédié les gardes qui surveillent habituellement la prison ! À quoi ai-je pensé ?

Alex commençait à comprendre. Autour de lui, les machines s'animaient, clignotaient. Julius Grief souriait, le petit boîtier en plastique noir dans le creux de sa main.

— Regarde, Alex ! Elle a réussi à sortir. Elle est libre ! Malgré tout le bruit qu'elle a fait, personne n'a rien entendu. Je me demande si quelqu'un a laissé une voiture avec la clé sur le contact pour l'aider à fuir !

D'autres caméras étaient situées à l'extérieur. Alex vit Jack regarder dans la cuisine, puis continuer jusqu'au bout du passage, où une troisième caméra la suivit dans la cour où était garée la Land Rover.

— Un seul garde, roucoula Razim. Nous ne voulions tout de même pas que ce soit trop facile !

— Vous avez tout manigancé, soupira Alex.

Un terrible pressentiment lui serra la gorge. Il eut l'impression qu'il se liquéfiait.

— Bien entendu. Grâce à un système d'écoute à longue portée, nous avons écouté votre conversation pendant votre promenade au lac, ce matin. Pourquoi crois-tu que je vous ai laissés seuls ? Cela t'amusera peut-être de savoir que nous avons utilisé le même matériel que celui caché par Smithers dans le bidon à eau. Tu vois, je suis bien renseigné.

Razim se rapprocha, si près qu'Alex put sentir son souffle sur sa joue.

— Tu as compris, maintenant ? Je suis un maître de la manipulation. J'ai manipulé le MI6 pour qu'il t'envoie en Égypte, et au Cairo College. Bientôt je manipulerai le gouvernement britannique pour qu'il fasse exactement ce que je veux. Depuis le début, c'est moi qui tire les ficelles. Depuis le début, vous dansez tous sur ma musique…

Razim fit un signe vers l'écran. Alex vit Jack sortir de sa cachette et assommer le garde.

Julius pouffa de rire :

— Elle se croit maline !

— Je dois admettre que je ne m'attendais pas à ce qu'elle blesse un garde, dit Razim. Mais pour le reste... on lui dit, Julius ?

— Oui, dites-lui !

— Il existe deux types de douleur, Alex. La douleur physique et la douleur psychique. Émotionnelle, si tu préfères. Jusqu'à présent, mes expériences ont uniquement porté sur la douleur physique. Or, comme je te l'ai déjà dit, j'ai besoin de toi intact. Donc, c'est la douleur émotionnelle que je mesure en ce moment. Et les résultats sont déjà assez impressionnants.

Les aiguilles sautaient et oscillaient sur les cadrans comme des brins d'herbe sous le vent. Des points lumineux tressautaient sur les moniteurs de contrôle. Le corps d'Alex était tendu, arc-bouté. Il savait ce qui allait arriver.

— Je vous en prie, implora-t-il. Jack n'a rien à voir là-dedans. Ne lui faites pas de mal.

Jack était montée dans la voiture.

— Miss Starbright est en ce moment assise sur quinze kilos d'explosifs, expliqua Razim d'un ton neutre. Réfléchis à la situation, Alex. Cette jeune femme a veillé sur toi presque toute ta vie. Elle est, j'en suis certain, ta meilleure amie.

— Laissez-la !

Alex se débattait, hurlait. Les machines s'affolaient.

— Elle est ta meilleure amie, et la télécommande qui va déclencher les explosifs est entre les mains de quelqu'un qui te déteste. Qui rêve depuis plus d'un an de te détruire. Pourquoi ne t'adresses-tu pas à lui, Alex ? Pourquoi ne lui demandes-tu pas d'avoir pitié ?

Sur l'écran, Jack avait quitté la cour du fort. La Land Rover roulait sur la piste et prenait de la vitesse.

— Pitié ! cria Alex.

Il sentit des larmes chaudes rouler sur ses joues.

— Pardon ? dit Julius en mettant son visage devant le sien. Je n'ai pas bien entendu, Alex.

— Pitié, Julius. Je ferai tout ce que tu voudras…

— Mais tu fais exactement ce que je veux, sourit Julius en levant la télécommande.

Alex vit son index presser le bouton rouge.

La voiture explosa. Contrairement à ce qu'avait cru Alex, les images n'étaient pas en noir et blanc. La boule de feu était d'un rouge écarlate, orange au centre. L'explosion parut embraser le ciel et le désert tout entier. Pendant un instant, il n'y eut plus d'image. Puis les caméras récupérèrent la carcasse enflammée de la Land Rover, et Alex comprit que Jack était morte.

Jack, qui s'était occupée de lui depuis qu'il avait sept ans. Qui avait été à ses côtés pendant l'enterrement de son oncle et qui avait tenté de le protéger des secrets dont Ian Rider avait entouré sa vie. Jack, qui avait préparé son cartable pour l'école, qui avait pansé ses blessures, toujours enjouée, toujours attentionnée. Jack, son unique confidente, qui le connaissait mieux que quiconque et qui n'aurait jamais dû mettre les pieds dans ce monde obscur dont il avait hérité. Le chagrin d'Alex explosa. Incontrôlable. Les larmes ruisselaient sur son visage. Il hurlait sa peine, les yeux fermés, le corps tordu de douleur. Pendant ce temps, Julius Grief sautillait autour de lui en riant, Razim examinait ses appareils, pianotait sur un clavier d'ordinateur, comparait différents résultats.

— C'est extraordinaire, murmura-t-il. Nous n'avons jamais obtenu des chiffres pareils. Jamais. J'avais totalement sous-estimé la force de la douleur émotionnelle. Il se peut même que j'aie établi une deuxième échelle de mesure. C'est tout à fait remarquable.

Alex s'affaissa en avant, la tête pendante, évanoui. Pourtant les machines continuaient de s'activer, de traduire ses émotions. Les ordinateurs, les moniteurs de contrôle, les imprimantes, les jauges.

— Génial ! s'exclama Julius. C'était incroyable !

— Va te coucher, Julius, ordonna Razim en sortant une feuille de l'imprimante pour l'étudier. J'ai du travail.

Deux gardes étaient arrivés. Ils détachèrent Alex et l'emportèrent. Julius les suivit. Razim s'assit devant son bureau, plongé dans ses réflexions.

Dans le désert, les flammes crépitaient dans la nuit, projetant sur le sable des ombres hachées et rougeoyantes.

20. SIMPLE PRESSION DE L'INDEX

Le convoi roulait à vive allure dans les rues du Caire. Il y avait neuf véhicules en tout, dont deux voitures de police et quatre motards. Les trois voitures placées au centre étaient identiques : de longues limousines noires aux vitres teintées, avec une minibannière étoilée américaine flottant sur l'aile avant. Les trois voitures avaient démarré à deux kilomètres de là, à Garden City, très précisément à l'ambassade des États-Unis. Dès la seconde où elles avaient franchi le portail, une armée entière de policiers égyptiens s'était déployée sur son parcours, bloquant la circulation à chaque carrefour. Vu du ciel, le convoi ressemblait à un animal vivant, un serpent, se frayant un passage à travers des milliers de fourmis.

La secrétaire d'État se trouvait dans la première limousine. Il aurait peut-être été plus sûr pour elle de monter dans la deuxième, encadrée devant et derrière par les agents de la CIA, mais la voiture du milieu était aussi la cible la plus évidente. Même si les limousines étaient blindées, un missile lancé d'un toit était toujours possible. Tous les toits du parcours avaient été inspectés. Des policiers armés occupaient les positions stratégiques sur le trajet, et y resteraient toute la nuit. Habib, l'homme connu sous le nom de l'Ingénieur, avait été signalé au Caire. Il avait été tué, mais il avait remis son arme à quelqu'un avant de mourir. Il ne fallait rien laisser au hasard.

Assise sur la banquette arrière, près de la fenêtre, la secrétaire d'État regardait défiler les immeubles mornes et la circulation bloquée sur les rues adjacentes. C'était une femme de petite taille au regard d'acier, avec des cheveux gris retenus en chignon. Elle était vêtue d'un tailleur en soie blanc cassé, avec un chemisier blanc et un collier de jade offert par le Premier ministre chinois lors d'une récente visite. À côté d'elle se tenait un homme trapu et chauve en costume sombre. Il paraissait nerveux mais elle savait que sa nervosité n'avait rien à voir avec les mesures de sécurité. Il était son conseiller privé et réfléchissait déjà aux répercussions de son discours. Les affaires étrangères étaient une fonction périlleuse, où l'on se faisait des ennemis, et ce discours n'allait pas manquer de lui en amener de nouveaux. Le chauffeur et le garde du corps, tous deux de la CIA, étaient assis à l'avant. Ils ne savaient rien. Pour eux, c'était un voyage comme un autre.

Le soir était tombé très vite. Il n'était que six heures et demie mais le ciel était déjà noir, chargé de pluie. La température était montée trop haut, même pour cette ville étouffante, et un orage menaçait. Les nuages étaient si lourds qu'ils semblaient prêts à tomber. L'air était moite, poisseux. Même la climatisation de la limousine donnait l'impression de livrer une bataille perdue d'avance.

— Vilain temps, Jeff, remarqua la secrétaire d'État.

— Il risque de pleuvoir, acquiesça Jeff Townsend.

— Je croyais qu'il ne pleuvait jamais au Caire.

— Pas très souvent, madame. Mais quand ça tombe... ça tombe.

La secrétaire d'État avait une migraine qui la tenaillait depuis son arrivée sur l'aéroport du Caire, dans l'avion présidentiel. Elle se pencha en avant.

— Avez-vous de l'aspirine, Harry ?

— Bien sûr, madame.

Son garde du corps était aussi médecin. Il lui tendit deux comprimés, qu'elle avala avec une gorgée d'eau minérale.

Le convoi traversa le Nil sur le pont de l'Université, fit le tour de la place Al-Gamaa, habituellement embouteillée, puis tourna dans une large avenue bordée de palmiers, avec une allée de pelouses et de fontaines courant au milieu. L'université se trouvait au bout. En temps normal, les mesures de sécurité sur le campus étaient déjà strictes : les étudiants devaient franchir une porte étroite et montrer leur carte d'identité. Mais, cette semaine, le niveau de sécurité avait encore été relevé. Triple contrôle à l'entrée, fouilles au corps, détecteurs de métal. La totale. Le grand auditorium était fermé depuis vingt-quatre heures. Des policiers égyptiens l'avaient inspecté avec des chiens pour la cinquième fois quelques heures plus tôt.

La limousine franchit le portail. Des policiers en uniforme blanc se mirent au garde-à-vous et saluèrent. Le convoi entra dans le campus proprement dit. Des projecteurs balayaient les pelouses grouillantes de monde, des hélicoptères étaient en vol stationnaire juste au-dessus. La secrétaire d'État se sentit à son tour gagnée par l'appréhension. Elle remarqua que, à l'intérieur, les policiers étaient en noir et armés de fusils-mitrailleurs. Bien sûr, elle était habituée. Même à Washington, elle ne pouvait pas traverser la ville sans l'escorte d'importantes forces de sécurité. Mais ici elle était en pays étranger, loin de chez elle. Et puis il y avait ce ciel noir, épais, surnaturel. Un ciel de fin du monde.

Le chauffeur s'arrêta à l'endroit exact qu'on lui avait indiqué. Malgré la circulation imprévisible du Caire, tout avait été réglé avec une telle précision que la secrétaire d'État n'avait que cinquante secondes de retard. Un officiel accourut pour ouvrir la portière. Elle descendit de la limousine.

Devant elle se dressait un bâtiment imposant, qui ressemblait à un musée, à un opéra ou à une gigantesque bibliothèque. Il occupait toute la largeur du campus principal, son immense dôme supporté par cinq piliers. L'escalier monumental semblait avoir été dessiné pour accueillir un chef d'État. Un tapis rouge montrait le chemin, encadré de barrières de sécurité pour contenir la foule des journalistes et des photographes. Devant, attendait la file habituelle des personnalités locales impatientes de lui serrer la main : politiciens, intellectuels, hommes d'affaires, des gens qu'elle n'avait jamais vus et ne reverrait jamais. Des centaines de flashs crépitaient. Elle sentit une goutte d'eau sur son épaule et leva les yeux. Les deux hélicoptères bourdonnaient dans le ciel. Leurs phares cisaillaient la nuit opaque.

Après l'entrée principale, dans un espace réservé et à l'abri des regards, stationnait en silence toute une flotte de camionnettes bariolées qui retransmettaient les images de l'arrivée de la délégation américaine. Des unités mobiles de télévision, envoyées sur place pour enregistrer et retransmettre le discours dans le monde entier. Il y avait là la BBC, Sky, CNN, FOX, Al Jazeera et bien d'autres, agglutinées au milieu d'un enchevêtrement de câbles noirs et de paraboles. Tandis que la secrétaire d'État serrait des mains et saluait de la tête des visages souriants, son image était capturée par une centaine d'écrans de télévision. Les unités mobiles étaient petites et bourrées d'équipement : rangées de moniteurs, régies son, générateurs électriques. Certaines avaient deux ou trois réalisateurs, qui jouaient déjà avec les images, les montaient, les coupaient, pour les envoyer à un présentateur situé dans un studio à des centaines ou des milliers de kilomètres. Une petite fille offrit un bouquet de fleurs à la secrétaire d'État. Les réalisateurs saisirent la scène en gros plan, puis les applaudissements de la foule. C'était un discours important, il fallait soigner la mise en scène.

Les unités mobiles étaient arrivées en début de journée et avaient franchi les contrôles une à une. Chaque véhicule avait un permis spécial collé sur le pare-brise, et chaque conducteur avait dû montrer sa carte d'identité. Mais les véhicules eux-mêmes n'avaient pas été fouillés. Après tout, ils devaient rester à l'extérieur du bâtiment. Même si un journaliste ou un ingénieur du son avait voulu pénétrer dans l'auditorium, il aurait été refoulé. Les règles de sécurité étaient très strictes. Mais les unités mobiles de télévision faisaient partie de l'événement, et personne n'avait considéré qu'elles présentaient une menace.

C'était une erreur.

L'une des camionnettes appartenait à une chaîne de télévision appelée Al Minya. Son nom était inscrit en grosses lettres rouges sur ses flancs, avec son logo : une pyramide également peinte en rouge. L'unité mobile d'Al Minya avait une autorisation en règle sur le pare-brise, et le chauffeur, revêtu d'une combinaison blanche ornée du logo à la pyramide rouge sur la poche de poitrine, avait exhibé une carte d'identité apparemment authentique. Mais si quelqu'un avait pris la peine de téléphoner à Al Minya – qui était une véritable chaîne de télévision câblée –, il aurait appris qu'Al Minya ne couvrait pas l'événement. Leur unité mobile au Caire était en réparation à la suite d'un accident.

Et si les policiers avaient vérifié les plaques d'immatriculation, ils auraient découvert qu'il s'agissait du véhicule supposé être en réparation au garage. Ils auraient pu aussi découvrir que le chauffeur au crâne rasé et bâti comme un bouledogue n'avait jamais travaillé pour une télévision quelconque, et que son véritable nom était Erik Günter.

Enfin, s'ils avaient fouillé la camionnette, ils auraient découvert un adolescent anglais prisonnier, les mains attachées et un bâillon sur la bouche.

Alex Rider avait été ramené de Siwa l'après-midi même. L'hélicoptère Sikorsky H-34 s'était posé sur le même chantier de construction d'où Alex était parti après avoir été enlevé au cimetière de la Cité des Morts. Toujours revêtu de l'uniforme du Cairo College, il était solidement maintenu par une ceinture de sécurité. Sans ceinture, il aurait basculé en avant. Alex semblait assoupi.

Günter attendait avec la camionnette d'Al Minya près de l'aire d'atterrissage de l'hélicoptère. Il fut un peu surpris par le changement qui s'était produit sur le garçon, capturé quarante-huit heures plus tôt. En dépit du soleil, Alex avait le teint grisâtre. Son regard était vide, égaré. Quand on lui ordonna de descendre de l'appareil, il obéit docilement. Günter le conduisit à la camionnette. En montant, Alex trébucha et se rattrapa à une tablette, près de la porte. Mais il ne dit pas un mot et ne tenta pas de résister. Il avait l'air tellement abattu que le bâillon paraissait inutile.

— Qu'est-ce que vous lui avez fait ? demanda Günter.

— On lui a joué un petit tour, répondit Julius Grief en souriant. Mais je crois qu'il n'a pas apprécié.

Julius Grief avait lui aussi sauté de l'hélicoptère et les avait suivis. Il portait le même uniforme qu'Alex.

Quatre heures plus tard, la camionnette d'Al Minya était à sa place au bout de la rangée, la plus éloignée de l'entrée de l'auditorium. Comme les autres unités mobiles, elle était branchée sur le même biberon d'informations alimenté par les caméras de la chaîne de télévision officielle installées à l'intérieur de l'auditorium, et recevait les mêmes images. Julius Grief ne les avait pas accompagnés. Günter et Alex étaient seuls.

Le silence prolongé et la semi-inconscience d'Alex commençaient à énerver Günter. Alex avait les bras et les chevilles attachées à une chaise en fer, entre deux consoles de matériel. Günter sortit son pistolet automatique – un Tokarev TT-33 noir fabriqué en Russie, celui-là même qu'Alex avait trouvé dans son bureau – et il le posa devant lui, à portée de main. Il avait vérifié que la porte de l'unité mobile était verrouillée, mais si quelqu'un essayait d'entrer, il n'hésiterait pas à tirer. Günter ouvrit une canette de Coca et tourna une manette sur le tableau de contrôle situé devant lui.

« ... la secrétaire d'État vient d'arriver à l'instant et nous la voyons entrer dans le bâtiment. L'homme qui l'accompagne est Jeff Townsend, son conseiller depuis deux ans... »

La voix était celle d'un présentateur de CNN. Günter regarda la secrétaire d'État sur un des moniteurs. Elle avançait dans un large couloir, saluée par les applaudissements des officiels alignés de part et d'autre. Puis l'image fut coupée, remplacée par une vue d'ensemble du public dans l'auditorium. Deux mille personnes étaient assises sur les trois niveaux de gradins. Ceux-ci formaient un demi-cercle devant la scène, sur laquelle se dressait un simple podium, encadré de deux drapeaux américains.

De l'endroit où il était assis, Alex voyait parfaitement l'écran. Mais ça ne semblait pas l'intéresser. Günter se demandait même s'il savait où il était. C'était d'ailleurs sans importance. Il regarda sa montre. Encore douze minutes avant le discours. Cinq minutes plus tard, Alex serait mort.

Günter coupa le son du moniteur.

— Tu as envie de savoir à quoi rime tout ce cirque ? demanda Günter.

En fait, il se moquait de ce dont Alex avait envie ou non. Mais lui n'en pouvait plus de ce silence.

Le bâillon empêchait Alex de parler. Ce qui, visiblement, ne le gênait pas.

Günter réfléchit un instant, puis il sortit son couteau à cran d'arrêt et l'ouvrit.

— Je vais te détacher, dit-il. Il te reste peu de temps. Mais si tu tentes de te lever sans ma permission, je te tire une balle dans le ventre. Tu as compris ?

Alex hocha faiblement la tête.

— Bien…

De toute façon, Günter aurait détaché Alex. Cela faisait partie du plan. Il ne voyait aucun inconvénient à le faire maintenant. Il se pencha pour couper les liens de ses poignets. Mais il recula d'un mouvement vif pour le cas où Alex essaierait de le frapper. Aucun danger. Le garçon ne semblait même pas conscient d'avoir les mains libres. Günter coupa le reste des cordes, enleva le bâillon, et se rassit. Il y avait très peu d'espace entre eux. Son arme était à portée de sa main droite et il ne quittait pas Alex des yeux. Sur les écrans se succédaient des images du public, de l'extérieur de l'auditorium, de la scène vide.

— C'est mieux, non ? reprit Günter. Nous avons encore un peu de temps devant nous et j'aimerais t'expliquer ce qui va se passer. Scorpia a élaboré un plan assez brillant, qui va se clore ici, dans cette camionnette. Pour toi, avec une balle dans la tête. Pour moi, avec un million d'euros. Je vais empocher un million d'euros grâce à la simple pression de l'index sur la détente !

» Tu sais, je n'ai encore jamais tué un enfant. Malgré la jolie somme que je vais toucher, ça m'embête un peu. Je suis désolé pour toi, mais ce n'est pas de ma faute. Je vais essayer de t'expliquer. À mon retour d'Afghanistan... tu sais combien j'ai reçu de balles dans le corps ? On m'en a retiré deux, mais il m'en reste deux autres. Les chirurgiens ne peuvent pas les atteindre et elles me font atrocement souffrir. Je les sens. J'ai pris ces balles à la place de mes hommes et j'étais content de l'avoir fait. Mais quand je suis rentré chez moi, je me suis aperçu que je n'étais pas le héros que je croyais être. Ils m'ont collé dans un hôpital à Birmingham. Je n'ai même pas eu droit à une chambre pour moi tout seul. Tu le crois, ça ? Je souffrais en permanence. Tu n'imagines pas à quel point j'avais mal. Et quand je tirais la sonnette pour appeler l'infirmière, personne ne venait. On me laissait parfois des heures dans mon lit souillé. C'était dégoûtant. Finalement, quand j'ai pu quitter l'hôpital en boitillant, on m'a donné une médaille. Mais pas une pension décente. L'armée ne voulait rien savoir. Je ne trouvais pas de travail. La guerre en Afghanistan, tout le monde s'en fichait.

Alors, quand Scorpia m'a contacté et m'a offert cette chance, je n'allais pas refuser. Un million d'euros, Alex. Dommage que, pour ça, je sois obligé de tuer un gamin.

Alex restait silencieux.

Günter se pencha et, tout à coup, il le gifla. La tête d'Alex fut projetée en arrière.

— Parle-moi ! Je veux savoir ce que tu penses !

— Je ne pense rien.

Günter hocha la tête, comme si cela lui suffisait.

— Je ne sais pas si tu as entendu parler des marbres d'Elgin, reprit-il. Vous les avez peut-être étudiés en classe. À moins que tu les aies vus au British Museum. Eh bien, crois-le ou non, même si ça paraît bizarre vu d'ici, les marbres du Parthénon sont l'enjeu de toute cette affaire. Un milliardaire grec, un certain Ariston Xenopolos, voulait absolument les rapatrier. Incroyable, non ? C'est lui qui a engagé les services de Scorpia. Et c'est Scorpia qui vous a manipulés, toi et le MI6. Depuis le début, vous êtes des marionnettes.

» Tu veux des détails ? ajouta Günter en regardant de nouveau sa montre. Dans onze minutes, la secrétaire d'État américaine va commencer son discours. Nous avons vu une copie de son speech. Elle fera quelques remarques d'ordre général sur le Moyen-Orient... Ensuite, elle abordera le thème de l'équilibre du pouvoir dans le monde, et en profitera pour souligner à quel point nous autres Britanniques sommes devenus totalement inutiles et indignes de confiance. À cet instant précis, une détonation retentira dans l'auditorium... un tireur caché... et la pauvre femme sera tuée. Évidemment, il s'en suivra une panique générale. Les deux mille personnes présentes dans la salle chercheront à fuir. La nuit et la pluie aggraveront les choses. Personne ne comprendra ce qui se passe, ni ce que nous voulons. Car, au même moment, je te tuerai.

Günter s'apprêtait à ajouter quelque chose, mais une image, sur l'un des écrans, l'interrompit. Il appuya sur un bouton et l'image se figea. Sans quitter Alex du coin de l'œil, il tourna une manette. L'image grossit et Alex vit ce que Günter voulait lui montrer. Une rangée d'adolescents, filles et garçons, en uniforme bleu du Cairo College. Le principal, Monty Jordan, était à une extrémité de la rangée, Miss Watson à l'autre. Julius Grief était au milieu, en train de bavarder avec Gabriella, la fille de l'ambassadeur d'Italie. Gabriella, bien entendu, croyait parler avec Alex. Le garçon lui ressemblait trait pour trait, et elle ne connaissait pas assez Alex pour déceler une différence.

— Tiens ! Te voilà ! s'exclama Günter. T'es-tu jamais demandé comment ton nom avait été ajouté à la liste du groupe de discussion politique du collège ? C'est moi, bien sûr. Le groupe organise des sorties comme celle-ci. Il n'allait pas manquer la visite de la secrétaire d'État américaine ! C'est M. Jordan qui s'est chargé d'obtenir les billets d'entrée. Et te voilà, au milieu du groupe !

» D'ici une ou deux minutes, tu vas te lever et quitter l'auditorium. Tu diras au principal que tu ne te sens pas bien et que tu as besoin d'air frais. Tu feras le tour par-derrière et passeras tout près de cette camionnette. Ensuite, tu rentreras de nouveau dans le bâtiment par une porte de service. C'est à ce moment que le coup de feu sera tiré. Quand on te retrouvera, tu seras mort, gisant sur le sol, une balle dans la tête.

— Vous voulez faire croire que je suis l'assassin de la secrétaire d'État, dit Alex, rompant pour la première fois son mutisme.

Il parlait d'une voix détachée, comme si tout lui était indifférent.

— Exactement, acquiesça Günter. Tu as enfin compris. Vois-tu, Scorpia te filme et t'enregistre depuis des semaines pour constituer un dossier sur toi. Le dossier Cavalier. Que trouve-t-on dans ce dossier ? Une foule d'informations sur tes précédentes missions, qui prouvent ton appartenance au MI6. Ils ont aussi un film montrant M. Blunt et Mme Jones le jour où ils t'ont rendu visite à Chelsea, ainsi que l'enregistrement intégral de votre conservation. Avec un bon montage, cela prouvera de manière concluante qu'ils t'ont envoyé au Caire, mais sans révéler pourquoi. Nous avons même intercepté le courriel de réservation prouvant que le MI6 a payé vos tickets d'avion.

» Il y a aussi la question de l'arme utilisée pour abattre la secrétaire d'État. Tu te souviens des photos que j'ai prises de toi tenant le fusil de précision ? Avec tes empreintes sur la crosse, ta culpabilité ne fait aucun doute. On a aussi des preuves qui établissent un lien entre toi et l'assassinat d'Habib. J'avoue que j'ai été très étonné de te voir tomber si facilement dans le piège, quand tu as écouté ma conversation téléphonique dans la cour du collège. Je savais que tu me suivrais à la Maison de l'Or. Que vont en déduire les enquêteurs, à ton avis ? Tu as vu Habib, tu as le fusil, il est assassiné et, quelques secondes plus tard, le bateau explose. Qui est le coupable ? Toi, évidemment.

Günter but une gorgée de Coca et reposa la canette.

— Et ensuite ? poursuivit-il. La secrétaire d'État est assassinée juste au moment de prononcer un discours hostile aux Britanniques. Cela provoque un tollé général. En même temps, un collégien britannique est retrouvé mort sur les lieux du drame. Ses camarades de classe peuvent témoigner qu'il s'est comporté de manière assez bizarre et qu'il a quitté la salle quelques minutes avant que la secrétaire d'État soit abattue. La rumeur commence à enfler. Comme toujours, plusieurs hypothèses de complot sont évoquées. On raconte que le service de renseignement britannique est mêlé à l'assassinat de la secrétaire d'État et que le collégien retrouvé mort était un de ses agents. Bien entendu, le MI6 nie catégoriquement. Après quelques jours, ou quelques semaines, la fièvre retombe. Les Anglais se croient tirés d'affaire.

» Ils ont tort. Scorpia sort le dossier Cavalier. Lequel révèle que les théories de complot sont fondées. Alex Rider était bel et bien un agent du MI6. C'était lui, l'assassin. Nous avons des preuves photographiques, des rapports médico-légaux, des films, des enregistrements, des documents interceptés. Et nous menaçons de remettre le dossier complet aux Américains si le gouvernement britannique ne fait pas ce qu'on lui demande. Le gouvernement n'a pas le choix. Le dossier Cavalier peut totalement déstabiliser le pays, et monter le monde entier contre lui. Tu imagines leur angoisse, Alex ? Ils sont totalement à la merci de

Scorpia. Mais que veut Scorpia ? Un milliard d'euros ? Dix milliards ? Pas du tout ! Scorpia veut seulement une déclaration solennelle annonçant que les marbres d'Elgin seront restitués à leur pays d'origine, la Grèce. Cela contrariera peut-être quelques historiens de l'art et quelques professeurs grincheux, mais au fond ce sera un prix dérisoire à payer.

» À cela s'ajoute un détail amusant. Il se trouve que la secrétaire d'État a des aïeuls grecs. Sa mère est née à Athènes. Le gouvernement britannique pourra toujours dire qu'il renvoie les marbres en son honneur ! Tout le monde sera content. Le Premier ministre sera même félicité pour cette attention délicate. Il comprendra tout de suite qu'il n'a pas d'autre choix que d'accepter.

» Tout le monde y gagne. Je suis payé. Scorpia aussi. Les Grecs récupèrent leurs chefs-d'œuvre. Le MI6 le dossier compromettant. Les seuls perdants sont la secrétaire d'État et toi. Elle mourra dans… sept minutes. Et toi, dès que Julius Grief reviendra ici. Il a demandé à être présent quand j'appuierai sur la détente. J'ai l'impression qu'il ne t'aime pas beaucoup.

Günter se tourna vers l'écran. Toutes les caméras étaient maintenant rivées sur la scène de l'auditorium. Un grand Égyptien aux cheveux très noirs apparut sous les projecteurs et s'adressa au public en arabe. La secrétaire d'État allait bientôt apparaître et monter sur le podium pour prononcer son discours. Günter tourna le bouton du son mais à un faible niveau.

— Julius a dû quitter la salle, maintenant, dit-il. Il te reste peu de temps, Alex. Je suis navré pour toi. Mais s'il y a une morale dans tout cela, c'est que les enfants ne devraient pas se mêler des affaires des adultes. Tu aurais dû le comprendre. À présent il est trop tard.

— J'ai quelque chose à vous demander, dit Alex d'une voix neutre.

— Ah oui ? dit Günter, sincèrement surpris. Quoi ?

— Une cigarette.

— Une cigarette ?

— Oui.

— Depuis quand fumes-tu ?

— Un an.

— C'est mauvais pour la santé. Tu es trop jeune pour fumer.

— Ce n'est pas le tabac qui va me tuer.

— Exact, dit Günter. L'ennui, c'est que je ne fume pas. Je n'ai pas de cigarettes.

— Il y a un paquet, là-bas, dit Alex en montrant la tablette près de la porte, juste derrière Günter.

C'était un paquet de Black Devil, la marque préférée de Razim.

Günter jeta un coup d'œil par-dessus son épaule.

— J'espère que tu n'essaies pas de me jouer un sale tour, Alex. Si tu cherches à détourner mon attention, laisse-moi te dire que je te collerai une balle dans la tête avant même que tu m'aies vu prendre mon arme.

— Je me moque de ce que vous allez me faire. Je veux juste une cigarette.

— D'accord. Je te trouve assez pathétique. Mais si c'est ta dernière volonté…

Sans quitter Alex des yeux, Günter tendit le bras derrière lui pour prendre le paquet de Black Devil, l'ouvrit et glissa une main dedans.

Il poussa un hurlement.

En une demi-seconde, toute sa belle assurance vola en éclats. Il en avait oublié son arme. Il ne se souciait même plus d'Alex. Il était totalement concentré sur la douleur qui irradiait depuis le creux de sa main et remontait jusqu'à son épaule. Une douleur paralysante, qui lui glaçait le cœur.

Du paquet de cigarettes, sortit un scorpion adulte à grosse queue. La piqûre de cet insecte n'est pas toujours mortelle, mais celui-ci avait été emprisonné dans l'étui depuis près de douze heures. Ce qui lui avait laissé amplement le temps de remplir son sac à venin, en attendant le moment d'attaquer. Dès que Günter avait ouvert le paquet de Black Devil, le scorpion avait frappé. Son aiguillon avait injecté dans la paume de sa main une dose de neurotoxines à action rapide. Au même moment, Alex avait repris vie. Il bondit de sa chaise, saisit l'arme de Günter, et s'en servit comme d'un gourdin pour le frapper en plein visage. Il entendit l'os du nez craquer. Le sang gicla. Tenant toujours sa main endolorie contre lui, Günter partit à la renverse et bascula en arrière. Sa tête heurta la console de régie avec un bruit écœurant. Son cou craqua, et il ne bougea plus.

Alex se redressa, essoufflé.

Il avait remarqué la présence du nid de scorpions dès son arrivée au fort. Et comme il n'avait aucune arme, ni aucun gadget, il avait élaboré un plan bien avant que Jack ne lui suggère le sien. Il avait volé le paquet de cigarettes vide sur la table du petit déjeuner et l'avait caché dans sa cellule. Puis il était resté éveillé toute la nuit – la plus longue de sa vie – dans l'espoir de voir un scorpion réapparaître. Celui-ci, un spécimen de belle taille, avait grimpé sur le rebord de la fenêtre quelques heures avant l'aube. Alex était parvenu à le capturer dans le paquet de cigarettes et l'avait gardé dans sa poche depuis lors.

Il avait discrètement déposé le paquet sur la tablette près de la porte quand il était monté dans la camionnette, en feignant de trébucher.

Le visage d'Alex avait à peine changé. Il avait toujours le regard absent. Mais une petite lueur s'y était allumée, tout au fond. Si Günter avait été vivant, il aurait décrit cette lueur comme une étincelle de rage. Alex examina le pistolet. Il était lourd, mais assez facile à manier, avec un marteau externe, pas de cran de sûreté, et un magasin amovible contenant huit balles. Il était chargé. Alex le glissa dans sa ceinture. Il allait en avoir besoin.

Des applaudissements s'élevèrent. Alex regarda les écrans. La secrétaire d'État américaine avançait sur la scène. Le public était debout. Alex jeta un dernier regard à Günter. L'homme de main de Scorpia n'avait pas l'air de respirer. Sa main ressemblait à un gant de vaisselle gonflé d'air. Cela rappela à Alex qu'un scorpion se baladait en liberté dans la camionnette. Il était temps de sortir.

Il manœuvra la porte coulissante et découvrit le grand auditorium, juste en face. Il faisait très sombre mais la pluie ne tombait pas encore. Un vent chaud lui sauta au visage. Alex vit les autres unités mobiles de télévision. Certaines avaient leurs portes ouvertes. Les scintillements des écrans noir et blanc s'échappaient dans la nuit. Il n'y avait pas de policiers en vue, mais Alex supposa qu'ils étaient regroupés autour de l'entrée principale et à l'intérieur de la salle.

Soudain, une mince silhouette apparut. Elle longeait la façade et contournait rapidement le bâtiment. Alex reconnut l'uniforme de collégien. Julius Grief. Il avait dû être retardé. Peut-être un agent de la CIA avait-il voulu l'empêcher de sortir. Il ne portait pas d'arme, bien sûr.

Alex referma la portière de la camionnette et se lança à sa poursuite.

21. ORAGE SUR LE CAIRE

« Bonsoir, mesdames et messieurs. C'est un réel plaisir pour moi de revenir ici, en Égypte, un pays qui a toujours été un allié de la démocratie. Il fait chaud, ce soir. Mais cette chaleur n'est rien comparée à celle de votre accueil. »

Une image de la secrétaire d'État américaine était projetée au fond de la scène sur un vaste écran qui surplombait la femme en chair et en os. Celle-ci se tenait sur un podium, devant un lutrin, entre les deux drapeaux. Le texte d'ouverture de son discours défilait sur un écran de verre, juste à la lisière de son champ de vision, et ne pouvait être lu que de son côté. Face à elle, les deux mille personnes présentes accueillirent ses premières paroles avec des applaudissements qui enflèrent et montèrent jusque dans le dôme.

Les premiers rangs de face et les tribunes spéciales, à droite et à gauche, étaient occupés par les personnalités politiques égyptiennes, des émirs, des diplomates, des hommes d'affaires, tous très élégants. Smokings, *dishdashas* immaculées, robes du soir étincelantes et bijoux. Tout au fond, dans les gradins du haut, les spectateurs apparaissaient comme des taches grises et floues dans la pénombre. Des agents de sécurité montaient la garde à chaque porte et dans les allées, à intervalles réguliers. Ils observaient non pas la secrétaire d'État mais les gens qui la regardaient. Toutes les issues avaient été fermées dès le début de son discours. Personne ne serait autorisé à entrer dans la salle avant la fin. Et, sauf urgence, personne ne pourrait en sortir.

Les lumières de la salle étaient tamisées. Seule la scène était éclairée par des projecteurs, qui emprisonnaient l'oratrice dans un cercle blanc parfait. L'éclairage et le son étaient contrôlés par deux techniciens enfermés dans une cabine de régie protégée par une vitre, située en dessous du premier bloc de gradins. Mais une partie de la machinerie, notamment le matériel de projection pour l'écran plasma dressé au fond de la scène, était cachée dans les hauteurs de l'auditorium. Un escalier en colimaçon y menait depuis le rez-de-chaussée, suivant la courbure du dôme. Au sommet, une porte basse et voûtée conduisait à un espace bourré de fusibles, de circuits imprimés, de jauges de températures. Cette seconde salle de contrôle était construite dans le toit, au centre même du dôme, et ressemblait un peu au cockpit d'un vaisseau spatial :

circulaire et percée de multiples fentes qui permettaient d'avoir une vue d'ensemble sur la scène.

Cette pièce de régie avait bien sûr été classée au niveau rouge des risques de sécurité. C'était une position idéale pour un assassin potentiel. Elle avait été fouillée avec soin plusieurs fois. La porte, verrouillée de l'extérieur, était gardée par un agent de la CIA depuis neuf heures du matin. Il tentait d'écouter le discours, qui lui parvenait un peu étouffé. Il s'ennuyait. Quand Joe Byrne leur avait expliqué les mesures de sécurité et réparti les tâches, il n'avait pas tiré la plus courte paille.

L'agent de la CIA ne pouvait pas imaginer que l'arme destinée à assassiner la secrétaire d'État, un fusil de précision L96A1, était déjà dans la place, ni que Julius Grief, entraîné depuis l'âge de neuf ans comme tireur d'élite, était en chemin pour la récupérer. D'ici quelques minutes, Grief se mettrait en place, et quand la secrétaire d'État prononcerait le mot « Grande-Bretagne » pour la première fois, il ferait feu, expédiant une balle de 300 Winchester Magnum à 850 mètres, droit dans sa tête.

Tout en bas, sur la scène, la secrétaire d'État développait son propos.

« Le thème de mon discours, ce soir, est l'amitié. Qui sont les partenaires de longue date ? À qui pouvons-nous faire confiance dans un monde qui change si rapidement ? »

Sa voix résonnait dans tout l'auditorium. Les mots défilaient, ligne après ligne, sur le prompteur. Encore une page d'introduction générale. Ensuite, elle prononcerait le mot qui l'enverrait à la mort.

Alex regarda Julius Grief se faufiler le long du bâtiment, en faisant de son mieux pour rester hors de vue des voitures en stationnement et des autres unités mobiles de télévision. Son sosie était assez proche pour qu'il puisse discerner ses cheveux châtain clair et sa peau blanche. Julius Grief, lui, ne l'avait pas vu. Il était trop pressé de rattraper le temps perdu, et attentif à enjamber les câbles qui encombraient le chemin. Alex lui emboîta le pas. La chaleur de la nuit pesait sur ses épaules. Comme si l'orage imminent cherchait à l'écraser.

Derrière ces hauts murs, le deuxième personnage le plus important des États-Unis était en train de prononcer un discours de portée internationale. Ses déclarations allaient déclencher une tempête politique. Et ici, dans l'obscurité, deux adolescents, deux sosies, se traquaient. L'un d'eux projetait un crime. Qu'aurait pensé de cela un agent de sécurité ? Mais il n'y avait pas de caméra de surveillance dans ce secteur, ni personne dans les parages, hormis les équipes de télévision enfermées dans leurs véhicules techniques. Pourquoi aurait-on surveillé cette zone ? Le seul accès à l'auditorium était l'entrée principale.

Pourtant...

Alex aperçut la porte ouverte au moment où Julius arrivait devant. C'était insensé. La place grouillait de gardes et de policiers. Après tous ces préparatifs, ces précautions, les autorités allaient-elles laisser quelqu'un entrer tranquillement dans la salle ?

Julius franchit la porte et disparut. Alex laissa s'écouler quelques secondes. Au moment où il allait s'élancer pour traverser en courant l'espace découvert et entrer à son tour, deux soldats surgirent à l'angle du bâtiment. Alex plongea derrière une voiture en stationnement pour attendre qu'ils passent. Mais les deux soldats ne semblaient pas pressés. Ils bavardaient et s'arrêtèrent juste devant la porte. Apparemment, le fait qu'elle soit ouverte ne les troublait pas. L'un d'eux sortit un paquet de cigarettes et en offrit une à son camarade. Alex était assez près pour sentir l'odeur du tabac flotter dans l'air moite.

Que faire ? Julius Grief était en chemin pour rejoindre son poste de tir, quel qu'il soit. Günter avait compté onze minutes. Six au moins s'étaient déjà écoulées. Alex fut tenté de se faire connaître et de donner l'alarme. Mais cela ne servirait à rien. Les soldats ne comprenaient probablement pas l'anglais. Et même s'ils le parlaient, jamais ils ne croiraient un adolescent de quinze ans. Ils l'arrêteraient, le traîneraient à leur chef, et quand enfin Alex pourrait s'expliquer devant un responsable, il serait trop tard. La secrétaire d'État américaine serait déjà morte.

Bien sûr, en intervenant, il mettrait en échec le plan de Scorpia. Il pourrait prouver qu'il n'était pas impliqué dans l'assassinat de la chef de la diplomatie américaine, et le fameux dossier Cavalier ne servirait plus à rien. Mais cela ne suffisait pas à Alex. Sitôt qu'il aurait abattu sa cible, Julius Grief profiterait de la confusion pour s'échapper. Et Razim avait clairement annoncé son projet de quitter le pays. Pour Alex, il n'en était pas question.

Il chercha autour de lui une pierre, une brique, n'importe quel objet lourd. L'obscurité ne lui facilitait pas la tâche, mais il vit quelque chose luire, peut-être un écrou. Alex le prit sans sa main pour le soupeser. Oui, ça pourrait faire l'affaire. Il prit son élan et le lança de toutes ses forces. L'écrou décrivit un arc dans la nuit et heurta la carrosserie d'une voiture. Le son métallique fit sursauter les deux soldats. Ils lâchèrent aussitôt leurs cigarettes pour se précipiter vers la source du bruit. Alex les regarda passer, puis fonça vers la porte. Il n'avait plus besoin de faire attention. Julius Grief était loin devant, à présent. La seule inquiétude d'Alex était d'arriver trop tard.

Il comprit tout de suite pourquoi cette porte ouverte n'intéressait personne. Elle menait à une étroite pièce de service, à peine plus large qu'un couloir, éclairée par deux ampoules nues suspendues à leur fil. Il y avait deux seaux en métal, un balai avec une serpillière, des caisses vides et, au fond, à environ cinq mètres, un mur de briques avec une rangée de portemanteaux. Deux combinaisons sales y étaient suspendues. Des chaises pliantes et des caisses étaient entreposées dans un coin, ainsi que quelques vieilles boîtes de fusibles, alignées de l'autre côté. Un cul-de-sac, ni plus ni moins. Ce débarras ne conduisait nulle part.

Normalement, Alex aurait fait demi-tour, croyant à une erreur. Mais il reconnut l'endroit. Il avait vu cette pièce sur l'une des photos trouvées dans le bureau de Günter. Il avança. Julius Grief était entré ici. Il l'avait vu. Et il n'y avait pas d'autre porte, ni d'autre issue. Si Julius était ressorti, il l'aurait remarqué.

Les portemanteaux.

Alex avait l'impression que sa visite dans le bureau de Günter au Cairo College remontait à des années. Razim s'était vanté de l'avoir manipulé depuis le début, mais il n'avait sans doute pas prévu qu'Alex pénétrerait par effraction dans le bureau de Günter. Il avait manigancé sa venue au collège. Le faux coup de téléphone de Günter l'avait attiré à la Maison de l'Or. D'accord. Mais qui aurait pu deviner qu'un gadget de Smithers lui permettrait de se faufiler dans le bureau de Günter ? Donc, ce qu'il avait découvert dans le tiroir secret signifiait quelque chose. Ce n'était pas un leurre laissé exprès à son intention.

L'exemplaire du *Washington Post* devait sans doute évoquer la visite de la secrétaire d'État au Caire. Les photos du grand bâtiment surmonté d'un dôme représentaient l'auditorium de l'université où elle allait prononcer son discours. Mais il y avait aussi la photo de ce débarras. Et d'un crochet au mur en forme de cou de cygne. Identique à ceux qu'il voyait devant lui.

Alex passa à l'action avant même d'avoir terminé son raisonnement. Il s'approcha des portemanteaux et saisit les crochets l'un après l'autre. Il s'attendait à ce qu'ils tournent, mais ce fut le troisième qui bougea, en s'abaissant à la manière d'un interrupteur géant. Il y eut un déclic et une section du mur pivota, révélant un escalier métallique construit entre deux murs épais en ciment armé, si étroit qu'il fallait se mettre de profil pour gravir les marches.

L'intelligence du plan de Scorpia frappa Alex. Comment introduire un assassin dans un bâtiment cerné par la police, fouillé de fond en comble, surveillé en permanence, et fermé à clé pendant vingt-quatre heures ? Réponse : vous construisez un passage secret plusieurs semaines avant la venue de votre cible. Le fusil de précision y avait certainement été caché la veille ou le matin même, afin que Julius Grief le trouve le moment venu et puisse arriver les mains vides. Tout ce que le meurtrier avait à faire, c'était prendre le fusil à lunette, monter à son poste de tir, et faire feu. Il n'avait même pas besoin de fuir. Il pouvait rester caché ici pendant des jours.

Alex grimpait déjà l'escalier aménagé entre la paroi intérieure et la paroi extérieure du grand auditorium, un espace prévu sans doute pour des tuyauteries ou la circulation de l'air. Il n'y avait pas de lumière. Après une dizaine de marches, il se trouva plongé dans l'obscurité. Julius, lui, avait dû se munir d'une torche. Mais il n'avait pas besoin de voir clair. L'escalier était en métal, chaque marche d'une hauteur égale, ce qui lui permettait de garder le même rythme et de hausser les pieds de la même façon sans trébucher. Et les murs lui servaient de guides. Il était totalement aveugle mais c'était sans importance. Il savait où il allait et ce qu'il avait à faire.

Il continua son ascension. La douleur qui gagnait peu à peu ses jambes indiquait qu'il arrivait au sommet de l'auditorium. Quand les murs commencèrent à s'incurver, il comprit qu'il était dans le dôme. Il n'avait pas compté les marches mais estima qu'il en avait déjà gravi au moins deux cents. En combien de temps ? Peu importait, du moment qu'il n'arrivait pas trop tard.

Alex vit la lumière en même temps qu'il entendit une voix. Une voix féminine, à l'accent américain, qui lui parvenait de très loin, comme étouffée par un épais rideau.

« … les États-Unis ont toujours accordé une grande importance à leurs relations privilégiées avec les autres pays. Toutefois, avec les bouleversements de la mondialisation, je crois que nous devons reconsidérer ces relations… »

Alex tira de sa ceinture le Tokarev TT-33 de Günter. L'automatique dans la main, il reprit sa progression. Son instinct lui soufflait de se dépêcher. Mais il ne devait faire aucun bruit. Il avait atteint le haut des marches et se trouvait devant une ouverture. Non pas une porte, mais un trou grossièrement creusé dans la paroi, à peine assez large pour s'y glisser en rampant. La lumière vacillait, comme celle d'une télévision.

« Un pays, en particulier, n'a pas réussi, je crois, à suivre le rythme imposé par notre époque… »

Alex regarda par l'ouverture et vit Julius Grief, à plat ventre, le fusil à lunette contre l'épaule, le bout du canon posé sur une fenêtre longue et étroite, au ras du sol. Julius portait des gants de latex afin de ne pas laisser ses empreintes.

« Ce pays est un pays ami et le restera. Néanmoins je pense qu'il est temps de reconnaître que son influence ne pèse plus sur les affaires du monde… »

La salle de contrôle était parfaitement circulaire, comme un bol retourné, et semblait n'avoir pas servi depuis des années. Il y avait une moquette grise et sale, de vieux équipements, des poulies, des générateurs. Le tout relié à un enchevêtrement de câbles. Julius avait les pieds tournés du côté d'Alex. Il ne pouvait pas le voir. Mais Alex, en regardant par-dessus l'épaule de Julius par l'étroite fenêtre, put voir ce qu'il visait. Une tête immense avec des cheveux gris. Non. Ça, c'était l'image renvoyée sur l'écran du fond de la scène. La véritable cible était beaucoup plus petite, debout sur un podium, les deux mains posées sur un lutrin. La secrétaire d'État. Alex imagina la croix de mise au point dans la lunette de visée du fusil ajustée sur sa tête.

« Nous savons tous à quel pays je fais référence… »

Alex vit les mains de Julius resserrer leur prise sur le fusil. C'était le moment ou jamais.

— Julius !

Julius Grief réagit avec une vitesse incroyable. Alors qu'il s'apprêtait à tirer, il se retourna comme un serpent blessé et pointa son arme sur Alex. Alex se baissa au moment où il faisait feu. Dans l'espace exigu de l'escalier secret, la détonation fit l'effet d'une explosion. Le bruit du fusil était prémédité. Cela faisait partie du plan de Scorpia de déclencher la panique.

La secrétaire d'État n'eut pas le temps de prononcer le mot fatidique de Grande-Bretagne. Ses gardes du corps bondirent sur la scène pour former autour d'elle un écran humain. En une seconde, elle disparut à la vue de tous. Il fallut au public plusieurs secondes pour prendre conscience de ce qui se passait. Les spectateurs des premiers rangs furent les premiers à se lever et courir vers la sortie. La panique se répandit comme un virus, dans toutes les directions, transformant l'assistance qui, quelques instants plus tôt, était assise en silence, en une foule affolée et hurlante.

La première balle avait manqué Alex et s'était logée dans la maçonnerie, au-dessus de sa tête. Julius rechargea aussitôt. Alex avait mal mesuré son propre mouvement. Un morceau de tuyau cassé, ou un éclat de mur – impossible à dire dans l'obscurité –, s'était planté dans son bras droit. La douleur brutale irradia jusque dans son épaule. Il perdit de précieuses secondes à se ressaisir, puis il plongea par l'étroite ouverture pour se glisser dans la salle de contrôle.

Julius avait rechargé le fusil et le visait. Ils étaient à quelques mètres l'un de l'autre. À cette distance, Julius ne pouvait pas le manquer. Alex lut la mort dans ses yeux.

C'est alors que la porte – la véritable porte de la salle circulaire – s'ouvrit. L'agent de la CIA posté à l'extérieur s'engouffra dans la pièce. Il était jeune, coiffé en brosse, et avait ce même air juvénile que la plupart de ses collègues. Il tenait un automatique dans sa main droite. Les jambes écartées, il était prêt à tirer.

Pendant deux ou trois secondes, personne ne bougea. Julius et Alex se menaçaient mutuellement de leur arme. L'agent de la CIA, pris entre eux deux, ne savait sur qui pointer son propre pistolet. Il était clair que venait de se produire une brèche importante dans le dispositif de sécurité, mais ce qu'il avait sous les yeux n'avait aucun sens. Il voyait deux adolescents, vêtus du même uniforme de collégien, parfaitement identiques, une arme à la main. Ses années d'entraînement et de pratique sur le terrain ne l'avaient pas préparé à une situation de ce genre.

Ce fut l'arme qui emporta sa décision. Quelqu'un venait de tirer sur la secrétaire d'État, et celui des deux qui tenait le fusil devait être l'ennemi. L'agent tourna son arme vers lui. Julius fit de même, mais tira le premier. La balle atteignit l'agent en pleine poitrine et le projeta en arrière, sur Alex. Ils dégringolèrent l'un sur l'autre. Immobilisé par le corps inerte de l'agent de la CIA, Alex ne pouvait pas lever le Tokarev. De son côté, Julius n'avait pas le temps de recharger. Il jeta le fusil et s'enfuit par la porte que l'agent avait ouverte. Alex se dégagea et s'élança à sa poursuite.

Cette fois, c'était le véritable escalier de service. De larges marches en ciment, avec des murs peints en blanc et des rangées de tubes de néon. Alex descendait les marches quatre à quatre. Il était certain que Julius n'avait pas d'autre arme. Sinon, il aurait déjà tiré. Le vrai danger était de le perdre dans la foule. S'il le laissait prendre trop d'avance, il se fondrait parmi les deux mille spectateurs qui fuyaient l'auditorium et disparaîtrait en quelques secondes.

L'escalier donnait de l'autre côté de l'auditorium, à l'opposé du parking où stationnaient les unités mobiles de télévision. Le portail principal était en face. Alex déboucha au milieu d'une scène de chaos total. La foule détalait à travers les pelouses. Des hommes de la police touristique criaient pour tenter de la contenir, s'époumonaient dans leurs sifflets, agitaient frénétiquement leurs mains gantées de blanc, mais personne ne leur prêtait attention. D'autres véhicules de police affluaient. Leurs gyrophares trouaient la nuit et les sirènes ajoutaient à la confusion. Ici et là, Alex repérait des agents de sécurité américains, qui criaient dans leurs micros de gorge. La nuit était plus dense que jamais. Le grand auditorium de l'université se dressait, massif et boursouflé, pareil à une bombe sur le point d'exploser. Alex aspira une bouffée d'air chaud. Il transpirait. Il avait l'impression d'être dans un four géant.

Où était passé Grief ? Alex scruta la foule, cherchant à localiser un uniforme bleu parmi les robes du soir et les smokings. Aucun signe des autres élèves du Cairo College. Une voix tonna, amplifiée par un porte-voix. Où était Julius Grief ? Alex craignait de l'avoir perdu.

Soudain, il remarqua un mouvement qui contrastait avec la débandade de la foule apeurée. Un éclair de bleu se colletant avec du blanc. C'était lui ! Julius attaquait un policier. Pourquoi ? Le policier tomba, plié en deux par un coup de genou dans le plexus solaire. Et Alex vit Julius se pencher sur lui pour prendre quelque chose. Son arme de service, bien sûr. Un de ces pistolets légers Vzor 27 qui équipaient la police égyptienne. Maintenant, ils étaient à égalité. Julius avait son Vzor 27, et Alex le Tokarev de Günter. La chasse était plus équitable. Puisqu'ils étaient censés être identiques, autant l'être totalement.

Julius avait dû pressentir quelque chose car il fit soudain volte-face et, malgré les vingt mètres qui les séparaient, malgré les centaines de personnes qui couraient en tous sens, leurs regards s'accrochèrent. Alex se demanda s'il oserait tirer ici, mais Julius n'avait pas envie d'un duel en public. Un policier gisait inconscient à ses pieds, et ses collègues ne tarderaient pas à s'en apercevoir. Il poussa une sorte de grognement féroce, tourna les talons et partit en courant.

Alex s'élança sur ses traces. Il était inutile de chercher à masquer son arme. Les policiers et les agents de sécurité recherchaient un assassin potentiel, pas un garçon en uniforme de collégien. Julius se rapprochait du portail, se frayant à coups de coude un passage au milieu de la foule. Alex semblait avancer plus lentement, pourtant l'écart entre eux restait le même et il savait, avec une froide certitude, que Julius ne lui échapperait pas.

Julius franchit le portail. De l'autre côté, s'ouvrait un vaste parking, avec des dizaines de marchands ambulants, des chauffeurs de taxi, des policiers et des soldats, dont la plupart ignoraient ce qui se passait réellement. Une longue avenue, ornée de fontaines et de statues, menait à la route principale, mais la circulation était un nœud inextricable. Tout le monde cherchait à partir en même temps. Au moment où il atteignait le portail, Alex sentit quelque chose de dur lui heurter l'épaule, comme si quelqu'un l'avait frappé par-derrière. Il se retourna mais ne vit personne. Derrière lui, le grand auditorium, illuminé par de puissants projecteurs, baignait dans un halo blanc. Des gens continuaient de sortir entre les hautes colonnes.

Alex sentit un autre coup, cette fois sur sa tête. De l'eau coula sur son visage. La pluie. L'orage éclatait enfin. Les premières gouttes, aussi grosses que des balles de tennis, commençaient à tomber. Soudain, un éclair renfermant toute l'énergie de l'univers déchira le ciel du Caire. Presque en même temps éclata un roulement de tonnerre, si assourdissant qu'on aurait cru que le monde se fracassait en deux. Alors la pluie s'abattit pour de bon.

Un véritable déluge. En cinq secondes, Alex fut complètement trempé. L'eau lui plaquait les cheveux sur le crâne, martelait ses épaules, imbibait sa chemise, lui brouillait la vue. Il n'en tint aucun compte. Julius imaginait peut-être que l'averse était son alliée et l'aiderait à se camoufler. Il allait lui prouver le contraire.

La circulation qui, jusque-là, bougeait à peine, se figea totalement. Les voitures étaient balayées par les trombes d'eau. Les essuie-glaces, qui n'avaient sans doute pas fonctionné depuis des mois, peinaient à écarter les rideaux de pluie qui recouvraient les pare-brise. Les gens remontaient les fenêtres, d'autres s'empressaient de fermer les toits ouvrants ou décapotables. Et des conducteurs s'entêtaient à klaxonner, comme s'ils pouvaient persuader l'orage d'aller ailleurs. Alex accéléra le pas. L'eau lui montait aux chevilles. Les rues du Caire n'ont pas de caniveaux. Déjà les voitures semblaient flotter au milieu d'une rivière. Un deuxième éclair blanchit le ciel et la pluie redoubla de violence.

Julius serpentait entre les voitures immobilisées. Où allait-il ? Günter avait dit qu'il devait revenir à la camionnette de télévision pour assister à la mise à mort d'Alex. Cette option n'était plus possible, mais il y avait peut-être un deuxième véhicule prévu pour sa fuite, qui le conduirait à l'hélicoptère. Alex arriva à son tour au milieu de l'embouteillage. Derrière les vitres ruisselantes d'eau, il apercevait des silhouettes presque invisibles.

Un coup de feu. Alex n'était pas certain que c'était Julius qui avait tiré, mais la balle rendit un son métallique en perforant la carrosserie d'une Peugeot grise. À l'intérieur, le conducteur et ses deux passagers hurlèrent et baissèrent la tête. Qui sait ce qu'ils avaient imaginé ? À moins qu'ils n'aient simplement cru à un nouveau coup de tonnerre. Il y eut un deuxième coup de feu. Cette fois ce fut le rétroviseur qui vola en éclats, juste à côté d'Alex. Il ne prit même pas la peine de se baisser. Il leva le Tokarev. Depuis son entrée au MI6, on avait toujours refusé de lui donner une arme comme il le réclamait. Cette fois, c'était différent. Blunt et Mme Jones étaient loin. C'était une affaire entre Julius Grief et lui.

Julius réapparut soudain. Il courait d'un côté à l'autre de la rue. Il tira deux autres fois. Le pare-brise d'une camionnette blanche explosa et le conducteur, dans son affolement, écrasa la pédale d'accélérateur. Son véhicule fit un bond et percuta la voiture arrêtée devant. Un homme furibond en jaillit, juste devant Alex, et se mit à invectiver le premier en arabe. Julius tira encore. L'homme fit un demi-tour sur lui-même, une fleur de sang sur l'épaule, et s'affaissa lentement à côté de sa voiture, sous les yeux horrifiés du conducteur de la camionnette. Le vacarme des klaxons était à son comble. Alex brandit son arme à bout de bras. Julius avait tiré quatre balles. Peut-être cinq. Il ne devait pas lui en rester beaucoup.

Il n'y avait plus qu'une demi-douzaine de voitures qui les séparait à présent. Ils étaient comme des duellistes, emprisonnés dans une longue file d'embouteillage qui s'étirait à perte de vue. Devant, derrière, tout autour d'eux. La pluie dégoulinait sur les yeux d'Alex, gouttait de son menton. Ses vêtements étaient pareils à des serpillières détrempées, ses chaussures des baquets remplis d'eau. Il essuya ses yeux d'un revers de main, puis il pointa son pistolet et tira. C'était la première fois. La détente était souple, mais il fut choqué par le bruit de la déflagration et par le recul brutal du Tokarev, qui manqua lui disloquer le poignet. Sa balle se perdit inutilement dans le vide. Derrière la vitre d'un 4 × 4, une femme dissimulée sous une burka le regardait. Ses yeux – la seule chose visible de son visage – étincelaient de colère.

Même s'il avait raté sa cible, son tir avait eu un effet. Julius prit peur et plongea à l'abri derrière une voiture. Alex l'entrevit qui zigzaguait entre les véhicules. De l'autre côté de l'avenue, il y avait un jardin public. Julius sauta par-dessus le garde-fou au milieu de l'avenue, et passa sur l'autre chaussée. Il pensait peut-être trouver un abri au milieu des arbres et des buissons du jardin public.

Il avait atteint la voie extérieure, presque le bas-côté, lorsque le taxi le percuta. C'était la seule file où la circulation roulait un peu, en direction de l'université. Le taxi n'allait pas à plus de vingt à l'heure mais ce fut suffisant. Il heurta Julius à la jambe et à l'épaule gauche, et l'envoya bouler dans l'obscurité. Alex le vit tomber, se relever, puis retomber encore, comme un animal blessé. Le chauffeur ne s'arrêta pas. Soit il ne s'était rendu compte de rien, soit il ne voulait pas avoir d'ennuis. Ou bien il avait aperçu le pistolet dans la main de Julius. En tout cas, il ne tenait pas à se montrer.

Alex sauta à son tour le garde-fou, réussit à traverser la deuxième chaussée, et gagna le terre-plein. Était-ce son imagination ou bien la pluie diminuait d'intensité ? Il était tombé tellement d'eau en quelques minutes qu'il ne devait plus en rester beaucoup dans le ciel. Il traversa un trottoir et s'engagea sur une pelouse. Julius avait disparu mais Alex savait qu'il ne devait pas être loin. Il n'était pas en état de marcher.

Il le découvrit étendu dans l'herbe, à côté d'un massif de fleurs. Il tenait son épaule endolorie, son pistolet à côté de lui. Le choc avec le taxi l'avait sérieusement blessé. Du sang imbibait sa chemise. Ses cheveux étaient collés par la pluie. Il avait les yeux exorbités et fixes. Alex s'approcha. L'avenue était derrière eux. Le campus et le grand auditorium paraissaient très loin. Ils étaient seuls.

— Tu vas me tuer ? cria Julius.

Il n'avait pas l'air effrayé. Plutôt hystérique.

— Tu vas me tuer ?

Alex ne répondit rien. Il tenait le Tokarev le long de sa cuisse, le canon pointé vers le sol.

Julius prit une longue inspiration. Alex comprit qu'il n'aurait pas eu la force de se lever, même s'il l'avait voulu.

— Et Günter ? demanda Julius. Que lui est-il arrivé ? Ne me dis pas qu'il t'a laissé partir !

— Günter est mort.

— Et tu crois avoir gagné, hein ? Tu as sauvé cette ennuyeuse secrétaire d'État américaine et tout le monde va te féliciter. Ce brave vieil Alex a encore triomphé !

Julius se tordit sur le sol. Son épaule avait probablement été déboîtée. Du sang coulait d'une entaille à la poitrine, dilué par la pluie.

— Tu ne vas pas me tuer, reprit-il en ricanant. Tu ne peux pas. Tu n'as pas ce courage. Tu es un modèle de vertu ! Alex Rider, l'espion malgré lui ! Je vais te dire ce qui va arriver. La police va nous tomber dessus et me renvoyer en prison. Mais tu sais quoi ? Ce n'est pas si mal la prison. C'est un peu comme l'école. Et ils ne pourront pas m'y retenir éternellement. Ils attendront cinq ans, ou dix ans, et ensuite ils me relâcheront. Je serai libre.

» Mais toi, Alex ? Toi, tu ne seras jamais libre. Pas après ce que nous t'avons fait. Nous t'avons pris la seule chose qui avait de la valeur pour toi. Nous avons tué ta meilleure amie. À ton avis, elle a compris ce qui lui arrivait ? Tu crois qu'elle est morte sur le coup ? Tu te poseras cette question jusqu'à la fin de tes jours, Alex. Tu es complètement seul maintenant. Pas de parents. Pas d'amis. Plus de Jack. Rien.

» Regarde-toi, mon pauvre Alex ! Tu me détestes, hein ? Je vois à quel point tu me hais…

— Tu as tort, dit Alex. Tu n'es rien pour moi. Zéro.

La pluie lui faisait un masque. Ses yeux étaient sombres et vides. Dans ses vêtements mouillés, Alex était comme un squelette de lui-même. Il tourna le dos à Julius et commença à s'éloigner.

La main de Julius rampa dans l'herbe jusqu'au pistolet. Il le souleva et visa.

Alex l'entendit. Ou il perçut un mouvement. Ou bien son instinct l'avertit. Il fit volte-face.

Julius tira une seule balle.

Mais Alex tira le premier.

22. SELKET

La Chevrolet grise fit irruption dans le campus de l'université et s'arrêta devant le grand auditorium. Joe Byrne en descendit et découvrit le chaos.

Il se trouvait à moins de cinq cents mètres de là, à l'hôtel Four Seasons, devant la retransmission du discours à la télévision, quand le coup de feu avait été tiré, transformant sa soirée en un vrai cauchemar. Il était hautement improbable que l'assassin ait pu pénétrer dans l'auditorium avec la foule. De même qu'il était quasiment impossible qu'il, ou elle, ait pu y entrer avec une arme. Du moins pas s'il avait fait son travail correctement. Son BlackBerry sonnait déjà quand il se rua vers la voiture qui l'attendait. Évidemment, le trajet avait été interminable. Il aurait été plus vite à pied.

Et maintenant il était là, dans la moiteur de la nuit, cherchant des réponses à des questions qu'il n'aurait jamais dû avoir à se poser. La pluie avait cessé aussi soudainement qu'elle avait commencé, mais le sol était couvert de larges flaques. Au moins, la température avait un peu diminué.

Son adjoint, Brenner, l'avait vu arriver et accourut vers lui. Ancien Marine et homme d'expérience, Brenner ne perdait jamais de temps en banalités.

— Nous avons deux victimes, monsieur. Edwards a été abattu devant la pièce où le sniper était planqué. C'est une sorte de salle de contrôle perchée dans le plafond de l'auditorium. On a aussi trouvé le corps d'un technicien de télévision dans l'un des véhicules des unités mobiles. La cause de sa mort n'est pas établie.

— La secrétaire d'État ?

— Elle va bien, monsieur. Nous avons mis en place la procédure habituelle pour la faire sortir du bâtiment. Elle est déjà à l'ambassade. Un peu choquée, mais elle va bien.

— L'arme ?

— Un fusil à lunette Arctic Warfare. Il est entre les mains des services de sécurité égyptiens. Leur patron est déjà là.

Les Égyptiens ! Joe Byrne se sentait las et vieux. Il avait l'impression que tous les soucis du monde s'étaient abattus sur ses épaules – ce qui, en un sens, était le cas. S'il n'y prenait garde, toute cette affaire allait se transformer en une prise de bec de qui-a-fait-quoi, ou chaque pays allait renvoyer la responsabilité sur l'autre. Un assassin armé était passé sous le nez de quinze agents de la CIA et de dix fois plus de policiers et agents de sécurité égyptiens. Tout le monde serait ridicule.

Comme s'il avait eu des antennes, un petit homme corpulent, à la peau mate et au regard lourd, la bouche encadrée d'une moustache qui lui tombait au menton, approcha d'eux à grands pas. Joe Byrne le reconnut aussitôt. Ali Manzour dirigeait le *Jihaz Amn al-Dawla*, autrement dit le service de sécurité de l'État. Il était vêtu d'un costume blanc à fines rayures, et portait de grosses bagues en or à plusieurs de ses doigts. Ses vêtements étaient mouillés. La pluie ou la transpiration ? Pour un homme aussi petit, Manzour était vraiment très gros.

Byrne se réjouit de sa présence. Il le connaissait bien. Manzour était intelligent et efficace. Et devant un verre de raki, il pouvait aussi se montrer enjoué et chaleureux. Mais, en ce moment, Manzour était au bord de la crise de nerfs. Il sortit de sa poche un flacon de comprimés et en avala plusieurs d'un coup, à sec.

— C'est une honte ! explosa-t-il. Une offense grave !

— Vous m'aviez dit que le bâtiment était sécurisé, dit Byrne, qui avait décidé d'attaquer de front. La responsabilité commence là… pas avec moi.

— Le bâtiment était sécurisé !

— Une sorte d'escalier secret a été construit dans les murs, intervint Brenner.

— Je ne suis pas au courant de cet escalier secret ! protesta Manzour. Moi, je vous dis qu'il s'agit d'un complot britannique. Cette affaire porte la marque des services secrets anglais. Le fusil utilisé par le sniper est une arme britannique. Le gouvernement britannique ne voulait pas que la secrétaire d'État américaine prononce son discours. Et c'est un citoyen britannique qui a été découvert dans la camionnette de la télévision.

— Comment le savez-vous ?

— Nous avons trouvé ses papiers. Son nom est Erik Günter. Il ne travaille pas pour la chaîne Al Minya. Nous avons vérifié. La camionnette leur a été volée et ils ne connaissent pas de Günter.

Erik Günter. Byrne eut du mal à déglutir. C'était le nom que lui avait signalé Alex Rider. Byrne avait donné ordre à ses hommes de mettre Günter sous surveillance, mais il avait glissé entre les mailles du filet.

— Comment est-il mort ?

Les yeux de Manzour s'arrondirent de façon comique, comme s'il ne croyait pas lui-même à ce qu'il allait dire.

— Mes hommes disent qu'il a été piqué par un scorpion. C'est grotesque. On ne voit pas de scorpions au Caire. Il n'y a pas de scorpions dans les véhicules techniques de télévision.

Manzour agita nerveusement la main à l'attention d'un jeune policier, qui accourut avec une chaise pliante. Il se laissa choir pesamment sur la chaise et sortit un mouchoir pour s'éponger le front. Il lui fallut quelques instants pour recouvrer son calme, mais quand il reprit la parole, ce fut d'une voix plus douce.

— Je n'y comprends rien. J'ai le sentiment d'un complot de grande ampleur. Par chance, il a échoué et la secrétaire d'État est indemne.

Un soldat approcha d'un pas vif. Il s'arrêta devant Manzour, salua, puis se pencha pour lui chuchoter quelques mots à l'oreille.

Manzour leva les yeux, l'air perplexe.

— Ça devient de plus en plus étrange, dit-il à Byrne. On m'apprend qu'un adolescent a été arrêté à la porte principale.

— Un... adolescent ?

— Armé d'un pistolet. De fabrication russe. L'arme a servi. Le garçon s'est livré de lui-même à mes hommes. Il n'a pas cherché à résister. Au contraire. Et maintenant il vous réclame.

— Où est-il ? demanda Byrne, comprenant immédiatement qu'il ne pouvait s'agir que d'Alex. Votre homme peut-il le décrire ?

Manzour échangea quelques mots avec le soldat avant de se tourner de nouveau vers Byrne.

— Britannique. Quinze ans. Cheveux châtain clair. Il porte l'uniforme d'un de vos collèges internationaux.

— Le Cairo College ?

— Oui. Vous le connaissez ?

— Je le connais. Et il est urgent de lui parler. En privé.

Manzour hocha la tête. Il se leva et se tourna vers le soldat qui attendait ses instructions.

— Tu as entendu ? Va chercher le garçon ! braillat-il. Amène-le-moi... dans le bureau du directeur. Personne ne doit lui parler ! Ni connaître son nom ! Je vais le recevoir tout de suite...

Joe Byrne avait beau s'attendre à voir Alex Rider, il eut un choc. Quelques jours à peine s'étaient écoulés depuis leur dernière rencontre, mais en ce court laps de temps, le garçon paraissait avoir vieilli de dix ans. Alex ne présentait aucune blessure physique apparente. Il entra dans le bureau sans boiter ni montrer la moindre difficulté. Il parut même content de voir Byrne. Mais il avait l'air hagard, épuisé. Ses vêtements mouillés pendaient sur son corps comme sur une armature usée. Son regard avait perdu tout éclat. De toute évidence, il lui était arrivé quelque chose de terrible. Et pour la première fois de sa carrière, Byrne redoutait presque de lui poser la question.

Alex raconta brièvement son histoire, comme s'il voulait s'en débarrasser au plus vite. Il expliqua qu'il avait été kidnappé par un certain Abdul Aziz al-Razim et conduit dans le désert. Un complot mis au point par Scorpia visait à faire chanter le gouvernement britannique. Un sosie d'Alex était entré dans l'auditorium avec un groupe d'élèves du Cairo College, et ce sosie aurait assassiné la secrétaire d'État si Alex ne l'en avait empêché.

— Un sosie ? répéta Manzour.

À son expression, il était clair qu'il ne croyait pas un mot de l'histoire d'Alex.

— Oui, monsieur, dit Alex. Un sosie. Son nom est Julius Grief. Son père était le Dr Hugo Grief. On lui a fait une chirurgie plastique pour lui donner mon visage.

— Et où est ce… sosie, en ce moment ?

— Vous le trouverez de l'autre côté de la route qui part de l'université.

— Vivant ?

— Mort. Je l'ai tué.

Manzour se tourna vers un de ses officiers et aboya un ordre en arabe. L'officier se précipita hors de la pièce.

Byrne attendit un instant avant d'intervenir.

— Ne doutez pas de la parole d'Alex, Ali, dit-il à voix basse. Je le connais. J'ai travaillé avec lui à deux reprises. Vous pouvez lui faire confiance.

Byrne l'avait appelé par son prénom, et cela suffit à convaincre Manzour. Il hocha lentement la tête et se tourna vers Alex pour l'examiner avec plus d'attention.

— Nous avons découvert le cadavre d'un homme dans une camionnette de télévision, reprit-il.

— Il s'agit d'Erik Günter, dit Alex. Il fait partie du complot. Il était chef de la sécurité au Cairo College. Mais il travaille pour Scorpia.

— Il a été piqué par un scorpion.

— Exact, acquiesça Alex, sans fournir d'autre explication.

— Dis-moi, Alex, où pouvons-nous trouver ce Razim ? demanda Byrne.

— Je vais vous le dire. Mais à une condition. Je viens avec vous pour l'arrêter.

— C'est hors de question, protesta Manzour. J'ai des hommes entraînés pour ce genre d'opération. L'Unité Triple Sept. Ils n'ont pas besoin de ton aide.

Le 777 était un commando des forces spéciales égyptiennes antiterroristes. Il tirait son nom de l'année de sa création, en 1977. Il était basé dans le sud du Caire.

— Tu en as suffisamment fait, Alex, renchérit Byrne. Laisse-nous finir le travail.

— Non, dit Alex. Razim est retranché dans un fort en plein désert, à côté de Siwa. Et il possède une puissance de feu suffisante pour repousser une armée. Il a fait placer des mines tout autour du fort. Vos hommes ont beau être entraînés, ils seront volatilisés avant de s'approcher. Razim s'est vanté d'avoir un système de détection radar et des missiles sol-air. Vous voulez vraiment engager le combat contre lui ? Si vous me laissez vous accompagner, ce ne sera pas nécessaire.

— Continue, Alex, l'encouragea Byrne.

— Un hélicoptère attend Julius Grief pour le ramener au fort. Je peux vous y conduire. Vous mettrez une douzaine de vos hommes dans l'hélicoptère. En nous dépêchant, nous pourrons arriver chez Razim avant qu'il apprenne les détails de ce qui s'est passé ce soir. Je pourrai entrer dans le fort. Il me prendra pour Julius.

— Et ensuite ? demanda Manzour, soudain très intéressé.

— Vos hommes attendront dans l'hélicoptère. Il y a une salle de contrôle à l'intérieur du fort. Si j'arrive à y entrer, je pourrai désactiver tous les systèmes de défense. Plus de courant électrique. Plus de mines. Plus de missiles. Ensuite vous pourrez donner l'assaut. Razim a une trentaine de gardes, mais vous les prendrez par surprise.

— Tout dépend donc de ta capacité à entrer dans cette salle de contrôle, résuma Manzour.

— C'est un fournil, un ancien four à pain. Je l'ai observé quand j'étais là-bas. C'est leur point faible.

Après un court silence, Byrne hocha la tête.

— Alex a raison. La question est de savoir si on a encore le temps de mettre un black-out sur l'information.

— Les chaînes de télévision ont évidemment déjà parlé de la tentative d'assassinat contre la secrétaire d'État américaine, répondit Manzour. Mais elles n'ont pas dit si la tentative avait réussi ou non. Je peux m'arranger pour qu'aucune autre information ne filtre cette nuit. Ça nous laissera le temps d'agir.

— Alors c'est d'accord ?

Il y eut un mouvement à la porte. L'officier de Manzour était revenu. Il fit son rapport en arabe d'une voix fébrile, sans quitter Alex des yeux, comme s'il venait de voir un fantôme. Manzour fit un signe de tête et le congédia.

— Ce sosie existe bien, annonça-t-il. C'est la copie parfaite d'Alex… à l'exception du trou qu'il a dans la tête.

Alex haussa les épaules.

Manzour jeta un coup d'œil à Byrne.

— Qu'en pensez-vous ?

— Une opération commune, égypto-américaine. C'est votre pays, mais notre ministre. Six hommes à vous, six hommes à nous. Plus Alex, bien sûr.

— Je suis partant, acquiesça Manzour. Mais il faut faire vite.

Byrne mit une main sur l'épaule d'Alex et lui posa la question qui lui brûlait les lèvres. Il avait besoin de savoir.

— Que t'a fait Razim, Alex ?

Alex frissonna, comme si le contact de sa main lui était douloureux. Mais il ne répondit pas à sa question.

— Razim s'intéresse de très près à la douleur. Je pense que le moment est venu pour lui d'en faire l'expérience.

Alex se leva et ajouta :

— Il n'y a pas de temps à perdre. Mais je veux une dernière chose avant de partir, monsieur Byrne.

— Laquelle ?

— Une arme.

Le Sikorsky H-34 attendait Erik Günter et Julius Grief à l'endroit exact indiqué par Alex, abrité derrière un immeuble en construction. Le pilote ne les vit même pas arriver. Il était assis dans le cockpit quand il se retrouva subitement empoigné, sorti de l'appareil, et plaqué sur le sol, bras et jambes écartées, un canon de fusil sur la nuque.

Aussitôt, quatre Jeep convergèrent vers l'hélicoptère. Alex était dans la première, à côté de Joe Byrne. Suivait une douzaine d'hommes, tous en tenue de combat de désert, armés d'une panoplie de mitraillettes MP5 Heckler & Koch, de lance-grenades, de pistolets automatiques. Assez d'armes pour mener une petite guerre. Ces hommes formaient l'équipe d'assaut égypto-américaine rassemblée par les deux chefs des services de renseignement. Alex portait toujours son uniforme du Cairo College, comme Julius l'aurait eu.

Le *Jihaz Amn al-Dawla* avait jusqu'ici réussi à contrôler les informations divulguées par la presse.

Les chaînes de radio et de télévision avaient parlé de la tentative d'assassinat, mais aucune n'avait pu confirmer si la secrétaire d'État américaine était blessée ou indemne. Bien sûr, des centaines de témoins avaient assisté à la scène, mais pour la plupart ils n'étaient pas certains de ce qu'ils avaient réellement vu, et la CIA avait rapidement fait circuler sa propre version des événements : la secrétaire d'État était hospitalisée au Caire et l'assassin toujours en fuite. Razim devait s'étonner qu'Erik Günter n'ait donné aucune nouvelle, mais sa situation retranchée le tenait isolé dans la nuit noire du désert, au sens propre comme au sens figuré.

Quand Alex sauta de la Jeep, le chef de la section américaine vint à sa rencontre. Alex le reconnut aussitôt. Cheveux blonds, épaules carrées, yeux bleus. Lewinsky. L'homme qui lui avait fait subir un interrogatoire dans la salle cloche.

— Je crois que je te dois des excuses, dit Lewinsky en lui tendant la main. Je ne me suis pas présenté. Je m'appelle Blake Lewinsky. Je sais que j'ai dépassé les bornes.

— Je m'en suis remis, dit Alex, en lui serrant brièvement la main.

— Ne crois pas que ce soit une habitude chez moi, mais il faut qu'on soutire une information au pilote de l'hélico.

— Quelle information ?

— Il a sûrement un mot de passe, un code d'identification, pour se poser à Siwa. S'il ne nous le donne pas, ils vont nous dégommer.

— Le supplice de l'eau ? demanda Alex.

Lewinsky encaissa le sarcasme d'un hochement de tête et répondit :

— Je crois que Manzour a une autre technique. Je voulais juste te prévenir. Ça ne va pas être agréable à voir. Je te conseille de ne pas regarder.

Ali Manzour était descendu d'une des Jeep et avait rejoint l'endroit où attendait le pilote. Il s'accroupit devant lui et Alex entendit quelques mots prononcés en arabe d'une voix douce. Il y eut d'abord un silence, puis un cri. À côté d'Alex, Joe Byrne grimaça et détourna les yeux. Manzour les rejoignit peu après, en essuyant un peu de sang sur ses mains avec un mouchoir, tandis que deux de ses hommes emmenaient l'infortuné pilote.

— On a bien fait de l'interroger, dit Manzour. Le mot de passe est Selket. La déesse-scorpion. Un nom tout à fait approprié. Selket était la déesse des défunts dans l'ancienne Égypte.

— Vous êtes certain qu'il ne vous a pas menti ? demanda Byrne.

— Bien sûr que si, il m'a menti, dit Manzour en repliant son mouchoir. Mais je lui ai posé la question une seconde fois et, là, il m'a dit la vérité. Tout dépend de toi, mon jeune ami, ajouta-t-il en se tournant vers Alex. Mais je suis père de deux garçons et je veux être tout à fait certain que tu es prêt à ce qui t'attend.

— Je suis prêt.

— Alors je te souhaite de réussir.

Les douze hommes grimpèrent dans l'hélicoptère, les Américains d'un côté, les Égyptiens de l'autre, face à face, comme deux équipes de base-ball. L'unité 777 avait également fourni le pilote. Joe Byrne serra la main d'Alex.

— Prends soin de toi, Alex.

— Ne vous inquiétez pas pour moi.

Alex monta à son tour dans l'appareil. Les rotors se mirent à tourner et prirent rapidement de la vitesse. L'hélicoptère décolla. Byrne resta seul à côté de Manzour.

— C'est donc lui, le fameux Alex Rider, murmura l'Égyptien.

— C'est lui.

— Je n'ai pas à m'en mêler, mais je crois qu'il est arrivé une chose terrible à ce garçon. Vous avez vu son regard ?

Byrne hocha la tête. Il avait déjà appelé Blunt, à Londres. Ils avaient prévu de se parler dès le retour d'Alex. À supposer qu'il revienne. Alex lui avait dit de ne pas s'inquiéter, mais Byrne était extrêmement inquiet.

Il suivit des yeux l'hélicoptère jusqu'à ce qu'il eût disparu dans la nuit. Puis Ali Manzour posa sa main sur son épaule et les deux hommes regagnèrent les Jeep.

23. UNE PINCÉE DE SEL

L'hélicoptère vibrait dans le ciel nocturne, emportant ses treize passagers silencieux vers le désert. Sitôt quitté Le Caire, les lumières de la ville s'évanouirent et il n'y eut plus que les étoiles. Alex était assis devant, tout près du pilote. Il regardait par le parebrise du cockpit, aspiré par l'infini du désert et l'infinie obscurité. Puis il finit par somnoler, bercé par le battement des rotors.

Quelqu'un lui tapota le bras. Ils étaient arrivés. Combien de temps s'était écoulé ? Pas plus d'une demi-heure, sans doute. Lewinsky se tenait devant lui. Il lut la tension dans ses yeux. C'était le moment de vérité. Le fort, avec tout son système de défense sophistiqué, était là. Si le pilote de Razim leur avait menti, ils étaient tous morts.

La radio de bord grésilla. Une voix crachota une phrase brève en arabe. Le pilote répondit d'un seul mot.

— Selket...

Silence. Ils stationnaient en l'air, comme au garde-à-vous. Des instructions arrivèrent sur la radio de bord. Le pilote se relaxa. Ils avaient l'autorisation d'atterrir.

Alex aperçut le fort, illuminé par des centaines d'ampoules. Toute la place grouillait d'activité. Razim préparait sa fuite. Des hommes allaient et venaient dans la cour, sortaient des caisses et des dossiers des divers entrepôts pour les porter dans les Land Rover et les camions alignés. Cette nuit, personne ne dormirait. Des gardes faisaient leur ronde sur les remparts et sur la passerelle suspendue. D'autres étaient postés dans les quatre tours de guet. Les immenses portes étaient fermées et des sentinelles surveillaient l'atterrissage de l'hélicoptère.

Brutalement, la nuit se transforma en jour. Deux projecteurs fixés à deux angles opposés du fort épinglèrent l'appareil. La lumière explosa dans la cabine. Lewinsky plissa les yeux. Mais cette lumière donna une idée à Alex. L'hélicoptère était attendu, observé. Razim devait être nerveux et inquiet de n'avoir pas eu de nouvelles. Eh bien, il allait lui envoyer un signal pour l'apaiser.

Alex déboucla sa ceinture et se leva. La porte de l'hélicoptère était manœuvrée par un lourd levier. Il abaissa le levier et fit coulisser la porte. Le vrombissement des rotors et la chaleur de la nuit s'engouffrèrent à l'intérieur. Lewinsky lui cria quelque chose mais Alex l'ignora. Il savait ce qu'il faisait et il était certain que Razim l'observait. S'agrippant à une sangle, il se pencha à l'extérieur, en pleine lumière, et agita une main en direction du fort en souriant largement, comme Julius Grief l'aurait fait. Julius aimait fanfaronner. Il n'aurait pas attendu que l'hélicoptère ait atterri.

Lewinsky comprit son intention et l'approuva d'un signe de tête. Alex gesticula à l'attention du pilote pour le diriger vers l'aire d'atterrissage. Pendant ce temps, la grande porte du fort s'ouvrit et une Jeep bondit à leur rencontre. Jusqu'ici, tout se passait au mieux. Le mot de passe avait fonctionné et Razim avait vu Alex. Ou plutôt Julius. Il avait désactivé les défenses du fort et l'invitait à entrer. Il y eut un léger soubresaut quand l'hélicoptère se posa. Le pilote éteignit les rotors. Lewinsky s'approcha d'Alex en prenant soin de ne pas se faire voir.

— On te donne dix minutes, dit-il. Ensuite, on intervient.

Alex acquiesça.

Le Sikorsky s'était immobilisé à environ deux cents mètres de l'entrée du fort. Alex sauta à terre et attendit l'arrivée de la Jeep. Le conducteur, en tenue traditionnelle et turban, portait une longue barbe. Alex reconnut le garde qui était venu lui apporter à manger le soir de son arrivée. Il arrêta la Jeep et Alex monta.

— On n'attend pas les autres ? questionna le chauffeur, faisant sans doute référence à Günter et au pilote, puisqu'il ignorait la présence des douze commandos cachés dans l'hélicoptère.

— Conduis-moi à Razim, ordonna Alex d'une voix sèche. Tout de suite.

Après une brève hésitation, le chauffeur démarra. Il était habitué à obéir aux ordres. Les portes du fort étaient grandes ouvertes. Personne n'avait remarqué d'anomalie. La Jeep entra dans la cour, passa devant la prison où Jack et Alex avaient été enfermés, et se dirigea vers la maison de Razim. En passant, Alex jeta un regard à l'ancien fournil transformé en salle de contrôle. Il avait espéré que la porte serait ouverte mais elle était fermée, sans doute à clé, et il n'y avait pas de fenêtre. La lumière filtrait au travers des interstices du bois. Il y avait donc un technicien à l'intérieur, qui pourrait réactiver les mines et tout le système de surveillance. À la moindre alerte, au moindre éternuement dans l'hélicoptère, les détecteurs de son et de mouvement se mettraient en branle.

La Jeep s'arrêta. Alex en descendit.

— Julius !

Razim était sorti de sa maison, une cigarette à la main. En s'élevant, les volutes de fumée captaient l'éclat des lumières. Razim était vêtu à l'occidentale : jean, chemise large et sandales. Cela faisait peut-être partie de sa nouvelle identité. Mais les lunettes rondes et les cheveux gris coupés court étaient très reconnaissables. Il se tenait sur la terrasse ornée du lion en pierre et des pots en terre cuite. Razim toisa Alex avec un mélange de curiosité et d'agacement.

— Que s'est-il passé ? Je vous attends depuis une heure.

Julius avait donc reçu l'ordre d'envoyer un message radio avant de quitter Le Caire. Alex aurait dû s'en douter.

— Elle est morte, dit-il.

Il préférait parler le moins possible, craignant de se trahir.

— Ils ont annoncé à la radio que la secrétaire d'État était à l'hôpital. Ils n'ont pas dit qu'elle était morte.

— Alors ils mentent, dit Alex en se tapotant le milieu du front du bout de l'index. Ma balle l'a touchée ici.

— Et Rider ?

Alex lâcha un ricanement, à la manière de Julius.

— Il a demandé pitié. Il pleurait. Mais Günter m'a permis de rester quand il l'a tué.

— Où est Günter ?

— Dans l'hélicoptère.

— Pourquoi n'est-il pas venu avec toi dans la Jeep ?

— Je ne sais pas, Razim. Où est le problème ? Je croyais que vous seriez content d'apprendre la bonne nouvelle.

Du coin de l'œil, Alex vit les grandes portes qui commençaient à se refermer. Elles se mouvaient avec lenteur et il leur faudrait une minute avant d'être verrouillées. Cela lui laissait donc une minute pour agir. Il tourna le dos à Razim et commença à s'éloigner d'un pas alerte.

— Où vas-tu ? lui cria Razim.

Sa voix semblait hésitante. Il n'avait pas deviné la supercherie, mais quelque chose, son instinct, lui soufflait de se méfier.

— Julius, qu'est-ce que tu fais ?

— Je vais me coucher.

— Pas question. Nous partons.

— Alors je vais chercher mes affaires.

— Mais ta chambre n'est pas par là !

Il s'était trahi. Julius, en effet, avait logé dans la maison de Razim. Or Alex se dirigeait dans la direction opposée.

— Julius ! cria Razim une dernière fois.

Alex ne savait quoi faire. Ignorer Razim ? Revenir vers lui et continuer de bluffer ? Julius Grief se serait mis en colère. Il aurait attendu de Razim des félicitations, pas des remontrances. Le fournil se trouvait juste devant lui. La cheminée du four était illuminée par les projecteurs. Des gardes circulaient autour, mais aucun ne s'intéressait à lui.

— Arrêtez-le !

Les deux mots claquèrent dans la cour du fort. Razim les répéta aussitôt en arabe. Il avait compris qu'on l'avait trompé. Juste devant Alex, entre lui et la salle de contrôle, deux gardes firent volte-face et sortirent leurs armes. L'entrebâillement entre les deux battants du portail diminuait peu à peu. Dans une demi-minute, Alex ne pourrait plus sortir.

Il n'avait pas le choix. Il se mit à courir et contourna le puits central, s'éloignant de la salle de contrôle. La muraille extérieure se dressait devant lui, avec une volée de marches menant au rempart. Alex les gravit quatre à quatre. En même temps, sa main plongea dans sa poche pour sortir la grenade dont il s'était muni avant de quitter l'hélicoptère. Il la dégoupilla. Il entendit deux coups de feu et sentit presque les balles s'enfoncer dans les marches juste derrière lui. Qui avait tiré ? Aucune importance. Plus rien ne comptait désormais, sinon en finir une fois pour toutes. Des gardes accouraient, des cris fusaient de toutes parts. Une sirène d'alarme hurlait. Alex était totalement concentré sur ce qu'il avait à faire. Encore deux marches et il atteignit le rempart. D'un côté il y avait le fort, de l'autre le désert. Une troisième balle lui frôla l'épaule. Il était terriblement exposé. Tout dépendait de la suite.

L'ancien fournil se trouvait en contrebas, mais la cheminée du four, elle, était à sa hauteur, à environ cinq mètres. Il voyait parfaitement son ouverture carrée et imaginait le conduit de briques descendant jusqu'au four. C'était son unique chance. Il avait une seconde grenade dans sa poche mais savait qu'il n'aurait pas le temps de la lancer. Combien de temps avait-il ? Depuis combien de temps avait-il ôté la goupille ? Il fit le vide dans son esprit. En chassa les cris, le hurlement de l'alarme, les coups de feu. Il était à l'école, prêt à lancer une boîte de Coca dans une corbeille à papier. Facile.

Il lança la grenade, la vit décrire un arc de cercle, certain qu'elle allait attendre sa cible. Il ne pouvait pas la manquer.

La grenade disparut à l'intérieur de la cheminée sans même effleurer les parois du conduit.

Elle mit si longtemps à exploser qu'Alex crut qu'elle était défectueuse. Il s'apprêtait à sortir la seconde lorsque l'explosion se produisit. La porte du fournil fut soufflée de l'intérieur et une boule de feu et de fumée jaillit dans la cour. Toutes les lumières du fort s'éteignirent et les ténèbres du désert l'engloutirent comme une cape de magicien. Alex se jeta au sol au moment où éclata un crépitement de mitraillette. Il roula sur lui-même. Les balles déchiquetèrent la paroi au-dessus de lui. Le brasier qui dévorait le fournil lui permit de voir que le portail n'était pas tout à fait fermé. La coupure de courant l'avait laissé entrebâillé. Lewinsky et ses camarades devaient déjà courir vers le fort. S'il survivait encore une minute, il ne serait bientôt plus seul.

Ses yeux s'habituaient à la pénombre. La lune, les étoiles mais surtout l'incendie de la salle de contrôle donnaient un éclairage irréel. Alex aperçut Razim qui montait l'escalier. Il tenait un pistolet. La lueur rouge des flammes l'enveloppait. Lui qui avait promis l'enfer ressemblait au diable. Au portail d'entrée, une fusil-lade éclata. Quelqu'un poussa un cri. Les commandos égyptiens et américains étaient passés à l'action.

Mais ce n'était pas fini. Razim se rapprochait. Soudain, la nuit scintilla et un faisceau de lumière blanche balaya les remparts. Le générateur de secours s'était mis en marche. Alex se trouva épinglé en pleine lumière. Il tâtonna dans sa ceinture et en tira le Tokarev de Günter. Sur sa demande, Ali Manzour le lui avait rendu. C'était le seul pistolet dont il se soit jamais servi. Il le considérait un peu comme le sien et il avait voulu l'avoir pour la fin.

Le magasin contenait huit balles. Alex en tira une vers Razim, puis il courut le long du rempart en cherchant la pénombre pour faire une cible moins facile. L'une des tours se dressait devant lui. Soudain, un garde en surgit pour lui bloquer le passage. Alex dégoupilla la seconde grenade et la lança, tout en plongeant à plat ventre. Il sentit le souffle de l'explosion et se couvrit la tête des deux bras. Quand il se redressa, la voie était libre. Il jeta un regard en bas. Les Américains et les Égyptiens étaient en train d'investir le fort. Ils se déployaient pour prendre position dans la cour. Les gardes de Razim se désintéressaient d'Alex. Ils savaient qu'ils avaient affaire à un ennemi beaucoup plus dangereux.

Alex se releva. Il ne savait pas où aller mais il ne voulait pas rester coincé sur l'étroite coursive, entre le rempart et la cour. Ça mitraillait tout autour de lui. Il aperçut un objet voler et le suivit des yeux. Au bout de sa course, l'objet entra tout droit par la fenêtre de la maison de Razim. Il y eut une explosion et la bâtisse se désintégra. Suivit un tir d'armes automatiques. Les deux gardes postés devant jetèrent leurs pistolets-mitrailleurs avant de s'effondrer.

Alex atteignit la passerelle suspendue et s'y engagea en courant sans plus réfléchir. L'autre côté du fort paraissait moins éclairé et plus calme. Et il n'avait qu'une idée en tête : se mettre à l'abri et laisser les forces spéciales faire le travail. Il aperçut trois hommes de Razim passer en courant au-dessous de lui. Apparemment, ils abandonnaient le combat. Un des commandos américains apparut derrière eux, muni de lunettes de vision nocturne. Il s'arrêta, visa tranquillement, et les abattit un à un. Alex se rendit compte que le combat virait rapidement au carnage. Les attaquants étaient nettement mieux entraînés et mieux équipés. Sans compter l'avantage de la surprise. Avec toutes ses défenses désactivées, le fort n'était plus qu'un champ de massacre. Alex en avait la nausée.

Soudain, une voix étonnamment proche l'apostropha :

— Ne bouge pas, Alex.

Alex se retourna. Razim se tenait derrière lui sur la passerelle, une main sur la corde de garde-corps pour se stabiliser. De l'autre main, il tenait un pistolet. Alex leva son Tokarev. Les jambes légèrement écartées, il sentait la passerelle osciller doucement.

— C'est bien toi, reprit Razim. Je le savais. Je l'ai senti tout de suite.

Pour la première fois de sa vie, Razim était la proie d'émotions violentes. Fureur. Désespoir. Il ne se dominait plus, incapable de croire à sa défaite. Comment son plan si brillant, si soigneusement étudié, avait-il pu échouer ?

— Que s'est-il passé, Alex ? Comment as-tu fait ?

Alex ne répondit pas. Le combat faisait rage dans la cour, sous leurs pieds. Certains des hommes de Razim luttaient encore, mais les commandos de la CIA et du 777 avaient pris le dessus. De toute façon, Razim s'en moquait. Il était hébété. Des larmes luisaient dans ses yeux.

— Tu étais vaincu, murmura Razim. Je t'ai écrasé. J'ai tué ton amie. Et pourtant tu es revenu. Cette fois, c'est fini pour toi. Tu vas mourir. Pas de mort lente, hélas. Je n'ai pas le temps. Mais la mort est toujours la mort pour ceux qui meurent.

— Alex !

Le cri jaillit d'en bas. Blake Lewinsky les avait aperçus. Il leva sa mitraillette et tira. Une volée de balles déchiqueta la passerelle entre Alex et Razim. Alex perdit l'équilibre. En voulant se rattraper, il lâcha le Tokarev. Lewinsky tira de nouveau. Un garde posté dans une des tours de guet ouvrit le feu sur lui. Lewinsky pivota sur lui-même, une rangée de boutons rouges en travers du torse. Tué sur le coup. Mais son intervention avait été décisive.

Razim avait basculé en arrière, et son pistolet était tombé sur la passerelle à côté de lui. Alex bondit. Il se jeta sur Razim et referma ses mains autour de son cou. La passerelle de corde, presque cisaillée en deux, les soutenait encore. Pendant un instant, ils restèrent là, suspendus. Les tirs s'espaçaient un peu. Un garde d'une tour de guet bascula dans le vide. Razim se débattait pour essayer de récupérer son arme. Alex lui immobilisa le bras.

C'est alors que la passerelle commença de céder sous leur poids. Alex avait le choix : rester agrippé à Razim et tomber avec lui, ou le lâcher et se sauver. À l'ultime millième de seconde, l'instinct de survie l'emporta. Il se rejeta en arrière et entortilla son bras dans les cordes. De justesse. Ses pieds se balançaient maintenant au-dessus du vide. Son épaule et son poignet supportaient toute la traction. Une section seulement de la passerelle s'était effondrée. Il était suspendu à ce qui en restait.

Razim avait eu moins de chance. Trop occupé à récupérer son pistolet, il n'avait pas eu le temps de s'agripper. Dans un sursaut désespéré, il tenta de se retenir, mais les cordes lui glissèrent entre les doigts. Rien ne pouvait empêcher sa chute. S'il avait heurté le sol, il se serait brisé les deux jambes. Au lieu de cela, il atterrit dans le tas de sel rapporté du désert par ses hommes. Il s'y enfonça les pieds les premiers, jusqu'à la taille. Il avait perdu ses lunettes. Son pistolet tomba à côté de lui. Razim était enlisé.

La fusillade avait cessé. Les hommes de Razim se rendaient. Les forces spéciales prenaient le contrôle du fort.

Razim gigotait. Les yeux exorbités par la peur, il se sentait aspiré par le sel. Alex se balançait au-dessus de lui, sur sa section de passerelle déchirée. Hors d'atteinte.

— Aide-moi, dit Razim.

Alex ne bougeait pas, craignant que la corde ne cède au moindre déplacement de son poids.

Razim se noyait peu à peu dans le sel. Il en avait déjà jusqu'aux aisselles. Il avait compris que la partie était terminée. Il parvint à esquisser une sorte de sourire, ou plutôt une horrible grimace.

— Au secours ! gémit-il.

Le niveau du sel monta encore.

Razim devait en sentir la pression sur son estomac, sur sa poitrine. Le tas de sel était comme une immonde créature qui l'avalait vivant, petit à petit.

— Tu as triché, Alex, murmura-t-il d'une voix faible. J'étais meilleur que toi. J'aurais dû gagner.

Réunissant ses dernières forces, Razim parvint à étendre le bras vers son pistolet. Ses doigts frôlèrent la crosse. Puis le sel engloutit ses épaules. Seuls sa tête et son cou étaient encore visibles. On aurait dit qu'il avait été décapité.

— Ne bouge pas, Alex ! On vient te chercher !

Un des hommes de la CIA avait atteint la passerelle et rampait vers lui.

Une fin atroce attendait Razim. Le sel pénétrait dans les pores de sa peau. C'était comme s'il était cuit vivant à l'intérieur d'une énorme pile. De l'écume blanche commença à mousser sur ses lèvres. Recouvrit ses yeux. Tout son corps avait disparu. Alex se souvint d'une histoire de limace dans un jardin. On disait que les limaces connaissaient une mort horrible quand on les roulait dans le sel.

— Alex…

Ce fut la dernière parole de Razim. Il aspira une dernière gorgée d'air, puis il disparut entièrement. Un bref instant, un petit creux demeura à la surface, puis le sel le combla.

— Je te tiens !

Des mains avaient saisi Alex. Il se sentit hissé le long de la passerelle. En haut, d'autres hommes l'attendaient. Peut-être avaient-ils assisté à la fin de Razim. Peut-être avaient-ils décidé de ne rien tenter. Alex s'en moquait. Il était à bout de forces.

Les combats étaient terminés. On aida Alex à redescendre dans la cour par l'escalier en pierre. Il vit quelques gardes de Razim alignés le long d'un mur, mains en l'air. Mais la plupart étaient morts. Il y avait des cadavres partout. Deux Américains et un Égyptien avaient été tués, ainsi que Lewinsky.

Quelqu'un tendit une gourde d'eau à Alex.

— Ça va ?

Alex hocha la tête.

— Reste ici, Alex. On a envoyé un message radio au Caire. C'est fini, maintenant. Les autorités vont arriver…

Malgré les instructions, dix minutes plus tard, Alex avait disparu. Un vent de panique souffla sur les forces spéciales, qui le cherchèrent en vain dans tout le fort. On ne le retrouva que plus tard, dans le désert, seul, agenouillé devant la carcasse carbonisée d'une voiture.

24. DÉPARTS

L'heure du départ était arrivée.

C'était le dernier jour d'Alan Blunt à la tête des Opérations Spéciales du MI6. Il avait passé la matinée à trier ses affaires personnelles. En fait, elles tenaient dans une boîte à chaussures qui trônait à présent sur le bureau vide. Il n'emporterait d'ici que des souvenirs. Et il en avait à revendre. D'ailleurs, il avait vaguement caressé l'idée d'écrire ses mémoires. C'était très à la mode chez les politiciens et les hauts fonctionnaires à la retraite. Mais dans son cas, bien sûr, c'était impossible. Sa fonction imposait d'emporter ses secrets dans la tombe. S'il tentait de les vendre, l'heure de la tombe arriverait plus tôt que prévu.

Il jeta un dernier coup d'œil par la fenêtre. L'été était chaud. Liverpool Street était étonnamment lumineuse, avec le soleil qui se reflétait sur les baies vitrées. Un pigeon somnolait sur le rebord extérieur. Est-ce que les oiseaux dorment ? Blunt tapota la vitre et l'oiseau s'envola. Il avait longuement discuté avec Smithers de la possibilité d'utiliser des pigeons pour aller espionner les ambassades étrangères. Des pigeons bagués, dressés à revenir. La division des armes secrètes avait mis le sujet à l'étude mais sans résultat concluant. Blunt avait rencontré Smithers quelques semaines plus tôt, à son retour du Caire, pour une séance de débriefing formelle. Ils ne s'étaient pas dit au revoir.

Blunt revint à son bureau et posa une main sur la boîte à chaussures. Il fut tenté de la jeter à la corbeille. Il ne voulait rien emporter. Juste sortir d'ici. Dans deux jours, il partait à Venise, première étape d'un tour d'Europe de six semaines avec sa femme. Depuis leur mariage, jamais ils n'auraient passé autant de temps ensemble.

La porte s'ouvrit et Mme Jones entra. Comme c'était prévisible, elle avait pris la tête du service des Opérations Spéciales. Elle parut surprise de le voir, ce qui était étonnant puisqu'elle avait elle-même demandé un dernier entretien avec lui avant son départ. Ils échangèrent un regard gêné. Blunt se dit qu'ils auraient dû permuter les places. C'était à elle de se trouver derrière ce bureau, à présent.

Il recula vers la fenêtre puis alla s'asseoir sur un fauteuil qui avait l'air d'une antiquité mais qui était moderne. Comme beaucoup de choses dans cet immeuble, le fauteuil n'était pas ce qu'il semblait être.

Mme Jones se percha sur un angle du bureau. Selon son habitude, elle était vêtue de sombre. Un tailleur noir très élégant, avec une chaîne en argent autour du cou. Elle suçait un de ses éternels bonbons à la menthe. C'était mauvais signe. Elle suçait un bonbon à la menthe lorsqu'elle avait des choses désagréables à dire.

— Félicitations, Mme Jones, dit Blunt. (Il n'avait appris sa nomination officielle que le matin même.) Je vous souhaite tout le succès possible.

— Merci. Vous avez des projets ?

— Voyager. Un peu de golf, peut-être. Et la BBC m'a proposé d'entrer au conseil d'administration...

— Je sais. C'est moi qui vous ai recommandé.

Mme Jones se tut et posa les mains sur le bureau derrière elle.

— Avant que vous ne partiez, je voudrais vous parler d'Alex.

— Je m'en doutais. Comment va-t-il ?

— Pas très bien. Vous imaginiez le contraire ?

— Ce qui s'est passé est très regrettable. La perte de sa gouvernante...

— Jack Starbright était beaucoup plus qu'une gouvernante. Elle était sa meilleure amie. Sa seule amie adulte. Et sans doute la seule personne en qui il ait eu confiance.

— Nul ne pouvait prévoir ce qui s'est passé.

— Vraiment ?

Mme Jones fit le tour du bureau et s'assit sur le fauteuil de Blunt. Le message était clair. C'était elle le chef désormais.

— Scorpia nous a tendu un piège et nous sommes tombés dedans, poursuivit-elle. Le cadavre de

Levi Kroll a refait surface dans la Tamise, avec un iPhone opportunément logé dans sa poche. Comme par hasard. Plusieurs pistes conduisaient au Cairo College. Les gens de Scorpia nous ont pris pour des imbéciles, et ils avaient raison. Nous avons agi comme des imbéciles. Sans Alex, la secrétaire d'État américaine serait morte et nous serions sans doute en guerre contre les États-Unis. Et tout ça pour les marbres du Parthénon ! C'est d'une absurdité sans nom !

— J'en assume l'entière responsabilité, dit Blunt. Vous n'avez pas à vous inquiéter. Vous pouvez prendre vos nouvelles fonctions la conscience en paix.

— J'aimerais que ce soit possible. Mais j'étais d'accord, au début, pour embaucher Alex. Je parle de l'affaire Stormbreaker, il y a plus d'un an. J'ai étouffé les doutes que j'avais sur le recrutement d'un garçon de quatorze ans. Il nous était trop utile. Sur ce point, je suis aussi coupable que vous.

Blunt était impressionné. Il y avait une fermeté, une autorité dans la voix de son ancienne adjointe qu'il n'avait jamais remarquées.

— Alex va si mal que ça ? demanda-t-il.

— Vous savez qu'il a tué Julius Grief. À ce propos, nous n'aurions jamais dû admettre la mort supposée de Grief à Gibraltar. J'ai déjà donné des ordres pour que cet endroit soit fermé. Par ailleurs, Alex n'avait jamais eu un pistolet en main, jusqu'alors. Cette fois il s'en est servi. Il a été forcé de tuer Grief de sang-froid. On ne peut évidemment pas l'en blâmer. Malheureusement, ça l'a traumatisé.

Mme Jones se tut un instant. Blunt attendit patiemment la suite.

— Les psy que j'ai interrogés disent que, pour Alex, c'était presque comme s'il se tuait lui-même. Grief était son sosie parfait. En résumé, une partie d'Alex est morte avec Julius Grief. Il a tiré sur lui-même… du moins sur une partie de lui qui n'aurait jamais dû voir le jour.

— La partie que nous avons créée, suggéra Blunt.

— Peut-être. En tout cas, en ce qui me concerne, le dossier Alex Rider est clos. Nous n'aurions jamais dû tenter cette expérience. Il est inutile de revenir sur le sujet, mais nous avons eu tort. Cela ne se reproduira plus.

— C'est pour ça que vous vouliez me voir ?

— Non, Alan. J'ai une question à vous poser avant que vous partiez. Cela concerne les coups de feu tirés sur Brookland.

Mme Jones attendit la réponse de Blunt, qui garda le silence. Il ne manifestait rien d'autre qu'un intérêt poli. Elle n'en fut pas étonnée.

— Quelqu'un a envoyé un sniper tirer sur Alex. Bizarrement, Erik Günter n'y a jamais fait allusion. Pas plus que Razim. On pourrait presque penser qu'ils n'étaient pas au courant. Deux autres points m'intriguent. Le premier est assez simple. Pourquoi le sniper a-t-il manqué sa cible ? Alex l'a aperçu juste à temps, d'accord. Mais la balle a touché son pupitre, pas sa chaise. Comme si, au fond, le sniper ne le visait pas vraiment.

» Ensuite, il y a l'histoire de Wandsworth Park, la zone industrielle au bord de la Tamise. Alex a entendu le tueur dire au pilote de l'hélicoptère « Mission accomplie ». Mentait-il ? Ou disait-il la vérité ? Avait-il mené à bien la tâche qu'on lui avait confiée ?

— Où voulez-vous en venir ?

— Vous le savez très bien. Vous pensiez que le Cairo College était menacé et vous étiez décidé à y envoyer Alex. Donc, vous avez recruté le sniper et le pilote de l'hélicoptère, et vous avez monté l'opération. Croyant qu'il était en danger, et, pire, que ses amis étaient en danger aussi, Alex ne pouvait faire autrement que de partir. Au fait, j'ai retrouvé le propriétaire du Robinson R22. Inutile de nier, Alan.

— Je n'insulterai pas votre intelligence en cherchant à nier, Mme Jones, répondit Blunt.

— Que sont devenus le pilote et le sniper ?

— Ils ont survécu. Quelques os cassés, rien de sérieux. Ils récupèrent dans une clinique sur l'île de Man.

— Avez-vous conscience de la gravité de cette affaire ? Vous avez organisé une fusillade contre une école ! Vous avez jeté la pagaille dans Londres et mobilisé toutes les forces de police pendant des heures pour arriver à vos fins. Et tout cela pour rien. Vous vous êtes trompé sur toute la ligne, Alan. Scorpia vous a piégé.

Alan Blunt ôta ses lunettes, les essuya avec son mouchoir et les remit sur son nez. Son regard était las.

— Qui est au courant ? demanda-t-il.

— Seulement moi.

— Et qu'avez-vous l'intention de faire ?

— Rien, répondit Mme Jones après un court silence.

396

Elle avait pris sa décision juste avant d'entrer dans le bureau. Ou à l'instant seulement. Cela ne changeait rien.

— Je ne peux pas me dégager de toute responsabilité dans cette histoire, ajouta-t-elle. Je peux comprendre pourquoi vous avez agi comme vous l'avez fait. Et je ne m'opposerai pas à la remise de votre décoration. Vous allez recevoir votre titre de chevalier. Partez à Venise. Profitez de vos vacances. Nous avons travaillé ensemble longtemps. Nous ne nous reverrons plus.

Blunt se leva. Il s'approcha du bureau, posa ses mains sur la boîte à chaussures, mais il ne la prit pas. Il regarda Mme Jones.

— J'ai deux choses à dire, si vous le permettez, Mme Jones.

— Je vous écoute.

— N'oubliez pas le résultat positif de cette affaire. Scorpia est démantelée, n'est-ce pas ?

— Scorpia est la risée de tout le monde, acquiesça Mme Jones. Plusieurs de ses membres, dont Zeljan Kurst, ont été arrêtés, et les polices du monde entier coopèrent pour traquer les autres. Ils ont perdu trois fois devant Alex. Scorpia n'existe plus.

— On pourrait donc conclure que cela en valait la peine.

— On pourrait. Quoi d'autre ?

— Juste ceci. Un simple conseil, Mme Jones, dit Blunt en prenant sa boîte à chaussures. L'opération de Brookland était une erreur. Mais je n'ai pas hésité à la monter. Et si vous voulez réussir à ce poste, mon poste, un jour viendra où vous devrez agir comme moi. Mais vous le savez déjà. Vous savez le genre de décisions que nous sommes obligés de prendre. Toutefois je me demande si vous savez comment vivre avec. Un philosophe allemand a écrit que celui qui affronte les monstres doit prendre garde à ne pas en devenir un lui-même. Notre travail est souvent monstrueux. Et il n'y a pas moyen d'y échapper, je le crains.

Mme Jones hocha la tête. Il n'y avait rien à ajouter.

— Adieu, Alan.

— Adieu, Mme Jones.

L'embarquement du vol numéro 20 de Virgin Airways à destination de San Francisco avait commencé. Tous les passagers étaient invités à se présenter porte 3.

Assis dans le salon de la classe affaires de Virgin Airways à l'aéroport de Heathrow, Edward Pleasure ferma son livre et le rangea.

— Il est temps, dit-il.

— D'accord.

Alex était assis à côté lui, en jean et sweat-shirt sombre. Dans son sac de cabine, il emportait des livres et des jeux pour sa Nintendo DSi. Il avait enregistré deux valises, qui contenaient à peu près tout ce qu'il possédait. La maison de Chelsea avait été vidée et mise en vente. Alex avait pris ses vêtements, quelques photos, sa raquette de tennis, et un ballon de foot signé par les joueurs de Chelsea qu'il avait un jour gagné à une tombola. Il aurait pu prendre davantage de choses. Edward Pleasure lui avait proposé de remplir une malle et de l'expédier par bateau. Mais Alex avait préféré tout laisser derrière lui.

Il allait vivre à San Francisco avec Edward et Liz Pleasure. Et Sabina, bien sûr. Tous deux avaient discuté au téléphone et Sabina avait hâte qu'il arrive.

— Ça va être super, Alex ! On sera tout le temps ensemble. Tu vas adorer la ville. Ta chambre est prête. Et maman t'attend avec impatience.

Edward et Liz étaient désormais les tuteurs légaux d'Alex. Cela équivalait presque à une adoption.

Curieusement, c'était Mme Jones qui avait proposé cette solution. Peut-être était-ce une façon pour elle de racheter ses torts. Elle avait téléphoné à Edward Pleasure avant le retour d'Alex en Angleterre, s'était occupée de toutes les démarches administratives, et obtenu pour Alex un visa permanent pour les États-Unis. Le MI6 possédait un manoir de cinq hectares, mi-clinique mi-résidence, du côté de New Forest, où Alex avait séjourné pendant qu'elle réglait les formalités. Edward Pleasure était arrivé deux jours plus tôt. À présent ils s'envolaient pour l'Amérique.

Depuis le succès de son livre sur Damian Cray, Edward Pleasure était devenu riche et célèbre. Il était très demandé et écrivait pour plusieurs journaux et magazines importants aux États-Unis. Il devait une grande partie de son succès à Alex. Après tout, c'était Alex qui avait le premier découvert la vérité sur Damian Cray. Alex avait noué avec la famille Pleasure des liens qui dépassaient son amitié avec Sabina. Il avait séjourné chez eux en Cornouailles, en Écosse et dans le sud de la France, où Edward avait failli périr dans l'explosion d'une bombe. Depuis, il marchait avec une canne et prenait des calmants contre la douleur, mais il avait surmonté ses épreuves. Les Pleasure vivaient maintenant dans une belle maison à Presidio Heights, un quartier paisible et vert de la ville. Sabina allait au lycée, sa mère écrivait un livre, cuisinait, jardinait, et promenait leur chien (un labrador couleur chocolat qui venait de rejoindre la famille). Il leur avait fallu un peu de temps pour s'habituer à leur nouvelle vie de l'autre côté de l'Atlantique, mais ils étaient maintenant confortablement installés et heureux.

Alex allait à son tour les rejoindre et faire partie de la famille. Edward l'examina du coin de l'œil alors qu'ils quittaient le salon pour gagner la porte d'embarquement. Il connaissait peu de chose sur les événements du Caire. Mme Jones n'avait rien voulu lui cacher mais il avait simplement préféré ne pas poser de questions. Jack Starbright était morte. C'était suffisant, et il comprenait ce que cela signifiait pour Alex. Edward savait aussi que la vie d'espion d'Alex était maintenant révolue. Le MI6 ne le contacterait plus jamais.

Depuis qu'ils s'étaient retrouvés, Alex avait à peine parlé. Et ce silence terrible dans lequel il s'enfermait était comme une maladie. Il n'avait pas faim et se nourrissait à peine. Il répondait aux questions poliment mais ne prenait aucune initiative. Il paraissait absent. En le voyant, deux jours plus tôt, Edward avait eu l'impression que quelque chose s'était cassé à l'intérieur de lui. Et que cette cassure était irréparable. Il s'était même demandé s'il avait bien fait de prendre Alex sous sa responsabilité et de le ramener chez lui.

Au cours des quarante-huit heures passées ensemble, toutefois, il avait remarqué de légers changements. Alex était plus alerte. Il marchait avec plus d'entrain dans le long tunnel qui conduisait à l'avion, comme s'il était pressé de partir. Edward l'avait entendu parler avec Sabina au téléphone, et compris qu'il était impatient de la retrouver.

Était-il trop optimiste de croire qu'Alex commençait à guérir ? Edward se redressa, déterminé. Les choses s'arrangeraient. Alex allait faire partie d'une vraie famille, ce qui ne lui était jamais arrivé. Il vivrait à des milliers de kilomètres des puissances obscures qui avaient ravagé sa vie. C'était un nouveau départ. Il allait devenir ce dont il avait toujours rêvé. Un garçon ordinaire.

Vingt minutes plus tard, ils étaient assis côte à côte dans l'avion, ceinture bouclée. Alex regardait par le hublot. L'avion avait atteint le bout de la piste et les pilotes procédaient aux dernières vérifications.

— Ça va, Alex ? demanda Edward Pleasure.

— Oui. Mieux.

Les moteurs rugirent. L'avion s'élança, prit de la vitesse et s'éleva dans le ciel.

Table des matières

CE ROMAN VOUS A PLU ?

Donnez votre avis sur

www.Lecture-Academy.com

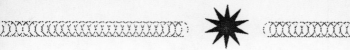

Ils sont jeunes. Ils sont riches.
Mais ils risquent de tout perdre…
À commencer par leurs vies.
Si vous avez aimé Alex Rider, découvrez
les aventures de Megan et Luke dans

(Tomes 1 et 2 déjà disponibles)

PLUS D'INFOS SUR CE TITRE DÈS MAINTENANT SUR LE SITE

 www.Lecture-Academy.com

Composition JOUVE – 45770 Saran
N° 646298J

Impression réalisée par
CPI BRODARD ET TAUPIN
La Flèche
en juin 2011

N° d'impression : 64209
20.19.2289.5/01 - ISBN : 978.2.01.202289.8
Dépôt légal : juin 2011

Loi n° 49-956 du 16 juillet 1949
sur les publications destinées à la jeunesse.